2047

max telesca

2047
A revolução dos dementes

UM ROMANCE
DISTÓPICO

GERAÇÃO

Copyright © by Max Telesca
1ª edição – Maio de 2022

Grafia atualizada segundo o Acordo Ortográfico da Língua Portuguesa
de 1990, que entrou em vigor no Brasil em 2009.

Editor e Publisher
Luiz Fernando Emediato

Diretora Editorial
Fernanda Emediato

Assistente Editorial
Ana Paula Lou

Capa e Diagramação
Alan Maia

Revisão
Ana Maria Fiorini

**Dados Internacionais de Catalogação na Publicação (CIP)
de acordo com ISBD**

T269d Telesca, Max
2047: A revolução dos dementes / Max Telesca.
- São Paulo : Geração Editorial, 2022.
336 p. : 15,6cm x 23cm.

Inclui índice.
ISBN: 978-65-5647-068-9

1. Literatura brasileira. 2. Romance. I. Título.

CDD 869.89923
2022-470   CDU 821.134.3(81)-31

Elaborado por Odilio Hilario Moreira Junior - CRB-8/9949

Índices para catálogo sistemático
1. Literatura brasileira : Romance 869.89923
2. Literatura brasileira : Romance 821.134.3(81)-31

GERAÇÃO EDITORIAL
Rua João Pereira, 81 — Lapa
CEP: 05074-070 — São Paulo — SP
Telefone: +55 11 3256-4444
E-mail: geracaoeditorial@geracaoeditorial.com.br
www.geracaoeditorial.com.br

Impresso no Brasil
Printed in Brazil

Para Laura, Luiz Geraldo,
Luís Guilherme, Pedro Luís e Romaly

Este livro começou a ser projetado e escrito em abril de 2017, após a publicação de *2038*, o primeiro volume da trilogia Lisarb, em agosto de 2016. Num primeiro momento, os episódios políticos, profissionais e pessoais que se seguiram à tentativa inicial do engenho literário brecaram a continuidade do projeto, gerando em mim certa angústia e ilusão de tempo perdido.

Em 2019 os trabalhos foram retomados com tímido avanço. A névoa ainda estava assentada sobre as cores reais do porvir e o passado se movimentava com passos marcados em salões perdidos.

Com o ingresso no primeiro ano da pandemia, o escrito avançou significativamente, e 2020 pode ser considerado o ano de uma retomada mais vigorosa pela visualização clara dos traços da tragédia instalada no mundo, em especial no Brasil, cujo histórico de inação e descaso frente às necessidades básicas do progresso humano é uma triste tradição, e, assim, o novo Coronavírus, como gota d'água colocada na lâmina para realçar os aspectos do material examinado, elevou a ruindade do brasileiro e do seu sistema político ao paroxismo.

Entre junho e julho de 2021, as partes centrais e finais de *2047* foram concluídas em Alto Paraíso de Goiás. Agradeço ao tempo, hoje, depois de longa e dura caminhada, e reconheço a necessidade de flutuação mental quando, na dor da andança, os pés e as pernas reclamam. Aplacando a ansiedade e verificando os episódios da história real, pude perceber a importância e a influência da espera no molde da escultura.

"Ele (o embuste) não entra em conflito com a razão, pois as coisas poderiam perfeitamente ser como o mentiroso diz que são. Mentiras são frequentemente muito mais plausíveis, mais clamantes à razão do que a realidade, uma vez que o mentiroso tem a grande vantagem de saber de antemão o que a plateia deseja ou espera ouvir. Ele prepara a história com muito cuidado para consumo público, de modo a torná-la crível, já que a realidade tem o desconcertante hábito de nos defrontar com o inesperado para o qual não estamos preparados."

HANNAH ARENDT, in *A Mentira na Política* (Considerações sobre os documentos do Pentágono).

PARTE INICIAL

I

O Direito, como valor primordial, não existe; há política. O ideal político também não se conforma como engendrado; há força. A democracia e a república modernas foram concessões estratégicas da força, do poder real, para ir adiante com um pouco mais de conforto ao longo da história. O crime, a corrupção, a violência e o grande capital são os verdadeiros vetores do poder real. Fora disso, há ilusão, tentativas e, especialmente, simulacros. Entretanto, como buscas artísticas infindáveis a definir o destino traçado para o nosso desamparo, esses sistemas semificcionais são a nossa mais bem-acabada construção, acolhedora e aconchegante ruína.

Lisarb chegara ao limite da crise institucional e econômica nos nove anos seguintes a *2038*, com o desmoronamento do sistema político baseado na Grande Coalizão. A doutrina da Aceitação fora revista, e os líderes que governaram o país nos últimos quarenta anos estavam no ostracismo ou tinham sido presos, como Lucas, que, naquele momento, aguardava o julgamento de um recurso que poderia lhe conferir, novamente, a liberdade e a possibilidade de disputar as eleições. Ainda que tenha sido objeto de grandes críticas da maior parte dos juristas lisarbenses, a Suprema Corte, ouvindo a voz das ruas, havia, no final de 2041, julgado inconstitucional a nova Constituição de Lisarb, declarado o sistema cleptocrático inaplicável aos casos futuros e, em determinadas situações, em especial naquelas que não envolviam o sistema WT, o velho bem bolado, os princípios institucionalizados da apropriação pública pelas mãos privadas foram julgados inaplicáveis para casos passados, ocasionando processos e prisões em grande escala na classe política, gerando um tsunâmi de descrédito, desalento e descrença quanto ao futuro do próprio país, em função de várias tomadas de consciência, mas, principalmente, em virtude de três cruéis socos no estômago.

O primeiro: vivíamos uma ilusão consumista insustentável baseada em estímulos estatais e liquidez internacional derivada da exuberância irracional e a reboque do crescimento oriental. O segundo: deveríamos aceitar que a sociedade como um todo, não só a classe política, era estruturada a partir de práticas totalmente nefastas ao bem comum, que o imediatismo gerado pela apropriação banalizada dos recursos públicos apenas levou ao encastelamento de castas, organizações e corporações cada vez mais arraigadas em sugar a economia popular e que deterioraram o tecido político em função da preponderância do interesse privado sobre o coletivo.

A segunda constatação era mais desgastante, pois é muito fácil apontar o dedo para o vizinho, para o político, para o terceiro. A dificuldade está em saber-se responsável e, nisso, toda a sociedade lisarbense fora cúmplice de um grande crime contra si própria, pois elegeu seus representantes e estes, em conluio com todas as instâncias representativas e democraticamente estabilizadas, promoveram a institucionalização de práticas condenadas e deixadas para trás pelo que havia de melhor na civilização humana, sob o pretexto de que "era assim mesmo que funcionava". Um atalho perigoso ao lado do abismo, em detrimento da trilha dificultosa da entronização de virtudes. Haveríamos de nos reinventar, mas isto estava longe de acontecer. Esta era a terceira e a mais dolorosa de todas as constatações.

Com a derrubada do sistema cleptocrático pela Suprema Corte, em 2041, o presidente do Tribunal, em regime de triunvirato com outros dois representantes de Cortes menores na hierarquia, assumiu o poder até a finalização do novo texto constitucional, concluído em julho de 2043 e outorgado pela cúpula do Poder Judiciário. Essa nova Constituição foi chamada de Carta de Mórus, em razão da grande influência do ministro da Suprema Corte, Servius Mórus, na sua confecção. Nesse mesmo ano, a eleição presidencial desenrolou-se em Lisarb, sendo eleito um governante de ultradireita, Lair Montanaro, em consonância com a vontade da maioria da população e com a Carta de Mórus.

A estrutura política da vitória de Montanaro era eficaz como uma palafita a sustentar um edifício de alvenaria, mas fora baseada em sentimentos sólidos. Mitigada a realidade, os eleitores de Montanaro vestiram o ódio, almoçaram a desilusão e desceram a serra para aproveitar o feriadão prolongado. Na noite de domingo, após cearem o ressentimento e dormirem o sono dos justos, acordaram nus numa segunda-feira vazia de projetos. A aliança entre o lisarbense médio traído e o oportunista deslavado, com o tempo, conduziu à descrença do primeiro e ao atingimento da meta pelo segundo. Junto deles, sob a proteção das Forças Armadas, que verificara uma possibilidade real de poder depois de décadas de mera figuração no cenário político, um terceiro ator completava o amálgama: o direitista envergonhado, cuja verve, solta raivosamente, tal qual um cachorro louco, feroz como uma galinha sem seus pintos com a derrocada econômica e ética do pevo-luquismo, livre dos grilhões da patrulha ideológica, mandou às favas o respeito às minorias, defraudou o ideário feminista, saiu do armário contra os gays e mandou índios e negros para o lugar onde sempre estiveram dentro de sua mente. A base confortável para legitimar o ultraje: a sensação de roubo das melhores expectativas, transformada rapidamente em ofensiva, encontrou no Judiciário, especialmente nos seguidores de Servius Mórus, a guarida para a primeira parte do discurso de derrubada do complexo sistema de corrupção institucionalizada baseada na Doutrina da Aceitação.

Economia combalida, líderes descobertos e decisões judiciais em prol da faxina ética, mesmo que a vassoura e o rodo fossem passados de modo a trazer mais uma espécie de corrupção: o trespasse violento sobre garantias individuais. Nada seria feito se não fosse desta forma, bradavam juristas favoráveis à relativização de princípios construídos sob inspiração iluminista. Montanaro, tal como os heróis estadunidenses que cravaram a bandeira no cume da montanha mais alta de Iwo Jima, sobe a ladeira como um pinto feliz, e finca seu estandarte nas sobras formadoras do lixão do Partido Ético e Verdadeiro. Mas a ilusão, como se sabe, tem dia e hora para fazer vir à tona seu reverso, e as coisas haveriam de dar lugar à realidade. Tal qual a foto dos guerreiros ocidentais em Iwo Jima, descoberta, posteriormente, ser uma farsa, uma montagem cênica, Lair Montanaro não era propriamente um herói, nem um mito e, auxiliado inicialmente por Servius Mórus, acabou por optar, mais adiante, pelo pragmatismo, pela velha corrupção, abandonando seu tutor ético que, mais adiante, tentaria dar-lhe o troco.

A Doutrina da Aceitação de modo extemporâneo codificou práticas e usos da cultura lisarbense e, como teoria política extravagante, legitimou-se cavalgando uma economia alavancada, falsamente sustentável, coroando quinhentos anos de extrativismo colonial escravocrata transmudado numa simulação estatal baseada no clientelismo, no fisiologismo e na corrupção como método político e de vida da população. Tudo isso seria, no mínimo, um absurdo, uma anomalia, algo totalmente discrepante do senso comum falado, mas não praticado, não fosse o fato de estar *dando certo* economicamente, e, para completar a mágica solução, o porta-voz da legitimação era o PEV, o mais importante partido da história de Lisarb, combatente maior da corrupção desde a sua fundação, por duas décadas, até a chegada ao poder. Tudo estava dentro, tudo estava absolvido a partir das premissas econômicas e políticas. Não havia como ir contra. Lucas, o grande arquiteto do Consenso de Aceitação, quase chegara aos cem por cento de popularidade, e os presidentes que se seguiram até a derrocada eram líderes menores e medíocres que apenas levaram adiante a história, mas sem nenhum brilho, deixando cair a peteca.

Assim como o grande desafio de todo ciclo virtuoso é prolongar-se, postergar a inexorável decadência, essa luta não prescinde de um personagem clássico que encena o principal papel: a satisfação das famílias, a economia. Lisarb teve na liquidez internacional abundante da década de 2030 seu momento mais efusivo. As famílias estavam felizes com o crédito oferecido no sistema financeiro, cujo custo, apesar de ainda altíssimo para os padrões internacionais, fez a sociedade lisarbense vislumbrar uma luz no fim do túnel da impossibilidade total de tomar dinheiro sem precisar de um padrinho, um favor, uma brecha no sistema. Um dos maiores vícios da economia lisarbense sempre fora a pouca oferta de crédito para a população, um entrave da economia popular, um dificultador primordial da ascensão social e agravante sobremaneira do fosso de desigualdade. O dinheiro caro e a conta-gotas sempre fora uma marca do país, e os juros escravizavam quase oitenta por cento da população economicamente ativa. Com os governos do PEV, sustentado politicamente pela Grande Coalizão, o crédito farto, embora ainda bastante dispendioso, era uma marca da mudança, e as classes C, D e E começaram a obter acesso a produtos e serviços jamais imaginados. Os aeroportos ficaram lotados, academias de ginástica nas periferias das grandes cidades foram abertas à profusão, e as revendas de carros populares tilintavam suas caixas registradoras virtuais. Shopping centers foram inaugurados em locais nunca antes imaginados e modismos suburbanos foram sobrelevados, invadindo o espaço reservado à elite no imaginário da opinião pública.

O programa de bolsas completava a matriz básica da operação, com o governo lisarbense providenciando, em períodos regulares de seis meses, auxílios estatais a fundo perdido que variavam desde eletrodomésticos até automóveis. Ao que parecia, não havia como dar errado. Era uma conta política infalível, abastecida pelo capital estrangeiro em busca de lucro rápido. Mas, como todo problema complexo tem sempre uma solução simples, notadamente errada, a equação que parecia singela, rápida e eficiente teve sua base testada e, de forma acachapante, sofreu revés violento com a crise financeira internacional de 2035, cujos efeitos foram adiados de forma artificial até *2038*, com o estímulo ao consumo, desonerações tributárias e manutenção do programa de bolsas, sem lastro econômico real, no trabalho, na produção.

Não há gratidão quando falta pão. Soluções mágicas não existem; há trabalho. Com o acordar do grande torpor, a sociedade lisarbense desmoronou de uma ilusão de abastamento para o endividamento em massa, o empobrecimento, o desemprego, a falta de perspectivas, o desalento e um dualismo radical embrutecedor, levando cada vez mais o país para o buraco.

As decisões são tomadas por emoções — este é, talvez, o grande problema da democracia —, e, assim, a raiva derivada do ressentimento, da sensação de traição produziu uma ressaca ainda maior. Uma tragédia anunciada por uma população portando o sentimento de ter sido usada. O centro político de Lisarb sempre foi o vetor decisório em todas as eleições. Historicamente, esse centro pendia para uma dinâmica mais conservadora, mas moderada. Um suposto amadurecimento político teria acontecido quando Lucas fora eleito para o primeiro mandato, quando o centro derivou à esquerda pelo fastio e pela capitulação ao pragmatismo do PEV, algo exposto de forma clara na "Carta aos Lisarbenses". Desde lá, passando pela Grande Reforma de 2020 e pelo Consenso da Aceitação, o PEV caiu nas graças do centro, da centro-direita e da direta moderada.

Com a derrocada, os setores mais conservadores, e mesmo uma parte enorme do eleitorado votante à esquerda, a classe média dos grandes centros urbanos de Lisarb, migraram do beijo lascivo para o ódio raivoso. O casal, das mãos dadas no parque, passou rapidamente à Delegacia Especial das Mulheres, pois, onde há necessidade e dívida, não há dúvida quanto ao inimigo, e ele é aquele que aplicou a solução mágica desnudada posteriormente por ineficaz e mentirosa. O sentimento de traição mostrou-se mais poderoso dentro dos corações lisarbenses, em especial dos cooptados, e a raiva derivada da instrumentalização percebida jamais seria perdoada. Por tempo demais para um país em desenvolvimento, a fissura social produzida seria o entrave para a retomada do crescimento.

Ocorreu, no entanto, de Lair Montanaro, rezando pela cartilha clássica da promessa impossível, do embuste, precisar ajoelhar no milho, fosse pela ausência de uma legitimidade nunca por ele exercida, fosse pela necessidade de exercer o diálogo cruento com o Parlamento para não perder o mandato. Assim, precisou desfazer-se de suas falsas falas moralistas, caindo o pano para o próximo ato, e as máscaras da comédia foram logo substituídas pelas da tragédia, revelando o local real de onde nunca saíram, o armário embolorado das mentiras no camarim velho da farsa.

A verdade, como se sabe, é inversamente proporcional à campanha política e, mais uma vez, não obstante a firme intenção de Cairo Góes em melhorar o país, eu deveria ser complacente com uma certa dose de desonestidade intelectual em busca do poder. Naquele final de manhã em Litorânia, no balcão de um velho e querido botequim da Virgem Candelária, bairro mais antigo da Zona Sul, eu observava meus dedos inchados a segurar um *shot* de gim, os gritos dos garçons à espera do movimento do almoço, as jovens andando em grupo em direção ao mar com saídas de banho, os velhos na esquina com camisas cáqui com o bolso cheio de documentos, os táxis amarelos e as gotas de suor a caírem da minha fronte quase cinquentona, enquanto eu fazia hora e esperava pelo almoço com Antônio Paulo. Eu estava quase certo de voltar definitivamente para meu país, assessorar Cairo Góes em mais uma tentativa de chegar à presidência. Havia algo de novo sob o sol de Lisarb, sem dúvida, mas, antes da verificação dessa novidade, eu deveria acertar as contas com um passado recente.

Uma Certa
Benigna Alphonsus

Ai de vós, mestres da Lei e fariseus hipócritas! Vós sois como sepulcros caiados: por fora parecem belos, mas por dentro estão cheios de ossos de mortos e de toda podridão.

Mateus 23, 27-32

O MEIO E O
INÍCIO DO FIM

O néon desdentado de um letreiro enviava os sinais luminosos à superfície quase branca do asfalto à sua frente, e a luz azul resplandecente parecia trazer o conforto do saber-se vivo, misturando a sede com o gosto adocicado de nicotina do charuto no céu da boca. Sentado à beira da calçada, Alex Tedesco, ainda entorpecido, num reinício de lucidez, via ao lado e à sua volta duas mulheres vestidas apenas com meias-calças, um vendedor de churrasquinho contando a féria, e um zumbi fumador de mask achegando-se fedorentamente. A dor de cabeça, meio segundo após a tomada de consciência, o fez, como um alerta, colocar a mão no bolso: sua carteira estava lá. Fez menção de levantar-se, mas sentia um tijolo dentro do cérebro. Sua lentidão fez o maskeiro sentar-se ao seu lado, com o cheiro da morte. As lembranças eram poucas. Quase 50 anos e ele ainda não havia aprendido. Anos a fio em Lisarbia, Paris e, nos últimos anos, Roma, mostraram ainda não terem ensinado a Alex Tedesco o caminho crucial da risca original. Ausentar-se de si próprio é um erro tão grosseiro quanto um comandante de navio do início do século XX colocar de lado as cartas náuticas em meio às tormentas e seguir sua orientação instintiva. O que foi escrito inicialmente é o mapa a ser seguido ao longo da vida. Ao lado de putas, drogados, na saída de uma boate de quinta categoria no subúrbio romano, com pouco dinheiro, pelo menos, Alex Tedesco começara a desenhar o caminho de volta.

Benigna fazia do embuste a sua prática cotidiana, mas não era sua culpa, assim ela pensava. Tudo era fruto de sua criação, em meio a embustes de embustes de outros embustes. Seu nome de batismo,

Maria Lígia Gnatalli, fora substituído antes mesmo de iniciar sua rodada europeia, de onde não mais voltou para a "terra dos pebas", como dizia, bebendo uma taça de espumante paga por alguém. Alguém como Alex Tedesco, deslumbrado com o falso brilhante.

Muito difícil encontrar um paralelo na arte da disseminação de inverdades e construção sobre o falso, mas, como se diz, o contador do conto sempre o aumenta, e a verdade é que a constatação não foi tão fácil assim. Logo de início, as falas são mansas, carinhosas, e a paixão, por si só equívoca, é uma inimiga da clareza. A busca da verdade é uma tradição humana tão longeva quanto sua maior rival, o amparo de afirmações sobre as pernas nem tão curtas da invenção. E essa tem inúmeros primos, amigos, aliados. A ficção é uma delas. Benigna, não fosse pelo fato de uma cultura resumida às telenovelas, até que daria uma boa contista. Mas o nascimento para tostão é um destino escrito. O bom sapateiro não será, necessariamente, um dono de lojas de sapatos de sucesso, e a morena da linda tez clara, em verdade, foi adiante no ardil diário, da mentirinha, do ensaio do álibi, mas se criou bem-criada a fulana, pois é muito mais fácil acreditar na ilusão da solução mágica, é mais cômodo, mais confortável aos ouvidos, a ter de trabalhar com os dados da dita dura realidade, e isso encanta, tanto para o externo como para o olhar interior. E assim é tudo na vida. Ilusoriamente, os homens vão se enfiando em embrulhos bonitos, cheios de brilhos e lantejoulas, e encobrindo inconscientemente o real. É injusta a realidade? Sim, mas é o que temos de mais palpável e *ainda o único local onde se pode comer um bom bife.*

Caminhando em busca de um cotidiano mais palatável ao seu gosto, Benigna, muito cedo, com certa dor, saiu de casa em Divertina para tentar a vida em Litorânia, onde começou a estudar Direito. Morando de favor na casa do padrinho, um industrial famoso, a aprendiz de pistoleira não tardou em conhecer a sociedade local. Mesmo quebrada, jamais deixou de se deslocar com altivez no *jet set*, dentro de vestidos caros comprados a duras penas pela mãe, cuja aposta na filha bonita era alta. Andando no meio da fina flor litoranense, deveria encontrar algum rapaz rico. Um clássico.

Com Alex, em Roma, relembrava a época como de grande dor, pois rivalizava com as primas e era muito invejada por elas pela sua beleza. Assim ela dizia, aos quatro ventos, e era o que chegou, mas o que se tem é um desafio fantástico para qualquer detector de mentiras, pois suas falas inventadas eram tão correntes, suaves, fáceis, fluídicas, que não havia mudança nas ondas cerebrais, mas, de qualquer modo, como disse Verlaine, todo o resto é literatura.

Mitômana, não que acreditasse na sua ficção; o ardil era a prática, mas o gosto ruim de saber-se ruim, ao que pude observar, ela carregava no céu da boca desde pequena. Mas é o que podemos relatar, com base no que veio, e o que veio foi de alguém alquebrado, fodido pela desconfiança de tudo, mas alvejado também pelo confronto com o real e com a inexorabilidade do existente, que acaba sempre chegando, como unha e cutícula. A mentira disseminada é boa de se ouvir, fala com nossa criança, com o lúdico, e a verdade, quando se propaga, não é tão aprazível ao paladar, mas apazigua como ninguém e traz um senso finalizador do assunto. É preferível. Cumprindo com um *script* de gata borralheira, Benigna, ainda Maria Lígia, aplicou na faculdade de Direito a mesma lógica secundarista, quando sua mãe, dando mimos aos professores e entregando atestados médicos falsos, conseguia o passar de ano da filha, mesmo com faltas e notas reais desprezíveis, de quem nunca estudou. Na faculdade foi a mesma coisa, agora usando a influência do padrinho milionário, que teve de empregar um filho do diretor da faculdade de Benigna. Segundo consta, o padrinho, homem trabalhador, havia perdido a paciência com ela, lá pelo fim da faculdade. "Ou você toma jeito, gosto pelos estudos, ou casa com alguém rico."

A verdade é como a morte, sempre vem uma hora, e não há quem fuja da aplicação dessa lei. Não a verdade a partir do constructo, mudança constante, impermanente, mesmo científica, mas a verdade de saber-se, de enfrentar-se. O problema é a demora no chegar. Diplomada e com um emprego arrumado num órgão da administração municipal de Litorânia pelo padrinho, não havia como ensinar a moça a usar um microcomputador, e ela buscava sempre culpar alguém pela sua ineficiência. Como ficaria muito feio não ser chefe do departamento onde trabalhava, o padrinho a colocou como gerente no órgão municipal litorâneo de atendimento e centralizador dos recebimentos de pedidos de renda mínima. Apesar de premida pela necessidade, ainda que com meneios de cabeça, a fulaninha, na época bem magrinha, aceitou o emprego, mesmo que soubesse que teria de, todos os dias, conviver com a plebe rude. Saía cedo para seus padrões e, com a carona da prima, era deixada a dois quarteirões da sede da Rendix por volta das 10h. Sempre muito arrumada, mas dois degraus acima da elegância, não era a primeira a chegar, nem a última a sair, não costumava conversar com o porteiro, nem dava bom-dia aos ascensoristas. "Essa não é sua tarefa, Alex. Gente de classe inferior. Você não deve misturar as estações. Aprendi isso cedo", disse a Alex quando ele, ao tentar ser gentil com o garçom e alcançar-lhe o prato distante, aprendeu que estava cometendo uma gafe, num dos tantos restaurantes de Roma onde deixava suas economias.

Na Rendix, suas atribuições eram a supervisão e coordenação dos pedidos de renda mínima, a conferência do nível social dos requerentes, envio de relatórios para a Secretaria de Justiça Social de Litorânia, cruzamento de dados sociais, tarefas importantes para um país que começava a trilhar o caminho das políticas compensatórias. Bem montada, produzida, a pistoleira não fazia a mínima questão de interessar-se pela causa e terceirizava suas atribuições para sua chefe de gabinete. Aliás, era contra as políticas de distribuição de renda, ainda que não soubesse exatamente e com profundidade a razão de tal opinião, mais ligada a atavismos elitistas, e, quando sobrava tempo para algum tipo de discussão que não fosse a crônica social do *about last night*, mesmo correndo risco de chegar sua opinião aos superiores, fazia comentários eruditos do tipo: "não se deve dar o peixe, mas ensinar a pescar", e, antevendo o que mais adiante seria uma prática corriqueira, banhava-se em álcool gel depois de sair da repartição.

A busca de Benigna era parecer, transparecer algo que não era, lutar pela reconquista da posição social perdida pela incompetência familiar e, assim, galgar sua ascensão, sempre impulsionada pelo exterior, pela aparência — como se sabe, nada é tão profundo quanto as aparências. Verificar sua trajetória era um mergulho numa piscina aquecida pela fornalha do autoengano. Afora a juventude dos pais, especialmente a do pai engenheiro, que tinha herdado pequena fortuna, seu núcleo original passou a primeira metade da vida gastando a herança, e a segunda, remediada, com certa dificuldade e sem luxos. Benigna, filha mais nova, pegou o pior dos mundos, com o pai já quebrado, sem trabalhar, mergulhado na boêmia. Buscar, assim, uma posição perdida não era propriamente o destino daquela uma, mas simular, como sempre fez, algo inexistente, um teatro de máscaras muito mal-ajambrado onde tentava superar dramas pessoais e sequelas.

No fundo, escondidas por entre plumas *overdressed*, descida do salto, nocauteada pela falta de recursos, não raro, perdia as estribeiras, e pérolas muito bem guardadas caíam de sua boca pelo caminho, como uma vez, quando Alex discutia a diminuição de sua renda mensal, preparando a separação, sempre postergada por Benigna. Na piscina do condomínio onde moravam, em Roma, tomando um espumante rosé, contrariada por ter seu pedido negado por Alex de jantar àquela noite em restaurante caro, próximo ao Pantheon, de bruços sobre a borda da piscina, mergulhada meio corpo, bebericando e espumando ódio, diz-se que se saiu com esta:

— Alex, Alex, você não sabe viver, não sabe aproveitar a vida. Um homem talentoso, com uma agenda lotada, cheio de compromissos pelo mundo, não pode ir num sábado à noite com sua dama no Armando al Pantheon...

— Já lhe disse, Benigna, meu dinheiro está acabando. Você não sabe o custo disso tudo. Os rendimentos com as palestras não estão lá estas coisas, o valor que me resta das aplicações do dinheiro que ganhei nos últimos anos em Lisarb está acabando.

— Você tem o rendimento dos direitos autorais do livro sobre Lisarb também, não me esconda.

— Escritor nunca ganhou dinheiro com publicações, Benigna. O livro, você sabe melhor que eu, é apenas uma forma de eu ficar conhecido, mas as palestras não pagam mais o que pagavam.

— Sabe, Alex, ouvindo você reclamar da vida, um homem trabalhador, com dinheiro, patrimônio, imóveis em Lisarb alugados. Olhe para mim, nem esta casa no condomínio é minha, você sabe a real, mas minhas amigas todas acham que eu sou rica. Tenho maior pinta de milionária, a maior fama, e quer saber, tiro onda mesmo, fama eu tenho, meu querido, mas me falta *l'argent*.

E seguia, com projeções, sobre amigas cujas fortunas eram conhecidas, mas, segundo ela, não eram dignas das donas.

— Alex, quer saber? Veja a Karisa Paiva, olhe o mau gosto dessa mulher. Não tem a mínima condição de ter a fortuna que possui. Uma louca, não tem *pedigree*... Ah, eu, no lugar dela, com o dinheiro que ela tem, faria chover.

— Benigna, a Karisa é uma mulher simples, de bom coração, tem o jeito dela, e a família parece que trabalhou muito para chegar nesta condição. E, de boba, ela não tem nada.

Naquele fim de semana, o casal estava sendo visitado por um amigo de Alex, seu colega desde o jardim de infância, Rogério Pietroboni, psicólogo no Estado do Sul que visitava a Itália naqueles dias e se hospedara na casa onde morava o casal. As pautas com Rogério eram sempre muito interessantes, profundas como era sua profissão.

O prelúdio de um fim, possivelmente, era anunciado de forma sutil pelo amigo, nos tons das conversas que tinham como mote a importância da busca da honestidade consigo próprio na construção dos pilares do autoconhecimento e mesmo para uma vida feliz. Pietroboni desfizera havia pouco um casamento de duas décadas e, a exemplo de Alex naquela viagem a Nápoles, estava na Itália para buscar os papéis da sua dupla cidadania. *A mentira arranha, a verdade dói profundamente*, dissera o amigo de Alex na noite anterior, antevendo situações e antes de Benigna descer de seus aposentos para participar, ainda que sem grande contribuição intelectual, da tertúlia. "A construção sobre o falso — dizia ele, tomando um Negroamaro da Calábria, sua região — cobra lá na frente a conta, Alex. Não se pode transigir com princípios. É como a compressão de uma mola. Você foi criado de um jeito, o caráter amoldado desse jeito, tudo que ouviu, tomou de lição em casa é de uma forma, não tem como, sem o pagamento do preço da doença, ir adiante. A mola uma hora vem diretamente na cara, quase sempre em forma de doença, de disfunção." Alex, recém-ingressado na contemplação, via sabedoria no dito de Rogério. Naquele momento, na piscina, com Benigna em discurso de ódio social, Alex ainda dava um desconto injusto para um certo conflito de origens:

— Você não tem vergonha de gastar o dinheiro dos outros, Benigna? Ainda fala mal de quem te dá o que beber e comer em jantares. Não estou podendo ir ao centro de Roma hoje gastar duzentos, trezentos euros num jantar. Pense que este é o valor ganho por um trabalhador doméstico em um mês em Lisarb.

— Deixe de ser hipócrita. Uma coisa não tem nada a ver com a outra. Faz parte, meu querido, da vida que você quer levar. Ver, ser visto nos melhores restaurantes, ser falado pelas pessoas. Formamos um belo casal, as pessoas invejam essa performance. Você fica pegando exemplos sem sentido. O que tem a ver o dia a dia de um peba, em Lisarb, com o *glamour* do *jet set* internacional?

— Minha história é outra, Benigna. Quando você estava nascendo na sua família, no Estado Diverso, já se iam quinze gerações dela por lá, escravizando, matando, mandando, extraindo de Lisarb suas riquezas. Já minha família estava aqui na Itália passando fome e frio, e meu tataravô atravessou o Atlântico fugindo da guerra.

— Agora, de novo, vem com essa conversinha de esquerdista... Alex, você mudou, meu querido. Você foi um ingrato, um oportunista. Mamou até não poder mais nas tetas do governo pevista e depois escreveu um livro contra eles? Que moral...

Atingido na sua aparente contradição ao que disse, Alex percebia ainda muito rasamente o desvio de rota manipulatório do assunto feito por Benigna, mas creditava isso à falta de recursos argumentativos de sua companheira, e insistia de forma vã numa conquista da razão:

— Era assim a lógica do colonizador. Você não tem culpa, tem no DNA o valor do trabalho como inferior. Eu não, Benigna, busco trabalhar, acho mais graça em ganhar, em produzir riqueza do que em gastá-la.

— Muito bonito... que riqueza que você tem produzido, Alex? Estamos vivendo na maior mordomia aqui na Itália. Você viaja a Europa toda explicando Lisarb, essa sua visão de corrupção, como é mesmo, cleptomania?

— Cleptocracia.

— Sim, cleptocracia. Vivendo no bem-bom, melhores hotéis, dinheiro na conta. Ah, conta outra, Alex.

— Eu insisto no que disse ontem à noite o Rogério. Não há nada no mundo pior do que fugir de si mesmo, Benigna. Você, por exemplo, tenta construir uma imagem inexistente. Acabou de falar que tem fama de milionária, mas não é. Reclama, diariamente, comigo, que não tem de onde tirar dinheiro, mas prefere posar de rica. Eu vou falar algo: não quero mais esta vida. Prefiro voltar para Lisarb, morar no Sul da Itália com os meus parentes, levar uma vida mais simples. Não há quem aguente esta gastação de dinheiro. Acaso você não tenha, eu tenho vergonha e culpa por viver este estilo de vida abusivo. Não é a minha verdade, e não quero mais isto.

— A tua verdade, benzinho, é que gostas do bem-bom, das coisas caras, mas este teu passado esquerdista te deixa com culpa no cartório. Rogério está descendo?

— Não sei. Vou lá chamar ele para o almoço.

— Ah, me avise antes de deixar "esta vida", pois tenho meus compromissos.

Alex subiu ao mezanino e avistou Rogério tocando no violão o "Canto de Ossanha". Chamou-o para comer a picanha que estava no forno elétrico e seguiram dialogando sobre as construções em falso, cuja ruína, sempre, é inevitável, algo nem superável pela reforma, pois a mudança é no alicerce, sem possibilidade, portanto, de ser alterada. Benigna, junto dos dois amigos, ouvia sem entender e, ao sair da piscina, escutava Elton John em vez do diálogo sobre engenharia entre o jornalista e o psicólogo.

— O vazio é o sentimento de quem constrói sobre o falso, e o espelho é um tapa na cara que se toma toda manhã, pois daquela imagem, a mais próxima do real possível, você não escapa, Alex. O que vejo é que a casa pode ser grande, bonita, com piso de mármore e outros materiais nobres, mas a fundação, acaso tenha uma infiltração importante, se tiver sido feita sobre um terreno poroso demais, se houver um córrego interior, um lençol freático, o abalo vem, uma hora ou outra.

— Rogério, vamos comer a picanha. Benigna, vamos... está pronta a carne. Poderia baixar o som, por favor?

Não fosse pela dose de tragédia, pelo clássico caminho trilhado por tantos homens perdidos em meio ao reluzente mundo da pantomima e do odor intensamente sutil dos feromônios, Alex e Benigna, o casal, eram explicáveis, também, pela luta do primeiro em buscar ascensão social. Ele haveria de dar um rumo à sua vida, logo na saída de *2038*, mas, quando se posicionava para a rota de ascensão, após um merecido sabático em Paris, algo denso como algodão-doce o colheu em meio à tempestade interna de seus devaneios de retorno e o fez mergulhar na sombra, no pior de todos os Alex dentro da multiplicidade de eus existentes em cada um de nós, o lado escuro e escroto, o lado B do disco foi desvelado em Alex pela abertura da fechadura da porta do salão majestoso, todo dourado, cheiroso e enfeitiçante da vaidade. Esse pecado capital foi praticado com exaustão pelo jornalista que escrevia os discursos de Lucas e que produziu um dos textos mais importantes, como ele gostava de dizer, sobre a realidade política de Lisarb. Após a reconquista de seus escritos e a publicação do livro, Alex começou a ser chamado para entrevistas, análises televisivas sobre a realidade lisarbense, e Benigna o ajudou a criar uma imagem externa de sucesso, de painelista com agenda cheia, por meio de jantares e encontros, sua grande habilidade. Nisso o casal se completava, e Alex estava no auge de sua arrogância ao lado de uma simulação, uma *fake news* ambulante, logo ele, um "rapaz de conteúdo", como dizia o grande amigo Antônio Paulo, ou mesmo Tenório, cuja ironia jamais poupou as aparentes contradições de Alex. Ah, disso eu sei.

Naquele fim de semana, contudo, as decisões começavam a ser tomadas. Alex estava dez quilos acima do seu peso normal, bebendo uísque diariamente, suas finanças despencando, apesar de uma imagem externa de evolução. De certa forma, havia esse crescente, mas sempre pecando, errando o alvo, em distância com o ser original. Um homem adoece na mesma medida da distância entre seus sonhos e o que ele pratica, já havia sido escrito, mas o adoecimento, esqueceu Alex, também vinha por meio da distância entre o seu ser real e sua prática, e a paixão, uma dose alta de um destilado inebriante, sempre levará para a embriaguez. Mas como saber como é a ressaca sem beber? Alex não poderia ter tomado decisões importantes sem errar, sem cometer desatinos? Tudo é dúvida e inconstância, e machucar-se é necessário para criar uma pele mais resistente. Olhando o casal, de fora, como a maioria, havia o uníssono olhar para um conjunto bem montado. Uma dama social impecável, com seus dotes de bem receber, de criar conjunções políticas e aproximações, enquanto o rapaz promissor, trabalhador e em ascensão trazia conteúdo ao drama. Tudo seria perfeito, caso houvesse outra substância importante para a saga, mas esta somente foi descortinado totalmente por Alex meses após a visita de Rogério Pietroboni a Roma.

Toda refeição era um rito no qual as raízes sociais coloniais eram expostas de modo a constranger os demais comensais. Mesa posta, talheres de prata impecáveis, cuja origem lisarbense, do interior do Estado Diverso, Benigna sempre buscava enaltecer, guardanapos de linho variados para cada ocasião, louças inglesas, jarras para água em prata peruana. A picanha de Alex, no ponto para bem, ao gosto da companheira, não era recomendada para um sulista, algo notado por Pietroboni:

— Passou um pouco, não?

— Benigna ama a carne um pouco mais para bem.

— Sim, o benzinho sempre me agrada...

A carne gorda, ao ponto para mal, costume histórico, estava guardada na lembrança lisarbense havia anos, denotava o alto grau de abdução, segundo mais tarde diria Rogério, lembrando daquele fim de semana em Roma a Alex, e o quanto este estava fora de si. "Tirou férias", diria Pietroboni. Mas, na verdade, conforme as palavras do próprio Alex no Pandemicus, às quais escutei vivamente, já de volta à Lisarb, tomando uma cachaça de rolha, bem ao gosto indiático, "foi um colapsar em marcha lenta, um desmoronamento para dentro, imperceptível para o próprio personagem, algo de que não me orgulho, a demonstrar minha própria torpeza e indignidade; os anos com Benigna, na verdade, foram um doutorado em maldade". E esse é um ponto interessante de sua fala, pois ele, de fato, ojerizava esse período como se tivesse sido despersonalizado, mas em seu discurso não havia espaço para a autoindulgência, e ele o fazia publicamente, como uma espécie de *mea-culpa*. Tenório, sempre pensando pelo lado da publicidade, do jornalismo, advertia: "Não fala, porra, não vê que depõe contra?", mas Alex não tinha pudor e não escondia a vergonha de ter passado seis anos de sua vida dormindo, se relacionando com os piores vícios humanos. Quem dorme com cão amanhece com pulgas, como diria o pai de Alex, e não há impunidade para a conduta, mesmo com o reconhecimento da mancada. O preço, altíssimo, demorou a ser pago, literalmente com juros, correção e boas doses de cachaça, mas a razão de tão grave solavanco na sua carreira, esta, somente por meio de um auscultar arguto e doloroso veio à tona, pelo menos era o que Alex dizia.

Após o almoço, regado novamente ao Negroamaro da Calábria, Benigna subiu aos aposentos para descansar. Vestida com um tubinho vermelho, maquiada sempre com força, o cabelo de um negro profundo, escorrido, suas ancas em ampulhetas, estaqueavam o olhar do macho. Decorosamente pediu licença, levantou-se como se estivesse em Hollywood, com um ar esnobe, somente extraído da cara quando pedia dinheiro, e foi para a parte de cima da mansão. Alex não a acompanhou, preferiu ficar bebendo mais umas taças com o amigo.

A atração sexual não era a mesma do início, embora esse restante fosse suficiente para encher várias taças de grande parte das relações. Sim, esse era o antigo ponto forte. Ninfomaníaca, fazia do sexo sua grande jogada, sugando a energia vital, fazendo a ruína do macho perdido no afã embriagado. Mulher bonita, da tez clara, morena do brejo, seios carnudos de um silicone muito bem colocado, a tara e o afã faziam de Benigna Alphonsus, mesmo depois dos 50, uma mulher realmente atraente. Ainda no início do fim, quando ambos se afastavam de suas antigas relações, dizia-se que Alex e Benigna ficavam dias trancados em quartos, sem se alimentarem, apenas repondo a hidratação e bebendo vinho. A fio, em resoluta e ensandecida marcha carnal, o encantamento do tolinho, diante do par de pernas torneadas, mergulhava por entre elas, sem pensar no dia seguinte, sem buscar razão alguma. Tal qual cão arfante, por entre saliva, óleo e fluidos, o deslizar de seu corpo sobre o outro transcendia a matéria, auras se uniam na troca. Caninamente, Alex se jogava para dentro da armadilha aveludada, num desenlace equívoco no último bastião da alma, mas o gosto, este elevador para as alturas de uma ficção enlevante, dá um soco no meio da testa e leva o indivíduo para o patamar sereno, estuporado, da anestesia. A dor se encontrava congelada, o veneno, bomba-relógio, seria, caninanamente, dispensado de modo gradual, na mesma medida dos jorros jogados para dentro de onde nem a luz escapava. São tempos, a vida parece requerer momentos irracionais, nos quais não se pede nada a não ser o gosto, o lambuzar-se na fruta de suco melado como um caqui maduro, quando o sólido, enraizado, estruturado, se desfaz instantaneamente na boca, na mistura com a umidade, com o vapor nauseante, no contato do corpo suado, do cheiro acre do sexo. Jogado com os olhos perdidos no vale entre o relevo dos montes artificialmente criados, vagando errática e repetidamente, socando, e verificando as órbitas alucinadas, a mão tremente, o pé já sem energia para sustentar a construção, trôpego e cansado, tudo se desfaz e cumpre-se a sina, o que é de sempre, lógica e matematicamente, o errar o alvo se instala, a tempestade perfeita começa, e o caminhar do pai, do bom homem arquetipicamente pagador de suas contas, cumpridor, se perde, ele se lasca todo em nome da aventura, e no ralo sugador tudo se esvai.

Mas do que vale a vida sem o gosto central da aventura? Essa era a pergunta feita por Alex, num julgamento de si. Não se viu outro tipo de justificação melhor. De fato, os tempos anteriores a Benigna estavam chochos. Eu o via como alguém perdido. Tenho, cá, minha responsabilidade nesse desastre, mas depois vi isso, valia dar o voto de confiança, havia honestidade na reconsideração, especialmente depois da chegada de Isabel, quando exerci olhos cheios de perdão e o ajudei no resgate, mas essa é outra história. Sigamos com Benigna.

Cedo ela nunca gostou de acordar, dada sua alma notívaga, de acordo com um costume familiar, já que pai e mãe quase todo santo dia iam jogar e bebericar no centro da capital do Estado Diverso, juntamente com a sociedade decadente local, no Clube do Comércio. Costume antigo, derivado do antepassado colonial lisarbense, de cuja raiz advinha o senso comum de destinar aos escravos e à plebe o trabalho. Alex fizera um esforço enorme para voltar a acordar cedo, praticar uma atividade física e trabalhar, em meio à culpa de ter adotado um padrão de vida muito distante do que praticara no Estado do Sul, quando no início da vida, ou mesmo em Lisarbia, trabalhando com o governo pevista. Certo dia, ela saiu-se com uma de suas tiradas à Odete Roitman:

— Pra que acordar a esta hora, benzinho? Acordar cedo é coisa de peão.

E nisto Alex ficava no aconchego da cama, sendo acarinhado, e o tempo passando. Benigna transparecia um ser forte, determinado e até mesmo carinhoso com seu par. Havia uma aparência externa muito concreta. Em grupos fechados, ao que parecia, a víbora dos lábios carnudos tratava com muito respeito, e até mesmo devoção, sua presa. Os grupos lisarbenses recebidos pelo casal acostumaram-se a assistir a um conjunto muito harmônico e funcional. Ela arquitetava as recepções na Itália. Ministros, jornalistas, intelectuais, políticos, a partir de sua rede de contatos nos grandes centros urbanos de Lisarb, especialmente Lisarbia, Divertina, a capital do Estado Diverso, e nas capitais do litoral, Litorânia e Metropolitana. Ele, a partir da publicação do livro sobre a cleptocracia e das análises semanais sobre as decisões da Suprema Corte lisarbense, situava-se como uma referência, e os jantares eram sempre muito concorridos. O livro teve grande aceitação. Rogério Mesquita, um dos mais influentes críticos literários de Lisarb, havia classificado o escrito de Alex "como a mais importante contribuição literária sobre a moderna história da política lisarbense", ou "Alex Tedesco efetivou um duplo mortal maestro no seio político e partidário de um país coalhado, fermentado pelo efeito putrefato dos piores vícios, como clientelismo, empreguismo, fisiologismo, paternalismo, populismo e tantos outros subprodutos daquilo que, para mim, é a pedra angular de todos os vícios políticos: a instrumentalização do arcabouço democrático, da ordem jurídica e republicana em favor do interesse privado, próprio, em detrimento do bem comum e da coletividade".

Houve grande repercussão na imprensa, em especial pelo fato óbvio de ter sido escrito por um dos principais assessores de Lucas e dos últimos presidentes. Com a queda da Doutrina da Aceitação, Tedesco passou a frequentar os programas televisivos de análise política. Seus hologramas semanais sobre a Suprema Corte pautavam a imprensa lisarbense. De igual modo, a contradição com seu passado pevo-luquista, os milhões ganhos com o sistema de *approach*, era explorada, especialmente pelos pevistas, que buscavam esvaziar Alex Tedesco, diminuir sua imagem pública, e o tratavam como um oportunista. Paulo Macedo, do Estado Litorâneo, classificou Alex como um "ex-assessor de pevistas que critica o projeto do PEV". E comentou: "Alex Tedesco conta em livro a história de um país, e de Lucas, 'líder maior e grande companheiro', tendo a corrupção como principal engrenagem política e econômica de uma nação, em que a inversão de princípios deu novo senso ético, com a construção de um contrato social totalmente inovador a partir da Doutrina da Aceitação, algo como uma nova constelação de valores e agregação nacional conduzida pelo pevo-luquismo. Embora Tedesco diga ser um trabalho ficcional, sua acidez crítica vai em desfavor do projeto pevista de poder, a partir da Grande Coalizão. Nem poderia deixar de ser. Tedesco foi um dos principais assessores de comunicação do governo pevista, assessorando Lucas e os demais presidentes nas peças publicitárias, discursos e análises de inteligência". Mas a controvérsia sempre é charmosa, mais valendo a instabilidade noticiada, palavras e opiniões contraditórias, do que a falta de visibilidade. Nessa toada, foi chamado de visionário ou oportunista, mas acertou o rumo que o país tomou, com uma leitura ácida do PEV e da Grande Coalizão. Benigna observou nessa trajetória do escritor uma brecha para poder subir, encostada, a ladeira da sua posição social.

No início, a paixão, honesta até não mais poder, sincera sem filtro, incauta como uma criança sobre um muro, uniu o casal com o mais próximo possível de busca comum. Ambos, obviamente, com objetivos materiais, mas foi, sobretudo, a incontrolável patologia do desejo desenfreado que os levou ao êxtase e para uma dramática aliança. As bases, a gente sabe, aventa, de uma construção sólida, devem estar claras, e esse jogo não foi desde o início delineado claramente por ambos. Assim, com o pano de fundo luxuriante das bebidas caras, dos cenários cinematográficos, das companhias famosas, dos pratos e restaurantes de luxo e das viagens internacionais, o casal foi ingressando, afora o pacto tácito utilitarista da busca do posicionamento de imagem, numa anestesia em grande grau influenciada pelo abuso de álcool e medicamentos, de cujo efeito atenuador dependia a depressão cada vez mais presente em Alex. No mesmo almoço, isto eu ouvi, ainda que clandestinamente, com Tenório e Rogério, no Pandemicus, Alex relatava uma suspeita ao psicólogo:

— Cara, pode ser uma impressão... havia épocas em que buscava beber menos, diminuir e até mesmo períodos de abstenção total, de um, dois meses. Nesses momentos, Rogério, eu percebia o grande desafio da mente sem lentes e como tudo fica mais claro, esclarecido, sem o uso de substâncias tóxicas. A grande viagem é o dia a dia, meu velho. Aprendi que transpor a ansiedade natural deste nosso momento, em especial o momento que vivia com Benigna, sem o uso de nada mais que água e café, me trazia uma visão lúcida.

— Obviamente, meu caro Alex.

— Agora você está falando igual ao Romeu José.

— Vai ver é influência.

— Mas o fato é que, sempre que começava a parar de beber, com a cabeça mais em ordem, os fatos ficando mais claros, Benigna desestimulava minha meta. Dizia que eu ficava muito chato sem beber, sem me divertir, que não sabia viver.

— Um clássico.

E, assim, foram-se seis anos da vida do casal, em meio ao desespero de um padrão de vida *démodé*, em que a busca pela satisfação de desejos materiais só não era maior que a insatisfação central de Alex, comprimido por algo somente explicável pela análise mais categórica de especialistas. Não havia como entender, afora o olhar simplista, como houve tão grande desvio de rota. Os símbolos de sucesso eram enormes, como as festas, convidados, passeios, roupas de grife. Mas não se há de ter dó, e, nisso, parecia termos um Alex, após sadio, sem grandes concessões a ele mesmo. A raiva sentida era, sobretudo, de si próprio, pois que falava "pode vir com as mais diversas análises, os quadros comportamentais baseados nos transtornos de personalidade. Não tem perdão". Até que ponto se pode creditar aos estados psicológicos alterados de consciência os desvios de conduta de um adulto feito, experimentado, talhado em meio às mais nefastas práticas políticas e tramoias jurídicas? Submetido a um tempo muito prolongado de sutil coerção, embevecido pelo elogio farto de quem tomava seus uísques e comia seus camarões e lagostas, é preferível entender a afeição e o amor ao inimigo como um acordo de ocasião, regado pela umidade recôndita, na qual a cenoura na frente não chegava, por óbvio, nunca. O deslumbramento é um clássico muito conhecido, ocorrido, cantado. Talvez, na tentativa de deixar "uma confissão, ao mesmo tempo íntima e geral, dado as coisas que ocorrem a um homem ocorrem a todos", como diria Jorge Luis Borges, Alex se propôs, ao fazer um *mea-culpa* aos amigos mais próximos, a deixar um legado ambíguo sem sequer saber ao certo o que propunha naquela mesa de bar posterior. Exercitava a comiseração e propulsionava o gatilho da inveja. Os dias passados teriam sido de fato tão dolorosos? Qual o nome dessa anestesia geral poderosíssima capaz de provocar tão grande sono?

Se a convivência era um oásis de infindáveis brigas, da ausência de paz, da depressão e da ansiedade geradas pelo distanciamento, da culpa por ter deixado as relações anteriores, da pressão terrível para fazer frente a despesas, cada vez maiores, com luxuosas viagens aos países mais longínquos, bolsas, entradas em shows sempre na primeira fila, o sexo era o momento da embriaguez e o ponto alto do casal, *e era praticado como um jogo de azar. A paixão não tem nada a ver com a vontade,* e, assim, em meio à torrente de desavenças estratégicas de longo prazo, a um total antagonismo ideológico e cultural, o casal divertia-se e ia adiante, provocando, especialmente nas gentes de Alex, uma fissura entre a realidade quase ficcional da vida a dois do casal, compartilhada por Benigna nas redes sociais, a felicidade de Instagram, e a realidade concreta da vida cotidiana, com seus dissabores mais comezinhos. "Meu filho, perdeste a noção do que é a vida", disse uma vez o pai de Alex, numa visita ao condomínio romano, cuja frequência, pelas distâncias e pelo preço, tornava-se cada vez mais rara e cara. O ápice de tudo, ao que se fala, foi quando Alex deu de presente à companheira uma caríssima BMW. Emocionada, chorando copiosamente, como se tivesse vencido uma etapa importante da vida, a *socialite* internacional não se continha. Indagada por Alex sobre a razão das lágrimas, dizia ter sonhado com um carro daqueles desde menina. Este, atônito com o comportamento, parecia ser sincero em não o alcançar. O consumismo, na escalada luxuriante, era o quarto pilar da manutenção do edifício carcomido pela artificialidade, cuja completude se dava pela busca da ascensão social embebida no torpor do sexo e na falsidade das intenções de longo prazo. Mas Benigna, parecendo sempre insegura com as vacilações da porta entreaberta de uma saída de Alex, performava o enredo clássico da fêmea-troféu, com a nem tão singela ironia da idade a maior, e, entre arroubos consumistas em pontas de estoque de itens de luxo, contas caríssimas às quais dedicava somente um olhar rápido antes de sair da mesa e ir ao banheiro, seguia em direção ao saque sorrateiro e diário às economias de um idiotizado cavalo iludido com a pílula de açúcar.

A casa, um pequeno castelo de Carrara, ainda em discussão judicial com o espólio do ex-marido, era mantida por Alex. As despesas, controladas com mãos grandes por Benigna, sempre vultosas, faziam reverberar no espírito do menino do interior do Estado do Sul um misto de vergonha, ódio e planejamento da fuga. Alex desconfiava da manipulação dos números, mas o projeto de fazer-se conhecido nacionalmente como o grande leitor de Lisarb, de suas falcatruas políticas, os contratos assinados na varanda do palacete com políticos em férias na Europa, o ambiente regado por licores caros servidos em muranos, os aromas genéricos comprados dos mesmos fornecedores dos grandes shoppings de luxo, inebriavam a fome de poder de Alex e o faziam adiar o sonho de se libertar da pantomima. No fundo, bem lá embaixo do fundo do poço — assim parecia, ao menos, para os confidentes mais íntimos —, o escritor e analista político de meia-idade tinha um plano para escapar daquela que dizia para quem quisesse ouvir, desabridamente, que, quando morresse, suas cinzas deveriam ser jogadas de helicóptero sobre um *outlet*.

Mas o fim demora, como diria o poeta, e o casal ia seguindo a vida, sempre enganando, na direção do vazio, do inexistente, da simulação, do grande desastre pessoal da mesa bamba em procura do calço, do tênis de corrida com o cadarço desamarrado, do pente sem dentes, da camisa cujo furo espalhará pela abertura do botão estonteado e sem força, entregue e sem resistência, a barriga enorme escondida atrás da seda. O fim não chega de uma hora para a outra. O fim é uma construção ao contrário, e não vem tão facilmente. Há de ser muito frio. Alex sempre contava o exemplo de um grande amigo de infância, cujo divórcio fora construído na surdina, com os bens e ativos sendo vertidos de forma gradual para laranjas, estratagemas orquestrados mentalmente em restaurantes de luxo, pequenos mimos diversionistas para burlar o pensamento de um possível desenlace.

Há de haver um duplipensamento efetivo, firme, real, uma constante de falsidade bem elevada para levar à frente um plano exitoso de descontinuidade matrimonial e, mesmo tenaz e disciplinadamente, o macho sempre deixa o rastro e descortina a intenção.

Alex e Benigna viveram um romance desconfiado, ele, com um olho dividido entre o gato e o peixe, e ela com uma mão de acalanto, e outra enfiada no bolso de Alex. O fim, em função do desabamento iminente, cujos destroços seriam, na visão do marido, muito danosos às suas intenções futuras, era adiado com boas doses de Bourbon, saunas relaxantes e agendas externas, nas quais desenvolvia seu olhar precursor sobre as falcatruas de Lisarb. Da outra parte, enquanto parecia prever o fim, Benigna maquinava os desvios financeiros, fazendo poupança, de forma a manter-se futuramente confortável, caso o fim de fato ocorresse, embora continuasse sempre acreditando na manipulação da vaidade e da ambição de Alex. Sua inteligência, no entanto, moldada no culto à aparência e reduzida ao *drive* do sucesso material, não ingressava na profunda ambivalência dos sentimentos de Alex. Ela não entendia como viver sangrando era doloroso, talvez porque seus sentimentos e pensamentos sempre apontassem na direção do deslumbre, ou porque, simplesmente, se alimentava desse vertedouro.

Um rio muito caudaloso, uma torneira aberta continuamente no rumo do erro crasso, mostrado, por exemplo, quando Alex presenteou Benigna com o anel de ouro do noivado. A joia, copiada de uma ourives conhecida de Benigna em Lisarbia, teve apenas o nome dela gravado no anel de Alex, sem a recíproca. Essa pequena, mas significativa, farsa, descoberta um ou dois anos após o noivado, denunciava algo muito óbvio, não sendo crível que Alex não tomasse consciência da intenção. Preferiu mergulhar fundo na bruma.

Com qual intenção o fazia, senão a do desastre completo? Um suicídio material, existencial, temporal era visto por toda a família, pelos amigos, mas Alex continuava sua caminhada resoluta, firme, na direção do fracasso, de mãos dadas suavemente com a loucura.

O INÍCIO

Com a aparência sempre envolta na névoa das fragrâncias parisienses, dentro de vestidos bem cortados, um buquê de rosas com os caules apodrecidos por entre as ramagens se apresentava finamente, disfarçado pelo perfume. Após passar o início da vida adulta na Rendix, em Litorânia, ainda como Maria Ligia Gnatalli, a sorte enfim se apresentava a ela com punhos de renda. Um velho político da direita lisarbense que terminara de fazer fortuna em esquemas de *approach* com o início dos governos pevistas numa diretoria do BDL, Banco de Desenvolvimento Lisarbense, numa visita à repartição da jovem Benigna, foi engolfado pela energia de sua aura sedenta. Sandro Montes, depois de alguns mandatos como deputado federal, não se reelegera, pegara uma terceira suplência, e a Grande Coalizão, nos acordos de divisão de cargos, houve por bem o colocar numa posição estratégica para bons negócios por dentro do sistema de *approach*. Naquela tarde, ele fazia uma visita de cortesia a Litorânia, para conhecer o sistema de distribuição de renda mínima do município. O presidente da Rendix, Rubens Alfonsín, era diverso, como Sandro Montes, e foi apresentar uma conterrânea, já com recomendação de que a senhorita buscava passaporte. No fundo, tentava se livrar de uma posição de sinecura para colocar alguém mais qualificado, pois a funcionária, prevalecendo-se da indicação do padrinho, chegava tarde, atrasava tarefas, delegava mal e vivia reclamando do "cheiro dos pebas", como ela se dirigia aos usuários da empresa. Sandro, parlamentar veterano de quase 70 anos, com os sorrisos da velha política, parecia ter saído de um mostruário de tipos lisarbenses. A barriga exponencial, o terno claro, o bigode à mexicana, faltava-lhe apenas um panamá para completar a tipicidade. O primeiro olhar do velho, de baixo para cima, foi para o conteúdo escondido pela saia; já o dela foi para os sapatos de cromo alemão bem lustrados e para o anel dourado que ele exibia na mão esquerda.

— Querida Maria, como estão as coisas por aqui? — O presidente, com o sorriso de um vendedor, iniciou as apresentações.

— Presidente, que honra tê-lo por aqui... Tudo bem, hoje os atendimentos estão um pouco parados por causa da greve dos ônibus.

— Sim, já estávamos sabendo que o movimento diminuiria por conta da paralisação dos trabalhadores do transporte... Mas, olha só, quero te apresentar um grande amigo que hoje está visitando nossa casa, o deputado Sandro Montes, nosso conterrâneo de Divertina. Ele veio conhecer nosso sistema.

— Muito prazer, deputado.

— Ex-deputado — advertiu, de forma suave e beijando a mão da donzela, o agora diretor do BDL –; na verdade, não me candidato mais, para mim esta foi a última eleição. O Governo Lucas me pediu para exercer um cargo de diretoria no BDL, em Lisarbia. Estou de passagem por aqui... Mas que prazer encontrar uma conterrânea em cargo tão relevante.

— Ah, sim, aqui fazemos o bem para a população pobre. Coitados, chegam aqui só com uns chinelinhos.

— Maria — o presidente, com muito jeito, faz uma interrupção —, hoje à noite faremos uma pequena recepção lá em casa. Tomar uma bebidinha. Tereza está preparando algumas coisinhas para nós. Poderia nos dar a honra?

— Claro, presidente.

Antes das despedidas, com Sandro Montes estrategicamente afastado e cumprimentando a todos os funcionários, o presidente, no ouvido de Maria Lígia, sussurrou as palavrinhas mágicas:

— Sei como são estes convites de última hora para as mulheres. Caso precise sair mais cedo, está liberada.

E, assim, ela logo tascou o telefone da repartição, marcou o salão de beleza para o meio da tarde, rumou para seu quarto na casa do padrinho, onde acendeu uma vela para Santo Antônio, e preparou-se para ser levada como encomenda para Lisarbia. Haveria de vencer aquela vida remediada. O sonho: esposa de deputado, madame no centro do país, jantares na região dos lagos, viagens para a Europa, compras no exterior, carros importados, fofocas nos restaurantes. O problema: o anel de ouro na mão esquerda haveria de ser vencido. Após acertar a roupa a ser usada no convescote do chefe, pensou bem no prato principal e resolveu fazer uma ousadia em decote. Passou pelas primas na sala, assistindo ao programa de televisão à tarde, no calor de Litorânia, e visualizou sua glória em sair daquela casa de favor, do quartinho dos fundos que nem mesmo uma televisão tinha. O mundo pequeno da cozinha, onde tomava café proseando com a empregada e observando a tia dar ordens à criadagem seria por ela assumido em outras plagas. Haveria de tomar parte dos bastidores da grande rotina cleptocrática dos acordos espúrios, saber quem era amante de quem, quem eram os *viados*, as madames quebradas, os casais de aparência, os golpes nos esquemas agora liberados de *approach* por um jovem e promissor Lucas, cuja figura barbuda começava a passar aveludadamente no gogó da elite. Sim, haveria, como Scarlett O'Hara, de vencer toda aquela dor, subir na vida e arrumar-se. Mas, como a dita cuja não era nada boba, longe disso, aprendiz de suçuarana, seria flexível, mas não entregaria os pontos logo de cara. Jogadora clássica, ela sabia que Sandro Montes não era um tipo muito elegante, nem lhe fazia aflorar os hormônios, mas nada que um bom espumante não emplumasse as ventas e, em eventualidade negativa, pudesse dar uma mentirinha e dizer, ao cabo, "foi só uma paquera". Por isso, dando "até logo" para as primas na sala, iria devagar com o andor, prometendo a si mesma que somente avisaria do caso, rezando para conseguir segurar o músculo mais importante de sua compleição, caso engatasse sério e tivesse um convite para sair daquele lugar. Colocou o vestido da noite e seus acessórios de maquilagem numa sacola, pediu o dinheiro do táxi emprestado para a tia e rumou até o salão, onde conseguiu um horário mais próximo da noite e o empréstimo de um espaço para o término da arrumação. À amiga gerente do salão, pediu para pendurar a conta, a ser paga no início do outro mês. A coisa andava muito encrespada, a sinecura, apesar de render uns trocados bons para a mantença, não era suficiente para a realidade megalômana mesmo naquela época de Maria Lígia.

— Vai fundo, amiga. Esta será uma grande noite.

— Sim, eu pude ver nos olhos dele o interesse.

— E como ele é?

— Ah, não é muito bonito, nem charmoso. É daqueles de Lisarbia, um pouco falastrão, mas eu dou um jeito nele.

— Idade?

— É mais velho.

— Ah, isso não tem muita importância. A gente sempre dá um jeito.

— Sim, o importante é que a gente se goste.

— Mas você não está exagerando? Viu se é casado?

— Não sei, se for casado eu não sigo em frente; só se ele me procurar...

A casa do chefe ficava num condomínio dentro de uma das dezenas de zonas muradas que começavam a ser erguidas em Litorânia. Benigna pede o táxi por *allphone*. Entra no táxi e logo começa a cruzar o túnel por baixo da Comunidade do Trevinho. Está calor, ela pede para o motorista ligar o ar. Não funciona o ar. Ela pede que abra a janela. O motorista não fala nada. Ela insiste, ele retruca:

— A senhora não tem juízo? Acabei de ligar o modo de incineração lateral. Estamos embaixo do Trevinho. Não tem como abrir agora.

Irracional sempre que contrariada em suas vontades, não media consequências, e diálogos facilmente contornáveis tornavam-se lutas cotidianas:

— Estou pagando a corrida. Tenho direito ao ar-condicionado ou que o senhor abra esta janela.

— Dou um desconto para a senhora na corrida, mas não vou abrir agora, pois podemos ser assaltados.

— O senhor não tem o incinerador lateral? Se vier algum trombadinha, toca fogo nele.

— Sim senhora, está até ligado, mas prefiro somente usar em último caso.

— O senhor é um medroso. Um homem deste tamanho, com medo.

— Pode pensar o que a senhora quiser, não vou abrir a janela e lhe dou um desconto. Mas, se a senhora quiser, pode descer e não cobro nada.

Afrontada pelo desafio, a personalidade transtornada falou mais alto, mas a conta que fez da corrida sem ser paga também lhe fez pensar que poderia poupar alguns trocados. Maria Lígia Gnatalli, a futura Benigna Alphonsus, manda parar o carro e, sabendo que já estava a menos de dois quilômetros da casa do chefe, desce do táxi sem pagar um centavo pela corrida quase completa, na saída do túnel, na encosta da Comunidade do Trevinho, uma das mais perigosas de Litorânia. Buscando sempre o centro das atenções, sai do carro aos berros, dramaticamente, correndo risco, mas sem perder o exibicionismo e as exigências. O motorista não reclama, apenas deixa a dondoca no meio da rua e dá meia-volta para o centro de Litorânia. Maria Lígia, conhecedora das imediações, vaga de vestido longo vermelho, com um decote nas costas, por entre vendedores ambulantes, maskeiros e pessoas em situação de rua. Uma mulher negra que vendia água mineral para os motoristas para sua rotina, enfia o dedo médio e o indicador na boca, produz aquele assobio magistral e grita: "Tá perdida a madame...". Logo, cachorros começam a latir no primeiro patamar de casas, próximo do asfalto. Buzinas se ouvem dentro do túnel, Maria Lígia começa a se dar conta de sua burrice. O suor começa a lhe borrar a maquiagem. Olha para o pulso, o relógio com pedras preciosas herdado da avó ela tira e coloca num compartimento dentro do vestido, um pequeno saquinho para guardar notas ou moedas. Segue adiante, em meio aos latidos, buzinas e novos assobios da vendedora, em cujas largas gargalhadas se verifica o acerto do conceito de luta de classes, e diverte-se com o descuido da menina, supostamente, rica. Meninos magros, em camiseta de mangas cavadas, com bonés achatados e longas abas enfiadas até os olhos, começam a se movimentar do terceiro patamar para o asfalto. Fazem a descida concatenadamente. Deviam ser uns cinco. Todos pretos, todos com as mesmas roupas, com os mesmos símbolos de uma geração perdida em meio ao caos e com o mesmo olhar soturno. Descem, como formigas, em fila. Benigna observa, sente o cheiro do assalto se aproximando. Tenta pedir carona, ninguém para, sai da margem da pista onde trava sua irracional via-crúcis e avista em frente, iluminada, uma farmácia. Daria tempo. Ela aperta o passo, a vendedora de água grita "corre, vagabunda", os meninos parecem verificar a derrota e diminuem o passo, os cães ladram noturnamente.

A insanidade é vencida, o medo avança, a burrice é percebida, e ela busca o ingresso no comércio iluminado. O segurança da farmácia, antes do ingresso, pede informações sobre o desatino. Ela mente que fora largada pelo motorista e se diz injustiçada. Pede para entrar na loja e é aceita. Pergunta pelo banheiro ao fundo. Ingressa, com o aceite antipático da jovem balconista. Olha-se no espelho, retoca a maquiagem: "Você é demais, invencível, uma Fênix, sempre se reerguerá". Ainda esbaforida, não retribui a gentileza e, mesquinhamente, não compra sequer uma aspirina, pedindo novo táxi que chega em pouco tempo. Não agradece e sai limpando-se com álcool gel.

O resto do trajeto é feito sem altercações: o táxi ingressa na Zona Murada. Os dados eletrônicos se encontravam cadastrados na guarita do condomínio, e apenas a identificação da passageira é pedida. A passageira se perfila ao lado da janela lateral traseira, faz um olhar blasé para o reconhecedor facial, seu ingresso é permitido e é deixada em segurança na porta da mansão do chefe. Desce do carro, perfila-se reta, altiva. Deixa para trás o meio cruel, apronta-se para viver sua técnica. A partir daquele instante flanaria pelo mármore da casa do chefe, seria a mais simpática e sorridente dama para com sua anfitriã, a quem brindaria com um pequeno mimo: um frasco de perfume em miniatura ganho de brinde numa loja do subúrbio de Litorânia fazia alguma presença. Era o que podia. A mulher do chefe sempre era carinhosa e conhecia sua trajetória em início de carreira, e, sabedora da pechincha, faria vista grossa. Seria a mais bela e tentaria ao máximo fazer apenas uma cruzada de olhares com Sandro Montes, com gestos sutis, passaria em frente a ele, mas, especialmente, mostraria seu decote traseiro, sua boca aveludada em carmesim e, por instantes seguros, poucos, tentaria encostar a perna, de forma inadvertida e casual, por baixo da mesa, na panturrilha do ex-deputado, como bote fatal.

Ao entrar, foi recebida com beijos assoprados no rosto:

— Sem encostar para não estragar a maquiagem, querida — cochichou, em meio a risadinhas, Tereza Alfonsín. — Vamos entrando, seja bem-vinda, vamos até a varanda.

— Tereza, querida, deixe-me entregar uma bobaginha.

— Oh, que gentil, vou colocar em lugar de honra na minha coleção.

— Vamos entrando. Você esteve aqui mil vezes, fique à vontade. Rubens está com Sandro Montes na varanda, fumando um charuto, tomando um uísque e conversando de negócios. Coisas de homem. Vamos lá, os cumprimentamos e depois vou te mostrar o que estou preparando na cozinha. Hoje dispensei as empregadas para ficarmos à vontade.

Na varanda, além de Rubens e Sandro Montes, um holograma tridimensional com espocos elétricos, falhando um pouco, e com a imagem desbotada, era visualizado em cima da mesa de centro. Tereza recuou:

— Vamos esperar um pouco, eles estão terminando a reunião com o governador. Você viu? Altíssima geração estes novos *allphones*, trazem os hologramas das pessoas. Rubens me deu um de presente. Trouxe de Miami. Você já tem um?

— Não, ainda não consegui encomendar. Me diz uma coisa, Tereza, o Sandro Montes é casado?

— De aparências, minha filha, de aparências.... está há mais de trinta anos com a esposa, mas ela não gosta de Lisarbia, nem de Litorânia. Prefere ficar em Divertina. Sabe como são as coisas...

então, ele reclama muito da falta que faz a companheira. É um homem muito bom, experiente. É nosso amigo há duas décadas, desde que o Rubens concorreu a prefeito de Divertina. Ainda bem que deixou a política...

— Ah, sim. Eu lembro, era garotinha, mas lembro. Tio Márcio ajudou ele muito na campanha.

O holograma trazia a figura do governador de Litorânia, Sérgio Colombo, com uma taça de vinho na mão esquerda. Do punho pendia um rolex de ouro. Na outra mão, um charuto cubano, e atrás dele, um quadro de um pintor lisarbense muito famoso. Ele observou a chegada das duas mulheres, antes do recuo de Tereza, e assentiu que se aproximassem:

— Ora, ora, cheguem mais perto. Tereza, sequestrei teu marido nesta noite, mas estamos terminando a reunião — a imagem tridimensional do governador, um pouco opaca, era simpática e convidativa.

— Governador, queria apresentar-lhe Maria Lígia, afilhada do nosso querido Márcio Costa — introduziu a convidada ao governador.

— Ah, sim. Você já me havia falado sobre ela, Rubens. Boa noite, como vai seu padrinho?

— Está bem, obrigada. Com saúde, governador.

— Gosto muito do seu padrinho. É um grande companheiro. Sempre esteve ao nosso lado. Amigo a gente não pergunta se tem razão; defende. Quando precisei dele, jamais negou fogo. Conte sempre comigo e está convidada para uma visita ao Palácio dos Limoeiros. Rubens, fique à vontade. Sandro, te espero amanhã no Palácio para fecharmos e assinarmos o convênio. Abraços.

A reunião prosseguiu com os cumprimentos entre os presentes. A varanda era contígua a uma cozinha com vista para o jardim e a piscina, formando um espaço aprazível, próprio para recepções. A futura Benigna, a essa altura desenvolta no seu *habitat*, trocava considerações com Sandro Montes sobre o interior do Estado Diverso. Tereza já os havia apresentado, e Rubens saíra para buscar mais uma garrafa de vinho na adega subterrânea. Sandro vestia um terno claro, sem usar gravata. A saliente barriga era realçada pelos tons claros. O sapato, o mesmo do dia, e o perfume antigo, Lancaster, traziam uma juventude mantida em sonhos. O bigode à Pablo Escobar, a realidade canastrona do jogo esperto, e o cabelo, entre sebo e fios brancos escondidos por uma amarelecida tintura, mostravam a falta, de fato, de uma mulher para coordenar aquele visual. Da carteira, colocada sobre uma mesa acessória ao lado do sofá onde estava sentado, provinha o marcador pessoal de famosa marca alemã. Maria Lígia conversava sobre sua ida a Lisarbia, de suas impressões sobre a cidade. Havia visitado o Parlamento, a Catedral, as principais vias de traçado modernista. Dizia que tinha achado a cidade fria. Sandro a advertia sobre a importância de entender que a capital de Lisarb não era só a política:

— Maria, há muito mais. Lisarbia é um sonho. À noite, mais tarde, depois dos trabalhos do Parlamento, da vida no Executivo, começam os jogos verdadeiros, aqueles que definirão os rumos, de fato, do que vai acontecer. As decisões são tomadas em ambientes como este aqui, tão lindo, tão prazeroso, com piscinas, varandas *gourmet*. As casas na Região dos Lagos, você chegou a frequentar?

— Não, Sandro. Tenho notícias. Minha tia conhece bem e conta.

— Sim, são recepções magníficas. Champanhe Veuve Clicquot, para você, apreciadora, é o mais servido. Os negócios são feitos nessas recepções. Lucas, agora no poder, com a legalização do *approach*, fez de Lisarb uma cidade que recebe os empresários internacionais, aqueles vindos do interior, os prefeitos, é uma festa.

— Adoraria conhecer melhor.

— É minha convidada.

Rubens volta com o novo vinho, e Tereza traz os quitutes da cozinha para beliscarem. Maria Lígia, muito à vontade, solta pelo efeito do espumante, parecia fazer planos mentais inacreditáveis. Sempre com muito cuidado, alternando soltura e recato, sentada em frente a Sandro Montes, dá uma cartada importante. Tereza levanta-se, diz que pegará o prato principal, Rubens fala do novo governo Lucas, Sandro debate com ele, mas não consegue tirar, mesmo que com o rabo dos olhos, a visão das pernas e de um pé bem feitinho, armazenado cuidadosamente numa sandália vermelha. Esse conjuntinho bem formado levanta-se, a voz indica acompanhar a anfitriã na cozinha. Caprichosamente cai, no movimento, do colo a bolsa no chão. Sandro faz menção de levantar-se, Rubens está de costas, verificando o latir do cachorro no jardim, Maria acompanha o movimento de Sandro em direção à bolsa, ela, em pé, vira-se de costas para pegar o objeto e escancara, num movimento em que fica em 90 graus, a bunda, que é roçada, de leve, por Sandro. Não há falas. Ela segue para a cozinha, Tereza lá está, e Rubens às voltas com o cachorro, que acabara de abocanhar um saruê.

Em momentos como esse, Maria Lígia, astuta, colocava seus interesses como se sempre estivesse num jogo de sobrevivência, manipulando, mentindo, levando sempre o interlocutor a ingressar num mundo criado em sua mente, pululada de desejos de luxo e alpinismo social. Mas *quem puxa aos seus não degenera*, e a genealogia implacável cumpria, ao que dizia, a clássica repetição de padrões. Menina filha da família diversa tradicional, devia guardar no inconsciente as peripécias do pai. A mãe, letrada apenas no tricotar e no sarandeio, jogadora inveterada, havia feito um acordo quando não aguentou mais. O trato: haveria de ter casos consentidos, sem o que abandonaria a família para morar na Europa com um amante. O marido, emparedado pela hipocrisia, não teve escolha, mas antes tentou matar um dos filhos com um tiro de 38, cujo balaço até hoje se encontra no teto da sala de estar, a descortinar uma fase dura, superada, apenas, pela morte paterna esquálida. A fruta não cai longe do pé. Ao que se sabe, tentou livrar-se do destino, mas o que é do homem e o que vem por dentro se vão muitos anos tentando contra, e não há quem tire o trabalho do demo.

Ora infantil e néscia, a tal se mostrava sempre inconstante emocionalmente, e os rompantes também eram a tônica final da instrumentalização das pessoas, caídas na rede de seu feitiço torneado. A obra-prima inicial foi, sem dúvida, a cooptação de Sandro Montes. Com ele houve o milagre econômico e o da multiplicação de bolsas, o grande salto em frente, o momento no qual começou a dar as cartas, a espalhar sua teia.

Depois daquela noite, começaram os encontros. Ele, morando em Lisarbia, com mulher em Divertina, frequentava cada vez mais os fins de semana em Litorânia. Descia no aeroporto central, frequentava alguma reunião no centro histórico e, ao meio-dia, buscava Maria Lígia para seu hotel, na Zona Sul. Rubens Alphonsin não media esforços para que sua funcionária ficasse cada vez mais à vontade nas sextas-feiras, e sugeriu que ela se matriculasse num curso de extensão em estatística com aulas sempre às sextas o dia todo. "Filha, fala com o Beltrão, amigo meu. Este é seu telefone. Ele vai te colocar neste curso aqui. Preciso justificar tuas faltas na sexta." Maria, com esse álibi, depois de engatar com Sandro Montes, mudava-se nos primeiros meses para a chique Zona Sul, onde frequentava os grandes restaurantes, as peças de teatro, as praias. Sandro, com vestimenta mais moderna, com a tintura correta no cabelo, trocara o Lancaster pelo Dolce & Gabbana, os ternos claros pelos escuros, o bigode por um cavanhaque e a vida de reclamações em Divertina pela luxúria das noites com Maria Lígia em Litorânia. Ela, cada vez mais distante do quartinho de empregada, começara a exigir de Sandro. "*Amore*, não posso mais ficar morando naquela pocilga. Sou mulher de um ex-deputado, diretor do BDL. Pega mal até para você, se quer saber."

A pressão surtia efeito. Embasbacado e chafurdando no mel amargo, Sandro Montes negligenciava o acordo com a mulher em Divertina e se expunha cada vez mais publicamente em restaurantes e teatros da Zona Sul, de mãos dadas com a novinha. Caprichando no estereótipo, deixava-se fotografar por revistas de fofocas ao lado de Maria Lígia, que ganhara a queda de braço e começara a receber convidados num lindo *loft* de 200 m² de frente para o mar, na Avenida Oceânica, fazendo a loucura da esposa em Divertina, sabedora da existência da jovem e que, resilientemente, fincada sobre um regime de bens de comunhão universal, resistia bravamente aos impulsos de destruição matrimonial provindos de Litorânia. "Você não vai largar nunca esta velha?" "Você não viu que já está comigo?" Sandro também não tinha interesse em acabar com o casamento, e compensava Maria Lígia com mimos, viagens e luxos. A vida cara do casal não sofria abalo. Os negócios de Sandro, no auge do Governo Lucas, prosperavam. O Banco de Desenvolvimento

Lisarbense começara, nessa fase, a financiar grandes obras, inclusive em outros países, especialmente na África. Sandro Montes, ligado ao governador Sérgio Colombo, ficava mais tempo em Litorânia, pois o empresariado internacional e os executivos do governo não gostavam do clima seco de Lisarbia. Sua amante agora estava matriculada em um curso, cuja carga horária a poupava do trabalho às segundas, quintas e sextas. Alphonsin cobrava de Sandro, explicitamente, que pagasse uma mesada para Maria Lígia e a tirasse do posto. Sandro enrolava, com esta justificativa: "Preciso resolver minha situação em Divertina primeiro". E compensava o amigo com a destinação de verbas e contratos para a Rendix. Alphonsin, dessa forma, tirava o *pretium* e o dividia com Colombo, e Maria Lígia, cada vez mais Benigna, recebia os convidados na Zona Sul, com Barcas Velhas, Dom Perignons, lagostas e cavaquinhas, ao mesmo tempo que aprofundava suas leituras sobre viagens. Após as recepções, as ressacas na cama traziam, à luz do dia, a necessidade de deixar de ser uma amante, de ter vida própria, de buscar algo concreto. As reclamações cada vez mais frequentes e os chiliques cada vez mais altos, vociferando contra a esposa oficial e exigindo o divórcio, levavam Sandro a fazer mais concessões. A realidade, algo sempre tangenciado, batia às portas do *loft,* e a futura Benigna buscava medidas concretas para combater o vazio sentido numa alma ciente da própria maldade. Ainda jovem, amasiada com um corrupto mais velho e canastrão, os espumantes e as compras amenizavam a dor de uma existência parasita, de um casamento e um emprego de fachada, uma vida *fake*, contrastando com sentimentos concretos reveladores de uma dor lancinante, como um pino cravado no osso da canela, reveladora constante de uma vida sempre à sombra. Após as crises, bebendo cada vez mais e inchando, voltava para os braços de Sandro e se dizia merecedora de mais. Principalmente, de mais atenção dele. Ressentia-se de suas faltas no meio da semana, do cheiro dos pobres na Rendix, da falta de classe das amigas e da vontade de ir embora de Lisarb:

— Meu sonho, *amore*, é sair daqui, morar na Europa, deixar este país de pebas para trás.

— Não tem como, por enquanto, Maria.

— Outra coisa, estive pensando aqui, este meu nome, Maria Lígia, vou adotar outro. É um nome totalmente comum, nunca gostei, nome de empregada doméstica.

— Uai?

— Sim, vou começar a pedir para que as colunistas sociais me chamem de Benigna.

— Como assim?

— Sim, Benigna Alphonsus. Este sobrenome, Alphonsus, é uma homenagem ao doutor Rubens.

— Mas como assim, trocar de nome, do nada?

— Você sabe que não gosto de Maria Lígia Gnatalli. Até que meu sobrenome é imponente, mas vou trocar tudo.

— Mas não pode, meu amor... não se pode trocar de nome como se troca de roupa...

— O que é que não se pode quando se tem dinheiro, Sandro?

— Tudo bem. É verdade, mas é preciso criar uma narrativa, algo novo, alguma história que legitime.

— Olha, o sobrenome é em homenagem ao casal Alphonsim. Benigna era uma boneca que eu tinha.

— Como era essa boneca?

— Era parecida comigo, morena. Tinha uma revista em quadrinhos que falava da vida dela. Eu sonhava em ser ela, morando num castelo de mármore, em meio às festas, roupas e carros luxuosos. Meu pai um dia jogou a boneca no meu rosto: "Você acha que é esta boneca? Largue disso, menina, você não passa de um rascunho".

— Podemos pensar em algo. Vou falar com um jornalista amigo para criarmos uma história.

Sandro Montes fazia de tudo para não arrumar confusão com Benigna, mesmo pagando o preço alto do ridículo. Teve festa chique para comemorar a adoção da alcunha, como forma de coroar a estratégia. Uma articulação entre uma joalheria famosa e a esposa do governador criou o ambiente ideal para a emancipação de Benigna do seu nome de empregada doméstica. Um plano de marketing bem-feito deslocaria a atenção das dondocas para a revelação de que o nome de Maria Lígia sempre deveria ter sido Benigna. As redes sociais direcionavam anúncios para as velhotas da sociedade de Litorânia que buscavam saber quem seria Benigna Alphonsus e a nova coleção da H. Externa. A *Folha Litorânea*, num domingo, após sessenta dias de bombardeio nas mídias digitais, abriu um espaço para um artigo assinado por Maria Lígia: "O Jardim de Benigna". Essa publicação seria o primeiro ato do lançamento de uma coleção de joias em homenagem à boneca de Maria Lígia, que haveria de renunciar, assim, ao seu nome, ao seu passado, e adotaria o nome social em homenagem ao seu *alter ego*, a bonequinha de sua infância, sobre a qual era projetada uma vida de *glamour*, ostentação e alto posicionamento social. O avatar, destinatário de todos os seus sentimentos, depositário de suas angústias, de fato existiu e era cultuado pela pequena Maria sempre que a realidade da violência doméstica se impunha à sua infância em Divertina. Sabia-se do seu esteio, da fantasia de uma vida sem a dor da falência, do casamento de fachada travado entre os pais, de uma história de sofrimento e abuso infantil. O lançamento, num dos salões do Hotel Oceânico Palace, contou com a presença do governador, com a fina flor de uma sociedade decadente, e todas queriam saber quem era essa tal Benigna Alphonsus. As joias, desenhadas especificamente para a ocasião, levavam a assinatura de uma designer importante, e a esposa do governador foi a primeira a comprar um colar, antes mesmo do lançamento. O champanhe, a boca-livre, os ternos escuros das autoridades e empresários, todos misturados, fazendo negócios, o tilintar dos brindes, o saxofone de fundo, o burburinho das dondocas e as poses para fotos. Benigna é a última a entrar no salão, antes do desfile de modelos. Sandro Montes entra ao seu lado, um passo atrás da emplumada dama. O salão observa o adentrar da *femme fatale* em seu auge. Ela se senta na primeira fileira, em frente ao palco do desfile. Uma chuva de pétalas de rosas começa a cair sobre os convidados a partir de dosséis azul turquesa amarrados às luminárias do teto. O espocar dos champanhes, com o silêncio feito com a entrada da dama de branco, como num casamento, é ouvido com mais nitidez. A farsa é declarada. O governador Sérgio Colombo é chamado ao palco pela mestre de cerimônias. Ele faz uma introdução e chama a esposa, que mostra o colar de ouro fosco, com cravejamento de esmeraldas. Os salgadinhos saem quentes da cozinha em meio ao vapor, uma senhora bêbada deixa cair uma taça de espumante no fundo do salão, quase no banheiro, os garçons servem uísque para as rodas de governantes, e a esposa do governador abre a cerimônia com um pequeno discurso:

— Esta coleção é uma homenagem. Uma homenagem a uma pessoa talhada para um momento como este, em que todos estão felizes, satisfeitos com suas carreiras. Entre nós, com a graça de Deus, há somente o culto ao sucesso e à necessidade de vencer. Não reverenciamos as mazelas e o opróbrio. Nós devemos reverência àqueles que buscam o belo. Não somos hipócritas. Gostamos do que é bom, e hoje está aqui neste salão uma boa parte do PIB de Litorânia, quiçá de Lisarb. Eu mesma já comprei este lindo colar. Mas deixemos de discurso. Eu gostaria de chamar ao palco, antes do desfile das joias, a *persona* que dá nome a esta coleção. Ela dará a última palavra do espetáculo que traremos. É a pessoa certa para esta ocasião. Ela tem certeza para onde vai, tem um futuro brilhante pela frente. Chamo ao palco uma certa pessoa, uma certa Benigna Alphonsus.

Palmas, cochichos, mais estouros de champanhe são ouvidos enquanto a Teiniaguá chega ao seu auge. Benigna, com um vestido branco, sobe ao palco e profere poucas palavras num discurso lido:

— Gente, estou muito nervosa, mas este é um momento especial na minha vida. Muitos aqui me conhecem por um nome, mas esta cerimônia é para o esclarecimento da verdade sobre ele, e é para inaugurar um novo momento na história da ourivesaria lisarbense, além de um passo adiante na minha carreira. Queria agradecer ao governador e à sua esposa, à direção da H. Externa e a um amigo muito especial, o diretor do Banco de Desenvolvimento de Lisarb, Sandro Montes, a quem presto minhas homenagens. Gente, esta festa, este colorido especial, pessoas do bem, gente que faz, lisarbenses que nunca desistem, é para vocês. Vamos nos divertir!

E a coisa ia indo assim. Muita boquinha amiga para tomar champanhe e uma escalada salteada entre os restaurantes e teatros da Zona Sul, flashes das revistas de fofocas alimentados por jantares embalados pelos negócios de bastidores. É um roteiro pronto, clássico, e a descrição é enfadonha. O sol havia sempre de brilhar nas manhãs, a história do bem lastreado no mal. O azeite verde-claro do dinheiro vertendo na nascente dos negócios de *approach* de Sandro Montes e Benigna, agora oficialmente, lutando para acabar de vez com o acordo matrimonial por um fio. Os dias, no entanto, acabam mais ou menos no mesmo horário, quando o sol se põe.

Sandro, acossado pela inveja e por não ter divido direito as coisas, começou a ser fustigado pelo grupo opositor de Sérgio Colombo. O sistema era legalizado, o povo estava feliz com a distribuição de renda, mas o equilíbrio é perigoso. A festa da denominação nova de Maria Lígia atiçou os brios de muitos convidados. Era demais, até para os padrões da época. O acinte dos caprichos da amante era comentado nos bastidores de Lisarbia, o enriquecimento dele e de Rubens Alphonsin fez Sandro ser chamado ao gabinete de um jovem Romeu José, de cuja voz ouviu a aplicação de um conceito implícito à Doutrina da Aceitação: "Faça crescer o bolo, mas aperceba-se do crescimento do olho". A divisão estava malfeita. O grupo era muito pequeno para tamanha distribuição das propinas regularizadas. A grita com a situação ficava insustentável. Romeu havia ganho um contrato com a petrolífera para segurar, mas Sandro Montes esbarrava no desgaste de Sérgio Colombo, cuja pretensão presidencial começara a deixar Lucas desconfiado. Era chegada a hora de desmanchar a igreja. Numa manhã de carnaval, Sandro foi destituído do cargo por Romeu. Chamado ao palácio, Sandro, recauchutado, um pouco mais magro e com terno escuro, chega para a reunião com Romeu:

— Meu querido Sandro. As coisas em Litorânia estão insustentáveis.

— Romeu, amigo, e nosso contrato com a Petros, não havia resolvido?

— Nada pessoal. Os contratos antigos continuam, mas Sérgio está demais. A gula é grande. Não tem como continuar assim.

— Mas, querido, fiz um esforço danado para colocar o banco a financiar um projeto totalmente inviável. Jogamos milhões lá.

— Não é nada pessoal. Precisamos te desligar da Diretoria do BDL. Estamos com o *Diário Oficial* pronto. Amanhã sai tua nomeação para cônsul em Roma.

Sandro aprendera desde cedo a perder. A política é a arte de ser golpeado e pedir bis. Nada de desespero. A resignação é necessária. É preciso manter-se firme e entender a lógica subjacente do jogo, jamais gritar. O equilíbrio das feras impõe ser mordido e perdoar logo após, para, na mesma senda, no grunhir de rosnados posteriores, ser enaltecido pela lógica do bom cabrito e, ao final, vingar-se. Sandro, certamente, sabia que havia ultrapassado a barreira da demasiada indiscrição e, por isso, aceitou a indicação de cônsul em Roma.

— Ok. Benigna irá adorar esta nova fase.

— Quem?

— Benigna, minha namorada.

— Ah, sim, a sobrinha do Márcio Costa.

Num primeiro momento, seria o ápice da alegria para a Teiniaguá de Divertina. O sonho de morar na Europa havia chegado cedo. Não havia dois anos de relação e colhia os frutos. Haveria de alcançar o ápice e despojar de vez a mulher de Sandro, entrincheirada nas raízes, que se fazia ouvir por meio de Romeu José e fazia parte, com a discrição diversa, da articulação para a retirada de Sandro Montes dos holofotes:

— Sandro, chegou a mim uma queixa muito grande de tua mulher. Até Lucas comentou.

— O que ele disse?

— Que não está te conhecendo mais e que entende, mas é chegada a hora de você finalizar esta loucura. Aproveita o momento. É preciso uma grande mudança para tudo ficar como está. Lembra?

— Claro.

Sandro embalou bem a notícia. Conhecia bem o ensinamento de cuja inteligência se extraía o bom resultado, e, para não errar o prato, deveria observar com atenção a receita. Benigna não conhecia direito os bastidores, mas o fato de ir morar na Europa a inebriava fortemente. Em poucos dias, rumaram em classe executiva para Roma, conheceram o consulado, fizeram os incríveis passeios pelo berço da história ocidental e, regados por Brunellos di Montalcino, mentiram sinceramente sobre o futuro. Sandro decidiu pela compra de uma casa, cuja propriedade era reclamada pela jovem. Sandro alegava regras de Direito e dizia que, não obstante a documentação formal, a casa, de fato, seria dela. Mudaram-se rapidamente para a Itália. Na cabeça de Sandro, no entanto, pelo relato, não cabia alternativa senão voltar rapidamente para Lisarb. Os jantares em Roma, as recepções eram a praia de Benigna, mas o velho Sandro não tinha o cacoete nem a paciência, enquanto em seu *allphone* a esposa, com o apoio da velha elite da cidade, dava ultimato e cobrava o desfecho planejado com o aval de Romeu José. O plano chegava ao final, e o hiato de Benigna seria engolido em nome da boa tradição.

— *Amore*, ainda não estamos casados oficialmente. Esta casa deveria ficar no meu nome.

— Querida, ela é sua, mas como ainda não fiz meu divórcio, mesmo que eu coloque no seu nome, não haverá validade.

— E como está o divórcio?

— Semana que vem vou à Lisarb dar entrada.

— Finalmente.

Numa manhã sem volta, após poucos meses na Europa, Sandro Montes não fez as malas e pegou um voo para Lisarb, deixando Benigna Alphonsus, a ex-Maria Lígia Gnatalli, num condomínio de luxo nos arredores de Roma, retomando o curso de seu casamento em Divertina. Romeu José havia negociado a ida de outro cônsul para a Cidade Eterna e, a título de desmame, Benigna, de acordo com seus cálculos, haveria de se contentar com uma boa pensão por dois ou três anos, até arrumar alguma ocupação. Chegado em Lisarb, para um dito retorno em duas semanas, não mais voltou. Diante do chilique que seria aprontado acaso declinasse claramente o plano, Sandro optou pela saída sem despedidas. Não foram fáceis os meses que se seguiram. Vingativa, Benigna espumava ódio e difamava Sandro, mas, como ele mantinha a pensão, a necessidade financeira refreava o ímpeto, e os ultrajes ficavam em privado. Bem armado, o plano de isolar a princesa no exterior e de manter o patrimônio intacto glorificou a matrona esposa de Sandro, que, afinal, já estava ficando velho para aquelas peripécias, como diria Lucas, tomando um 12 anos num jantar oferecido a ele em Divertina para comemorar o retorno do ex-deputado ao lar. Tudo estava em casa, arrumado.

O FIM DOS
REINÍCIOS

Uma novidade de última hora chegara em mensagem provinda da Câmara de Comércio Lisarb-Japão e abreviaria seu tempo de resposta a Cairo Góes. A viagem para Tóquio havia sido cancelada. Os japoneses estavam restringindo as chegadas de lisarbenses em função de terem detectado o início de um surto de doença infecciosa em alguns países ocidentais. Os aviões e navios vindos do Estado Americano, Eslavos do Norte e Lisarb haviam sido suspensos até o final de uma investigação sobre a nova doença. Com isso, Alex apenas colocaria em prática a parte mais importante do seu plano. Com o tempo sobrando, a esposa em Florença, a noite acabou entrando e, sem destino, embriagou-se.

Após refletir no inferninho, Alex começou a colocar fim à demora. Mesmo na madrugada escura da noite difícil, diante do início da luz, o embuste não se sustenta. Sei que se levantou com dificuldade, deu uma esmola para o fumador de mask, fez uma piada consigo próprio para as italianas, com a intenção de criar um clima mais simpático, olhou para os sapatos, tirou com saliva uma crosta na ponta do pé que parecia ser de cerveja coalhada com urina de banheiro alagado, apoiou a mão esquerda no meio-fio e postou-se reto. Olhou para trás, viu um vendedor ambulante, ofereceu um euro em troca de uma água mineral, deu alguns passos em direção à esquina. Estava escuro, urinou, e o vapor quente subiu com aroma de uísque, colocou a mão no bolso da camisa. Restava uma cigarrilha. Não tinha fogo, voltou até a esquina onde as mulheres estavam e agora o ambiente criado pela piada provou ter sido uma boa jogada. Uma delas pediu uma cigarrilha, mas era a última. Bêbado, ainda teve um rompante humanista, quebrou-a no meio, acendeu as duas partes, uma deu à puta. A outra, terminaria de fumar adiante, no caminho, no final.

Foram muitos os fins. Consciente da inconsistência, a tolerar fraudes e mentiras há anos, a pior dúvida era quanto ao seu próprio caráter. Olhou o *allphone* com dezenas de mensagens com desacatos e violências verbais pela falta do depósito que a mulher pedira. Resolveu passar o final da madrugada num hotel na Via Veneto. Dormiria, tomaria café e sairia resoluto em direção ao desfecho. Ela não acreditaria no término da manipulação. A grande dúvida de Alex, no entanto, era a persistência na decisão, a manutenção da vontade. Os fins foram vários nos últimos anos, mas sempre adiados. Já se disse que o fim é construído, não é uma deliberação fácil, e o crônico não é urgente. Há uma roteirização, e sempre existe a segunda, terceira, quarta chances entregues no envelope premiado do autoengano. A primeira delas, logo no início, quando desvelou uma primeira rodada de falsidades e colocou o regime em separação total de bens. Essa escolha fez o inferno de reclamações, primeiramente recônditas, quase sussurradas. Depois, com a convivência plena, os berros nas discussões em que a reclamação era sempre a mesma, patrimonial. Os demais desfechos frustrados foram em função de projetos a serem lançados. Mais um livro, mais palestras e o estopim sendo adiado até o final do ano, momento em que Benigna inventava uma viagem bancada por Alex, os ânimos abaixavam e os planos de fuga ficavam mais para a frente. Os anos passam, e é preciso compreender o tempo perdido na tentativa. Ainda relembrava um diálogo com Pietroboni, naquele prodigioso fim de semana, quando falava em adiar novamente por causa de uma rodada de quatro meses de palestras no Leste Europeu. "Vai seguir colocando a estratégia na frente da vida?" Mas, daquela vez, com a possibilidade real de voltar à Lisarb, participar como consultor da próxima eleição presidencial e sair daquele círculo irreal, sem contato mais com seus queridos, sua família, isolado num modo de vida artificial, em meio a brigas diárias, em que apenas havia trégua nos jantares e recepções, parecia que a libertação chegaria.

Há um comportamento recorrente e errático, uma teimosia em não aprender com equívocos óbvios que parecem não serem tão claros. Condutas nefastas gritantes não são percebidas com rapidez, insistem, de modo insidioso, em promover na mente o mesmo raciocínio ensaiado pelo elefante ao esconder-se no meio da sala. Por vezes, no entanto, acorda-se do sono, e, com uma ducha gelada, a normose é vista claramente. Há o verificar dos nossos absurdos. Um deles: a normalização do mal. Com a constatação da conduta abusiva, tão nítida e clara depois do *insight*, há o progresso. Alex havia chegado à centésima gota d'água, e aquele retorno promissor a Lisarb, com possibilidade de sentir-se realmente vivo, aliado às últimas constatações, propiciou o início do dia. Impressiona, no entanto, como demorou para ir adiante na resolução dessas questões. Há recorrência, infelizmente, e estamos envoltos em tragédias diárias, lençóis sujos nos quais dormimos todas as noites, venenos cotidianos, dores não sentidas algo que somente a plenitude do pensamento e a tomada de consciência podem neutralizar. Não há espaço para relativizações. O que é, é. A noção pós-modernista de constructo social, de verdade relativa, se perde quando a faca é enfiada na carne. O horror humano existe, e o mal é uma peça de jantar tão corriqueira como os talheres, a unha pintada em bom salão, o batom e a maquiagem borrados, um copo de água bebido, o ar respirado, o chão pisado. A manipulação dos sentimentos e a alteridade negativa, apercebia-se Alex ao ingressar no saguão do hotel, relembrando as vezes em que tentou sair de casa, construíram a dinâmica de um relacionamento utilitarista. Está na literatura, no cinema, nas fofocas, mas *a vida é amiga da arte*, e acordar da loucura é um exercício humano. A violência direta, flagrante, tem sido negativada há tempos, mas a dominação intrínseca, o poder invisível, a mão oculta, a ordenação da influência no ser fragilizado, possivelmente, pela codependência ou outros distúrbios, estavam desenhados e a estratégia corrupta totalmente esquadrinhada.

Ninguém é obrigado a ficar em relações tóxicas na exata proporção da sua ignorância em saber-se dentro delas. No entanto, o manipulador sabe o que há, pois o sentimento, para ele, é secundário, menor do que os objetivos. A saída do emaranhado é difícil e a imagem de uma teia de aranha é aplicável. Não é fácil compreender o jogo, por falta de experiência e mesmo de conexões cerebrais apropriadas. Em outras palavras: se apenas se consegue dar o que se recebe, também não é possível, com habilidade e consistência, lidar com aquilo para o que não se é treinado, pois a percepção e a argúcia provêm do repassado. Há também a dessensibilização. O passado de Alex no Estado do Sul parecia contribuir. Houve certo costume com a violência, a percepção dos limites dela não é a mesma de uma pessoa normal, criada em ambiente harmônico e pacífico. Filhos de alcoolistas, de usuários de drogas ilícita, convivem desde muito cedo com esses males, e acrescentam às suas costas uma carapaça graças à qual a sensibilidade ao obscuro, ao malefício, à dor da violência é menor. Mesmo que, de certa forma, esse couro mais duro lhes traga uma dose extra de defesas e de articulações, a dessensibilização, do mesmo modo, produz tolerância ao abuso, normalizando-o. Nisso, vão-se dias, meses, anos, no compasso e na batuta do arquiteto da invenção, da fictícia realidade diária de quem não presta. Mas o fim vem aos poucos, ele é construído, pensado, não vem de uma hora para a outra. Caso não termine em crime mais grave, como um homicídio, a manipulação produz prejuízo em todos os aspectos da vida do vampirizado, especialmente no tempo perdido ao lado de quem o vampirizou.

Dinheiro se perde, energia vital é mal-empregada e há o afastamento das relações sadias em prol de um projeto falido. Daí, hoje compreendo Alex ter implantado o chip no sistema límbico para ligar o Sensor Aguçado de Sentimentos — SAS no *allphone*. Era um atalho um pouco constrangedor, certamente, mas talvez o tenha ajudado na decisão final.

Pagou adiantado pela diária. Subiu ao quarto e mandou mensagem para a empresa que levaria seus pertences pessoais da casa onde morava com Benigna. Alta madrugada, mas, como havia combinado, deixou mensagem confirmando para as 9h. Ao acordar, ainda de ressaca, ligou para o zelador do condomínio, conhecido do casal, que haveria de testemunhar a retirada apenas dos pertences.

Rumou ao condomínio após tomar o café. A empresa de mudanças levaria as coisas e estava preparada para retirar os objetos pessoais de Alex. O *allphone* toca. Alex não atende. O zelador é acionado e recebe a ligação em modo holográfico. Ele está sentado no meio da sala principal da casa, ao lado de Alex, que continua a orientar a mudança. Benigna surge cuspindo fogo em imagem tridimensional em cima de uma mesa de centro, onde o zelador coloca o *allphone*.

— Desculpe, Alex, é que conheço Dona Benigna antes do senhor chegar aqui. Não pude recusar a ligação.

Não há possibilidade de diálogo, pois ela entra, de chofre, em combustão, vendo o fim da manipulação do seu projeto. Alex mostra que está somente levando seus pertences, mas não há como convencer alguém cuja raiva está no auge do transtorno. Ativado pela rejeição e pelo vazio, o manipulador perde o estrado de seu palco quando é rejeitado, descoberto nas suas fraudes, confrontado com suas farsas, pego em seus golpes. O pano cai, a peça acaba, o real toma de assalto a encenação, e os ardis se desarmam. Benigna, suando, com dois *allphone*s na mão, gritando, ameaçando, liga para advogados e fala em violência contra a mulher. Alex olha para o zelador, e este nega a hipótese. Pede para que o zelador interceda:

— Dona Benigna, ele está aqui somente pegando as coisas dele. Vai embora para Lisarb amanhã cedo.

— É mentira, é um desqualificado, um homem que briga com todo mundo, eu sabia que iria terminar assim. Vou acabar com a vida dele e estou chamando a polícia.

Alex intercede:

— Benigna, tenho os vídeos de você furtando minha conta corrente, as provas de que superfaturava as contas desta casa, áudios de você tentando matar nós dois, no carro, na viagem até Nápoles. Me deixe ir embora com minhas coisas, meus bens. Só isso peço, não quero mais viver com você. Escolhi o dia em que estava fora para não ter de enfrentar esta sua raiva.

— Vou acabar com tua vida, liquidar com tua carreira, te processar. Que vídeos são esses?

A ligação cai. A polícia está na porta. Alex é chamado pelos guardas, explica a situação. Logo uma advogada chega e negocia com Alex. Para sua sorte, é Giordana Malta, uma velha conhecida, com quem tinha relação de confiança, uma pessoa de bom senso.

— Alex, você está ficando louco?

— Por quê? Estou pegando as minhas coisas apenas.

— Mas ela está fora, pode alegar que você está invadindo a casa.

— Mas a casa é minha, está aqui a chave, meu carro na garagem, pago as contas desta casa...

— Mas ela é mulher, a palavra dela tem mais peso no tribunal.

— Veja, Giordana, os bens que estou levando são os meus. Fiz questão de trazer o zelador, que é amigo dela, para testemunhar.

— Eu sei, mas é melhor fazer um acordo. Leve apenas seu passaporte, seu carro, algumas roupas e constitua um advogado, coisa que você já deveria ter feito. Gravamos tudo, você não está cometendo, de fato, nenhum ilícito, mas, para acalmar a fera, daqui a alguns dias teu advogado vem e pega tuas coisas.

— Giordana, não gostaria de chegar a este ponto, mas você não conhece Benigna, ela vem há alguns anos desviando minhas rendas, o ápice chegou a um saque que fez na minha conta corrente sem minha autorização. Tenho a filmagem e os áudios dela entrando em surto numa viagem até Nápoles, quando quase virou o carro numa crise. Queria matar a nós dois dirigindo a BMW novinha que dei de presente a ela. Um acesso de fúria. Esperei a ida até Lisarb para poder refletir, voltei e escolhi uma data quando ela não estivesse em casa para não enfrentar esta insanidade.

— Esqueça isto tudo. Faça como estou sugerindo. Você me conhece, e eu conheço Benigna, sim. O pior já passou. Volte para Lisarb.

Alex pegou seu carro, o passaporte estava com ele e fez uma mala de roupas. Ligou para um velho amigo e advogado no centro de Roma, Alf Moreira, lisarbense radicado na Itália, e ele conduziu bem a situação em conjunto com Giordana. Em alguns dias, com desfalques obviamente previstos em alguns bens móveis, como um tapete persa, um quadro valioso e outros de menor expressão material, mas sentimental, os pertences de Alex foram para um depósito no subúrbio de Roma. Alex ficou no hotel por uns dois ou três dias, e depois rumou para Lisarb, onde reiniciaria a vida. Benigna cumpriu as ameaças, processando-o, mas sem sucesso, sendo tripudiada pela juíza em audiência. No entanto, a difamação que fez no seu círculo mais próximo e adjacências surtiu efeito.

No princípio, Alex caiu em depressão por ter seu nome envolto numa lama mentirosa, típica da manipulação efetuada pelo vazio de alguém que nada construíra e vivera à sombra, no brejo das sanguessugas. Mas, como sempre existe gente para acreditar em *fake news*, no início da campanha difamatória Alex ensimesmou-se. Depois, verificou que aqueles que davam crédito às invenções de Benigna dividiam-se em duas categorias: os amigos, poucos, de quem ela desfrutava lealdade, e os interesseiros, muitos, que logo a abandonariam em função de, aos poucos, descobrirem a real história. De ambos os grupos, em cujas boquinhas Alex derramara os melhores vinhos, champanhes, colocara charutos cubanos e construíra castelinhos de camarão e filé mignon, depois de maturar e digerir vários jantares de sapos, o jornalista lisarbense se afastou e não lamentou mais a perda do convívio. Ao revés, comemorava a distância. Sua jornada num mundo de valores invertidos havia acabado. Sei que ele haveria de penar pelos erros cometidos e por ter se utilizado conscientemente daquele pós-doutorado de maldades, mas logo se levantaria e cumpriria um papel importante na eleição mais relevante dos últimos anos em Lisarb.

II

Naquele momento, águas de março em Litorânia, último ano do mandato do extremista de direita Montanaro. Eu havia sido convidado pelo Pluna para uma série de reuniões de definição dos rumos da próxima eleição, recebendo convite para ser um dos coordenadores da tentativa plunista em *2047*. Não era algo fácil para mim, não estava mais querendo envolvimento com a política, mas, como minha vida pessoal sofria mais uma crise, eu estava inclinado a aceitar o convite. Daí a minha resposta positiva para, naqueles dias, sair de Roma, cidade que adotara desde 2040, quando deixei Paris, onde morei após a crise dos protestos de *2038*, o confisco dos meus escritos e o processo ao qual respondi.

Na capital francesa, graças à minha amizade com Tenório, recontratado pela *Folha* em 2039, ano seguinte ao escândalo abafado da compra do apoio editorial, eu trabalhara como colaborador do jornal e concluíra meus básicos estudos de francês. Vivia também com o auxílio do governo lisarbense para oposicionistas e com o valor de duas parcelas da negociação envolvendo a transação das Cápsulas MIRV. Esses rendimentos, somados ao pequeno patrimônio amealhado durante o sistema cleptocrático dos governos pevistas, me trouxeram a possibilidade de dedicação à escrita jornalística e literária em Paris. Algo sonhado por muitos e que eu realizara ainda jovem, mas sob o preço do ódio pevo-luquista, a virtual deportação de meu país e um sentimento liquidante de culpa pela morte de Lisa.

Movido por um sentimento romântico de encontro com as inspirações e energias poéticas, instalei-me em Montmartre, num pequeno apartamento com terraço próximo à Praça dos Artistas, junto com Suzana. Nos primeiros meses, abalado com tudo, bebi muito mais do que fiz qualquer outra atividade. Não escrevia uma linha, não conseguia concentrar-me nem me sentir bem. Vagava pelo frio de Paris, nas ruas, no metrô, nas estações com seus músicos, em meio aos imigrantes africanos, em meio a uma língua desconhecida. Conhecia vários lisarbenses moradores de Paris, mas não tinha o menor saco em conviver com ninguém, muito menos com os ufanistas do governo pevista, cuja lâmina da guilhotina acabara de trespassar meu pescoço. Mas toda dor deve ser interpretada e sentida no seu mais alto grau, sem medo, um fenômeno pertencente à rotina, ao aprendizado. Errar é da vida, acreditava eu à época, ainda inseguro por ter escrito páginas duras sobre o modelo pevista e o seu populismo corrupto. Os anos se passaram, e a inexorável gangorra da vida mudou de orientação. Agora, em Litorânia, quase contratado pelo Pluna para dar suporte a uma campanha presidencial razoavelmente competitiva, os dias de sofrimento parisiense transformaram-se em combustível para mais um mergulho no universo político de Lisarb, mesmo sabendo e ainda duvidando dos benefícios daquela imersão.

Naqueles dias de calor, havia passado duas semanas entre Litorânia e Lisarbia envolvido em reuniões com membros do partido, cuja busca era a de emplacar nas eleições seguintes o Programa Gradual de Desinstitucionalização — PGD, já testado no Estado do Sul, por Duarte Lato, do Partido Arara, com grande sucesso. O Partido Libertador Unido Nacional — Pluna, apesar de identificado historicamente com a esquerda, havia dado uma guinada ao centro com a derrocada do Partido Ético e Verdadeiro — PEV e, guarnecido pelo desastre do Governo Montanaro, buscava, pela via da próxima eleição direta presidencial, entrar competitivo no jogo a partir da experiência de desmonte estrutural dos privilégios das castas burocráticas e das corporações promovidas na experiência no Estado do Sul, algo cogitado, mas não conseguido na esfera federal por Montanaro.

Desde muito tempo, percebi que o Estado Democrático de Direito é uma busca, não algo concreto e homogêneo em todas as sociedades, e, mesmo naquelas mais avançadas, é instrumentalizado pelo ser humano em proveito próprio. Em Lisarb, tínhamos chegado ao cúmulo de institucionalizar a corrupção. Lucas e o PEV, neste ponto, deixaram a nu toda a hipocrisia, fazendo dela algo ultrapassado. O pudor, no pevo-luquismo, era uma boneca de brincar, um carrinho, um videogame velho. A aceitação, esta sim, de nossa fraqueza ante a inexorável vontade de vencer o mais rápido possível, é uma natural derivação do instinto de sobrevivência, do engano e do engodo como parte normal de um sistema natural, da necessidade de passar por cima de regras, da ética, de subvertê-la em nome de ir adiante, para alimentar desde a ambição de ter um lar mais confortável para a família, um dinheiro extra para fazer uma viagem, comprar um carro melhor, passando pela apropriação privada da coisa pública para a perpetuação de grupos de poder, como partidos políticos usurpadores das normas democráticas internas, sindicatos pelegos, corporações de alto escalão divorciadas do interesse coletivo em função do próprio umbigo, e chegando, ao fim, à própria organização político-social em torno desses valores. Tudo isso é assim, e a Doutrina da Aceitação teve a grande qualidade de tornar o lisarbense um ser direto, sem rodeios, que se sente à vontade para servir-se do prato do seu irmão, pois este, sem serventia, servira-se antes, certamente, de uma porção do alheio e, sendo franco consigo próprio e com seu interlocutor, poderia falar, sem peias: "quanto levo nisso?".

A queda da Aceitação foi um retrocesso desta visão de admissão dos chamados "vícios" como condutas naturais, toleráveis, mais do que isso, legais e constitucionais, segundo a Nova Constituição de Lisarb. Com a Carta Mórus e a onda de prisões levada a efeito na tentativa de extirpar a corrupção, houve um falso retorno do discurso de que Lisarb jamais poderia ter abandonado as práticas consideradas sadias de administrar a coisa pública. Lair Montanaro, levado pela população lisarbense à Presidência da República pelo ódio aos pevistas e a Lucas, era o antípoda certo no momento certo. As regras, no entanto, mesmo para o embusteiro Montanaro, defensor da moral e dos bons costumes, consubstanciados na "ética do cidadão de bem", eram instrumentalizadas em favor de interesses pessoais. Para supostamente livrar-se de um mal maior, Lisarb vivera, por um período, a consolidação da pior de todas as instrumentalizações: a distorção das regras do julgamento jurisdicional em prol dos interesses próprios, dos sentimentos pessoais, do voluntarismo, do corporativismo, da corrupção disfarçada e da utilização manipulada da lei na busca sorrateira, subjacente, de implementar algumas dessas intenções.

Mas a doutrina Mórus foi fugaz debaixo da bota do tenente reformado Montanaro. Vendo ineficaz sua tentativa de aventura golpista no início do mandato, e observando não ter força para governar apenas com uma seita de fanáticos, precisou fazer uma aliança de ocasião com a Suprema Corte e passou a liderar, junto com o procurador-mor, uma reação diminuidora de sua base na classe média urbana, iludida com o ficcional discurso anticorrupção. Por medo também de ser atingido, tirou da mochila a merenda a ser distribuída no recreio para alunos famintos, isolando Servius Mórus e auxiliando no julgamento que modulou os efeitos da declaração de inconstitucionalidade do sistema cleptocrático, com o efeito prático de livrar praticamente toda a classe política de punição.

As emoções e os sentimentos falam mais alto. A racionalidade na tomada de decisões fica num plano inferior nas situações de vida e mesmo na política. A preponderância do interesse coletivo sobre as ambições privadas é uma busca tão justa quanto idealizada. O egoísmo atávico, vindo do tataravô escravagista, e outros sentimentos moldados à imagem e semelhança da imigração dos antepassados, lutando contra a fome e desvencilhando-se das guerras europeias, ou de ancestrais mais longínquos, fugindo de feras, estão na base das tomadas de decisões afastadas do ideal de justiça social, de igualdade e entrega de serviços públicos de qualidade ao contribuinte.

O instrumentalizador do sistema democrático, seja ele um prefeito com necessidade de pagar as contas da campanha passada, seja ele um juiz sedento por assistir ao time do coração no início da noite e não apreciar a liminar de alguém preso injustamente, ou mesmo um promotor que projete seus traumas infantis sobre um réu, todos são seres humanos. Não é por estarem investidos na função pública que o pomposo nome dado ao ingresso de um particular no Estado por concurso público retira deles suas características psíquicas, particulares, inafastáveis. O combo vai completo. O político fraternal, ouvinte atento dos problemas de seus eleitores na campanha, ou o aluno de Direito de notas fantásticas é o mesmo ser que fraudará uma licitação para pagar suas contas, o promotor arrogante em audiência ou o juiz omisso quanto à sua mais comezinha atividade: a de prestar a jurisdição de forma rápida, mesmo em detrimento da final do campeonato. As instituições são grandes navios pilotados por seres humanos em meio à morte e ao lodaçal, não são figuras angelicais de cachinhos louros seus comandantes; pernas de pau e tapa-olhos talvez sejam acessórios mais condizentes para perfazer o arquétipo.

Minha última reunião com a direção do Pluna iria começar às 14h. A sede do partido era num prédio na zona central de Litorânia. Nesses dias, na grande capital caótica, meu sentimento de nação e pertencimento haviam aumentado. Nos últimos anos alternei sensações com relação à Lisarb. Na saída, em *2038*, eu tinha dúvidas sobre se tudo seria perdoado, como estava sendo, e eu, em realidade, seria um traidor da grande sacada nacional, do partido de esquerda mais importante da história lisarbense. Quando fui para Paris, Lucas era ovacionado, seu nome em qualquer bistrô parisiense era adulado e sua imagem idolatrada como o grande líder terceiro-mundista. Eu me perguntava se havia algo errado, pois meus escritos e todo meu pensamento, mesmo em contradição com atitudes minhas de conveniência, se voltavam em desfavor do ideário pevista. Meu sentimento era de culpa e, por vezes, de frustração por não ter participado mais ativamente do banquete, de ter perdido uma oportunidade, de ser excluído da festa. Mente lisarbense, mente curto-prazista. Com o passar do tempo e a tomada de consciência, a queda das maquiagens fiscais, minha revolta comigo mesmo tratou de se transformar num sentimento de felicidade por ter acertado a previsão, e a arrogância tomou conta. Muita gente me procurava em Paris para conversar sobre Lisarb, e eu tinha desprezo pelo nosso atraso. Mais adiante, já morando em Roma, com Benigna, fui verificando os percalços de todas as nações, sendo mais indulgente com o erro e, em especial, chegando em *2047*, repulsando de vez as artificialidades, aparências e materialidades, tendo a necessidade de vivenciar a realidade e tentar ser mais solidário com o país. Minha aversão inicial pelo atraso transformara-se nitidamente em compaixão e empatia. Éramos assim mesmo, feitos de uma massa de erros e de uma trajetória retorcida em meio a atrocidades. Este era o mundo, e as luzes de resplandecência do grande parque temático que virara a Europa ainda não tinham conseguido tirar do olhar do idoso o ressabiamento com o estrangeiro, a secura com o estranho, o medo eterno da guerra. O comportamento mais maduro e consciente politicamente também não apagara a memória vívida de 2000 anos de guerras fratricidas, atrocidades, destruições em massa e genocídios.

Haveríamos de desistir de Lisarb? Antes da reunião das 14h, almoçaria com o velho Antônio Paulo, que havia escolhido um restaurante português dos bons, dos tantos que Litorânia tinha no seu centro histórico. Ao chegar em Litorânia, liguei para Antônio Paulo, que ainda morava em Lisarbia, para saber como ele estava. No telefonema, falou-me que não estava bem de saúde e iria para uma consulta médica em Litorânia, justamente no meu último dia na cidade. Marcamos encontro para falar das coisas, sobre a política, sobre a vida. Havia me afastado dele desde minha chegada em Roma. Nessa viagem, o reencontro com o velho mestre era um ponto alto pelo qual eu ansiava. Cheguei ao restaurante, próximo à sede do Pluna, no horário. Os azulejos azuis, as garrafas de vinho português, o cheiro dos bolinhos de bacalhau recém-fritos, o velho dono ensimesmado e pronto para rechaçar quaisquer gracinhas, contrastavam com uma turma de jovens tatuados até o pescoço, *piercings* por todo o rosto e roupas de grife internacional. Essa turma, cujos olhos não se podiam perceber pelos óculos escuros espelhados com aros enormes, ao que parecia, contava com dois casais héteros e um casal gay masculino, acumulava três garrafas de um vinho tinto caríssimo. O dono do restaurante, contrariado com os costumes, mas feliz pela conta alta, entregou o quarto Barca Velha para o feliz grupo. Três mesas atrás, quase no corredor que dava para o banheiro, um senhor grisalho, com o olhar caído num livro físico sobre a Segunda Guerra Mundial, em francês, tomava uma boa dose de uísque. Atravessei o restaurante com vontade de abraçar meu velho amigo e também pedir uma dose, mas meu compromisso logo após não me deixaria tomar um *scotch*. Eu tinha tomado um gim na Candelária, bebida depositária da crença dos alcoolistas de, suposta e clandestinamente, não deixar bafo. Passei pelo grupo animado. Antônio Paulo me viu e levantou-se para me dar um abraço:

— Alex, quanto tempo, meu camarada! Felicidade. Um pouco mais de cabelos brancos, mas está bem.

Antônio Paulo não estava com a melhor das aparências, trazia a magreza de alguma recuperação de doença, mas fui elegante com meu amigo e logo perguntei sobre o livro, que, percebi, era um dos tomos das *Memórias da Segunda Guerra Mundial*, de Winston Churchill.

— Sim, mais velho, cabeça começando a sentir a geada. Só eu sei o quanto tenho me incomodado nos últimos anos, meu camarada. E este livro, da Segunda Guerra?

— Sim, do Churchill, as memórias. Estou relendo, no início, na parte em que ele tem que declarar guerra aos alemães, logo depois de assumir pela primeira vez o Gabinete, em 1940.

— Sempre apreciei muito o Churchill, Antônio, por sua perspicácia, de notável estadista, mas também pela resistência figadal.

As gargalhadas de Antônio Paulo eram conhecidas. Nesse momento, ele olha para mim e, depois de tomar um gole de uísque, faz o convite para tomar algo:

— E então, meu camarada, vai me acompanhar neste doze anos, em homenagem ao grande estadista britânico?

— Camarada, quando entrei no restaurante vi que você estava tomando um uisquezinho. Confesso que deu uma coceirinha para tomar, mas vou ter uma reunião às 14h30, na sede do Pluna.

— Não vai tomar nada?

— Vou pedir uma taça de vinho. Garçom, por favor.

— Se você vai pedir um vinho, então peça logo uma garrafa de vinho verde, eu te acompanho. Tem o teor alcoólico baixo e harmoniza bem com o bacalhau. Vamos pedir um bacalhau?

— Boa. Garçom, por favor.

Um senhor grisalho, aparentando uns 70 anos, de calça escura e *blazer* roxo, gravata borboleta, expressão bastante carregada e sem pronunciar uma só palavra, com apenas um movimento de olhos, achegou-se ao lado da mesa, olhou em minha direção e fez menção a que eu fizesse o pedido.

Antônio Paulo sorveu um bom gole, olhou para mim e disse que eu escolhesse.

— O senhor, por favor, pode trazer um vinho verde. Está gelado?

O velho garçom apenas anotou o pedido, virou de costas e foi até a parede próxima do caixa, tirou do mostruário uma garrafa de vinho verde, na temperatura ambiente e atravessou de volta o pequeno salão e o trouxe até a mesa. Antônio Paulo, falando sobre as memórias de Churchill, nem prestou atenção que o vinho, que deveria vir gélido, estava quente. Continuou tomando seu uísque e eu, começando a me irritar com o garçom, intercedi, ainda que com alguma leveza, em função da idade do atendente, mas com um ponta de indignação no tom da voz:

— Meu senhor, este vinho está quente...

O garçom, sem proferir uma palavra, antes que eu terminasse meu protesto, deu de ombros, fazendo minha intervenção perder o objeto. Atravessou mais uma vez o pequeno salão, buscou no balcão do caixa um balde de inox cheio de gelo e um quilo de sal. Veio até a mesa misturando impavidez, falta de paciência, desdém e um certo rancor, enfiou a garrafa dentro do balde, fazendo aquele barulho de gelo, com algumas pedras pulando para fora, e derramou o saco inteiro de sal dentro dele. Antes mesmo de ele se retirar da mesa, o recipiente começou a estalar. Antônio Paulo, degustando seu *scotch*, apenas pronunciou uma palavra:

— Salmoura...

Pedimos o bacalhau e começamos a conversar sobre os últimos tempos, a morte de Lisa, a queda do PEV, a prisão dos companheiros, a ascensão da ultradireita, o governo Montanaro, a decadência de Lisarb. Tudo isso me levava sempre ao fundo do poço existencial. Antônio Paulo acreditava na esquerda de forma genuína. Eu, como não acreditava em nada, ouvia e apenas redarguia, demonstrando as contradições:

— Antônio, não há como negar a realidade. Olha o que aconteceu nos últimos anos por aqui, em Lisarb. Qual a razão de não admitir o erro?

Meu velho amigo, de forma muito calma, sem se alterar, com um ar de quem tem mais experiência, admitia o problema histórico, mas não se rendia:

— Alex, o ser humano é imperfeito, sempre vai errar. O teu problema maior é este. Você é um perfeccionista da alma, isso não existe. Todos vão errar. A construção é errática, feita com dor, com problemas crônicos, com uma mão enfiada no meio da fossa séptica e a outra acariciando o cocuruto do filho, limpinho, saído do banho.

— Sim, concordo, Antônio, mas por que não fazer um enfrentamento honesto consigo próprio? "Ah, a direita nunca fez uma autocrítica, por isso não temos obrigação." Justamente por isso. A direita acertou no seu objetivo em quinhentos anos de história. Obviamente, representa quem não quer mudar, ou acha que não precisa mudar. Não precisa pedir desculpas de nada. Eles acertaram. Este país deu certo para dez por cento da população, eles sempre trabalharam para esse percentual, foram exitosos ao apenas distribuir migalhas para os andares abaixo. Agora, quem se dizia o genuíno portador da mudança — e havia razões para assim compreender — tem o dever de fazer.

— Alex, preciso levantar e ir ao banheiro. Nosso prato deve estar chegando...

Confrontado com as contradições da esquerda, Antônio levantou-se da mesa e foi até o banheiro. Atravessou trôpego o salão, mas fez um movimento de volta à mesa:

— Alex, me passe aquela sacola ali, por favor.

Apontava para um embrulho numa sacola de papel com a marca de uma farmácia. Explicou:

— Tocou o apito aqui no *allphone*. Preciso recarregar meu SIO com um anticoagulante. Coloquei stents há um mês. Daí a razão da minha vinda até Litorânia, como havia te falado.

O SIO era a abreviatura de Sistema Intravenoso Orgânico. Em formato de cartuchos finos e anatômicos, eram introduzidos em áreas do corpo humano para a dispensação gradual de medicamentos vitais e era monitorado via aplicativo do *allphone*, que recebia sinais *bluetooth* do chip medicamentoso, ora instalado na panturrilha, ora na cavidade abdominal, e este indicava a necessidade de reposição do combo de medicamentos e substâncias.

Passei a sacola. Chamei o garçom para saber quanto tempo o prato ainda demoraria, pois Antônio deveria demorar uns cinco minutos para repor o SIO. Nesse instante, meu *allphone* tocou. Era a secretária do presidente do Pluna, confirmando minha chegada na reunião para dali a uma hora. Sem ligar os hologramas, em modo tradicional, avisei que chegaria na hora certa. A moça do Pluna, um pouco agastada, perguntou-me:

— Em "uma hora de relógio"? — ao que respondi, ironizando:

— Qual a hora que não é de relógio?

— É que o presidente talvez atrase uns quinze minutinhos. Acaso o senhor tenha algum compromisso, poderá atrasar um pouquinho.

Como eu morava na Europa há alguns anos, havia me desacostumado ao fenômeno representado naquela nova expressão "hora de relógio", significação linguística máxima da nossa falta de pontualidade, e, ao mesmo tempo, da grande criatividade do lisarbense. A "hora de relógio" trazia consigo uma série de significações importantes, tais como nossa falta responsabilidade com os compromissos assumidos, cuja ratificação era uma etapa necessária. Chegar em uma hora a determinado local poderia significar uma hora, uma hora e meia, ao passo que chegar em uma hora de relógio era ser pontual. A palavra valia pouco em Lisarb, e o aperto de mão que selava um negócio poderia ser desfeito na outra esquina, no outro dia, numa hora outra. Por isso, expressões como "hora de relógio", ou "compromisso mesmo", ou "falei, tá falado" eram importantes para distanciar a farsa habitual do lisarbense da prática "o que eu falo eu não cumpro, o que eu escrevo eu discuto na Justiça".

Antônio Paulo voltava do banheiro no exato momento em que o peixe era servido pelo velho português. Um suculento bacalhau servido sobre fino azeite encimado por alho, cebola, e ladeado com batatas "ao murro" e azeitonas pretas faria nossa alegria ocasional antes da hora que não seria de relógio. Antônio Paulo, suando um pouco, observava a forma elegante com a qual o garçom servia o bacalhau, tendo o cuidado de partir a posta sem desfigurar-lhe as pétalas, colocando um pouco de azeite sobre a porção de arroz branco e tomando o cuidado de fazer o alho continuar pontualmente colocado no topo dourado do naco. Eu sorvia a taça do já geladíssimo vinho verde, e a turma da mesa ao lado pagava a conta. Serviu-me o garçom, Antônio fazia o primeiro ataque ao peixe e, ao final da mastigação, provocou-me:

— Alex, você precisa dizer a que veio. Não adianta fugir ao destino, sair de Lisarb, fazer que não é contigo. O PEV errou? Claro. Lucas cometeu desatinos? Claro. Agora, olha o nível de radicalização a que chegamos, o desgoverno. Esse pessoal é maluco.

— O problema é que os inimigos são difusos. Não há mais um ponto fixo para o qual devemos posicionar o tiro, meu caro.

— Por que você não aproveita esta oportunidade que o pessoal do Pluna está te dando? Você conhece política, sabe mexer nos meandros, poderá ajudar esse pessoal.

— O problema são as chances pequenas. Não devem ganhar a eleição. Não acredito que o Pluna possa levar.

— No jogo político, nem sempre quem ganha eleitoralmente leva politicamente. Lembra como o PEV iniciou? Pequeninho, mas disputava em todos os lugares. Foi uma construção relativamente curta. Em pouco mais de vinte anos levamos o poder central.

— E, depois, Antônio, não tenho mais saco para política. Estou ficando velho.

— Você está velho? Acabei de voltar do banheiro para recarregar meu sangue com um anticoagulante para não morrer em dois dias.

Tome tenência. Como está a vida pessoal? Soube que você não está mais com Suzana e casou com uma italiana, é isso? Suzana me mandou mensagem um dia desses, está morando no Estado Celeste. Disse que iria me visitar ou fazer uma chamada holográfica.

— Tenho falado pouco com Suzana, mas mantemos um bom diálogo. Não chegamos a terminar mal, mas acabamos. Na verdade, não estou com uma italiana, é uma lisarbense, diversa, que mora na Itália há muito tempo, tem dupla cidadania, mas não estamos muito bem, estou querendo dar uma mudada na vida, novamente, meu amigo.

— Aproveita, então, e vem para Lisarb fazer a campanha do Pluna. Poderá ser uma das últimas, estamos no fundo do poço. Mesmo que não ganhe, é importante que atores mais comprometidos com ideias mais sérias tenham visibilidade. A Desinstitucionalização, embora eu não concorde, pode ser uma saída para aperfeiçoamento da democracia. Alex, você escreve bem, deveria se dedicar mais a isso também.

Antônio Paulo me exortava para um retorno a tudo. Política na veia, voltar a escrever, Pluna, desinstitucionalização... minha alma era espezinhada dia a dia com a falta da literatura, e a política, na verdade, estava mais para um vício. Algum lugar específico comum dentro do cérebro o jogo, a adicção e a política deveriam ter. O processo psicológico da luta pelo poder e pela dominação era muito próximo dos vícios. Perdiam-se a saúde, o dinheiro, a família, ganhavam-se a inveja dos pares e o ódio dos adversários. Há mais prejuízo sempre. Como no uso de drogas e álcool, o efeito gratificante é curto, e a depressão fala mais alto. Muitos se corrompem e levam uma vida de muito poder, mas há um pensamento dominante sobre o político corrupto, sobretudo acerca de sua desonestidade habitual. Os holofotes, porém, tal como ocorre com os jogadores de futebol, não se voltam nunca para uma categoria muito comum e mais numerosa: a do político quebrado. Como é um campo onde quem vence é quem domina melhor características como frieza, dissimulação e cinismo, há um vasto campo para derrotados aventureiros apaixonado pelos ideais. Antônio Paulo, homem dos bastidores políticos, nunca sofrera as agruras da candidatura fracassada, as contas imensas para pagar sozinho e a desagregação familiar. Eu também não, pois vivia por trás das cortinas e, hoje em dia, ensinava para os gringos como investir num país para profissionais, como era conhecido Lisarb. A ideia, no entanto, de voltar e assessorar um partido minimamente competitivo na próxima disputa presidencial me trazia sentimentos ambivalentes.

— Vamos pedir a conta, camarada? — Antônio Paulo olhava em direção ao balcão e me fazia um pedido:

— Alex, qualquer que seja sua decisão, não tente ser um perfeccionista da alma. Quem não sonhou em ser Michael Corleone que atire a primeira pedra... é uma busca, muitas vezes, pelo menos pior. Caminhamos sempre em meio a cursos erráticos e fases certeiras. O que importa é a média. Sei que você está vivendo muito mal com essa mulher. Tenho informações do tanto que ela te tirou de dinheiro e de si próprio. Artificialismos, superficialidades, você está jogando fora sua energia vital, sua reputação e o que lhe resta de juventude com esse período, mergulhado numa imagem falsa. Você não precisa de bases em alta sociedade, Alex. É uma ilusão. Você se fez sozinho e deve continuar seu caminho. Faça a campanha do Cairo Góes. Como te falei, essa eleição será a mais importante em décadas.

Pagamos a conta, despedi-me do meu velho amigo com a impressão de que não o veria mais. Antônio Paulo sempre estava doente, mas daquela vez parecia especialmente debilitado.

Saí do restaurante e fui a pé até a sede do Pluna. Era perto, quatro quarteirões apenas. Havia o calor de sempre, um pouco de suor, o barulho dos protestos de pevistas e montanaristas. Andei pelas ruas centrais de Litorânia como sempre andara, como menino do Estado do Sul deslumbrado com a beleza arquitetônica perdida e esquecida em função dos gritos dos ambulantes, buzinas, calor e propagandas virtuais pululando no ar. Hologramas de atrizes nuas, vendedores de planos de *allphones* em 24 parcelas, com juros de dois por cento ao mês, disparavam fôlderes holográficos por cima dos carros para aproveitar o movimento do ar. Uma notícia corria o dia: a possível adesão de Lisarb à Cláusula de Assunção por parte do governo Montanaro. Com apoio de setores do Congresso e do

Ministério da Fazenda, mas com forte oposição dos militares, o presidente Montanaro enviara para o Parlamento a adesão de Lisarb ao acordo internacional com o sistema financeiro de entrega do poder decisório a um conglomerado das vinte principais corporações econômicas globais, com a adesão à Cláusula 13ª do Acordo Internacional de Assunção. Com isso, o país entregaria por 25 anos a condução, gestão e execução de todos os temas relacionados à macroeconomia aos maiores grupos capitalistas do mundo. Assim, política cambial, balança comercial, tributos, previdência, planejamento do setor público, manejo da dívida pública, tudo relacionado à economia seria repassado para um executivo delegado, escolhido pelas corporações. Em *2047*, Montanaro, convencido da impossibilidade de gerir o país de forma a retirá-lo da quebradeira, assumindo de vez sua incompetência, buscava aderir à Cláusula 13ª de Assunção, entregando de vez a direção aos controladores reais. Dessa forma, à figura presidencial, partícipe importante do comitê que assessoraria o executivo delegado, sobrariam apenas as pautas políticas ligadas aos costumes, conduta, cultura e segurança pública. Segundo o tratado, o tema meio ambiente também seria delegado ao conjunto de corporações, em razão de uma exigência dos conglomerados europeus. O acordo ainda não havia sido ratificado pelo Parlamento, prometia ser um dos grandes temas da eleição vindoura, mas a caserna estava disposta a travar o movimento de um presidente cada vez mais divorciado de sua base original.

A 13ª Cláusula de Assunção, assinada em conjunto na capital do Estado Chacal, país vizinho à Lisarb e primeiro a aderir ao acordo, entraria em vigor somente após o aval do Parlamento e serviria para desnudar e pôr fim aos problemas de condução no topo do poder decisório, expressando de modo claro quem realmente manda. Assumiriam, dessa forma, diretamente, sem intermediários, os donos do poder real, sem meias-palavras, negociações infrutíferas, perdas de tempo e outras cantilenas. Defendida por Montanaro desde o meio de seu governo, tal como a Doutrina da Aceitação do PEV, era a admissão expressa da lógica capitalista desde sempre, nada mais do que sempre ocorrera, mas de modo explícito. De acordo com esse novo rumo, Lisarb ingressaria, mais uma vez, na história da civilização como precursora na adoção explícita, sem rodeios, das práticas reais. O desafio de Montanaro era fazê-lo em pleno ano eleitoral e derrotar a vontade de seus maiores aliados, os militares. Seu principal argumento em favor da adesão era: sem a 13ª Cláusula, não haveria caixa para o pagamento do 13º salário ao final do ano para os servidores públicos federais e para os aposentados em geral. Era um *slogan* simples: "Sem a 13ª, sem o 13º".

O governo Montanaro era o rascunho de uma caricatura, sua trilha sonora, uma ópera bufa e seu personagem principal, nem para os padrões lisarbenses em seu pior pesadelo, poderia ser tão canhestro e histriônico. O desenho começara a ser feito por órfãos desiludidos do pevismo. Desencontrados, a insatisfação era difusa, sem organização clara. Diferentemente dos protestos plunistas, com pautas objetivas, o fracasso pevista inicia vigorosamente, mas desconexo, encontrando no Judiciário rendido aos ataques das mídias sociais o ambiente radical para buscar um culpado. Assim, Servius Mórus lidera um movimento de revisão da Doutrina da Aceitação. Os militares, desconectados nas últimas décadas do centro do poder em Lisarb, movimentam-se para a tomada do poder por meio de um militar reservista que canaliza o ressentimento com a economia ladeira abaixo, o desemprego acelerando e a moeda se desvalorizando. A raiva e o moralismo são instrumentalizados, tudo está errado, todos os pecados históricos da apropriação do público pelo privado, até então aperfeiçoada pelo PEV, é legado a ele. Lucas, de semideus, é encaminhado ao inferno em pouco tempo. As mazelas todas são direcionadas para o simplismo. É natural, é mais fácil apontar para um lado errado. A grande massa não se perde em reflexões, e as emoções são direcionadas para o culto ao ódio. Logo, a Suprema Corte declara inconstitucional o regime cleptocrático, é feita uma limpa, Lucas é preso. Montanaro irrompe, juntando todos os fios de um novelo esculhambado, mas forte o suficiente para liquidar as pretensões dos demais candidatos, herdeiros da Doutrina da Aceitação, que é estigmatizada. Aos poucos, no entanto, tudo vai ficando igual, pior, na verdade, pois Montanaro é o líder de uma aglomeração disforme e construída sobre o falso. Sem paciência com o diálogo democrático, Montanaro iniciaria firmemente o aparelhamento do golpe. Era clara sua total incapacidade de governar por meio de consensos mínimos, e ele inicia abertamente o fomento à divisão do país. Isso ficaria claro, seus esquemas também, fazendo ruir boa parte da aliança primordial, moralista.

A democracia é uma casa velha com goteiras, problemas na fiação e, especialmente, cheia de infiltrações. No banco, está hipotecada, com muitas dívidas, mas é a nossa casa. A escolha entre o ruim e o péssimo começava a fazer sentido em corações e mentes lisarbenses lúcidas.

O sistema estava dando sinais de cansaço. Cheguei ao prédio para a reunião suando muito. Minha ansiedade estava um pouco alta, mesmo tendo tomado vinho verde na hora do almoço, mas não colocaria ansiolítico SIO, pois precisava de vigor na negociação. A leitura facial já havia me reconhecido no ingresso pelo umbral, dispositivo que dispensava as tradicionais portarias. Minha chegada já tinha sido anunciada no andar do gabinete do presidente do Pluna, com quem eu travaria a última das reuniões para a definição de minha contratação como um dos coordenadores para a próxima eleição.

Subi as escadas para o primeiro andar, antes de tomar o elevador para a sala onde faria a reunião. O frescor proporcionado pelos mármores e granitos antigos aliviava a temperatura alta vinda da rua sem a necessidade de ar-condicionado, meus pés estavam cansados e meu vigor dava sinais de exaustão. A felicidade está no caminho, se faz durante o percurso, era um mantra sobre o qual eu sempre refletia quando o baixo-astral tomava conta, mas a questão não está vinculada apenas à vontade, e este era o principal obstáculo para os *coaches*, profissão de maior crescimento em *2047*. A escadaria parecia não ter fim, e era longo o caminho até o banheiro, onde me refugiaria no espelho para a última olhada no semblante, pentear os cabelos e a barba levemente desgrenhados, passar uma água no rosto e ajustar a camisa à cintura de um modo arrumado, a parecer mais organizado, justo. Pequenas éticas sempre válidas antes de um encontro de negócios. A umidade escorrendo pelas paredes velhas revelava uma tentativa vã de homogeneizar as coisas. Mesmo com fôlderes holográficos, transportes individuais por drones gigantes, sistemas intravenosos de dispensação gradual de medicamentos, o ser humano convivia também com o suor do mármore antigo, com salões de passos perdidos em edifícios históricos, as irracionalidades militantes, e um velho balde de salmoura colocava, à moda antiga, um vinho quente na temperatura ideal em poucos minutos.

Conferi o aspecto visual, meu relógio de pulso, um pente de plástico no bolso a indicar a chegada da velhice, a gravata vermelha para puxar a simpatia plunista, fechei a porta do banheiro e fui até o elevador velho com as portas pantográficas douradas dos anos 1950, dirigi-me ao 13º andar e, mais uma vez, sem recepcionista, as portas se abriram automaticamente em função do reconhecimento facial. O primeiro contato humano direto, desde o restaurante português até a sala do presidente do Pluna foi, exatamente, com ele, sem intermediários, a demonstrar a escalada de um desemprego mais do que estrutural e a verificação da inutilidade e da irrelevância do ser humano para as mais diversas profissões.

O presidente, Cairo Góes, um velho político de centro-esquerda, com experiência de disputa em três eleições presidenciais, cansado de guerra e sem paciência, me atendeu meio esbaforido:

— Alex Tedesco?

— Sim, presidente.

— Vamos entrar. Minha secretária ligou para você mais cedo dizendo que poderia atrasar um pouco a reunião. Ela teve de sair, por isso peço desculpas por não ter ninguém aqui para recebê-lo.

— Sem problemas, presidente, ela me avisou que não seria uma hora de relógio.

— Toma um café?

— Sim, por favor.

Cairo Góes, publicamente, sempre demonstrava muita energia, espontaneidade e, muitas vezes, sua verborragia estragava toda a construção. Mais velho, aparentemente sem muita vitalidade, parecia combalido e cansado, com pouco entusiasmo para enfrentar a empreitada da próxima eleição. Estava vestido de maneira simples, com uma calça jeans, um blazer de linho branco, a demonstrar suas origens no Litoral Norte, mocassim claro e a barba por fazer. O partido, ao que parecia, estava sem aparato de pessoal, e a sala presidencial era guarnecida com telas holográficas mostrando indicadores econômicos, canais de telejornalismo 24h e uma vista maravilhosa para a Baía Grande, onde os petroleiros eram vistos à profusão. Era um gabinete sóbrio, um ambiente espartano e minimalista, como espartana era a regra de conduta do Pluna, defensor do mínimo possível de interferência do poder econômico nas eleições, assim como minimalista eram as votações do Pluna. Trazendo-me, gentilmente, um expresso tirado por ele mesmo da máquina, iniciou a conversa de forma direta:

— Então, você já esteve com a direção, com o pessoal do marketing, com todo mundo. Já entendeu que não temos mais saída para esse país. Agora vem este imbecil do Montanaro entregar de vez Lisarb para o grande capital. O que falta mais, uma guerra civil? Este cara é um imbecil, mas não acredito que essa loucura toda seja inconsciente. O maior problema do PEV não foi somente a institucionalização da corrupção, mas ter proporcionado ao país este desastre existencial completo. Me diga uma coisa, quando você volta para a Europa?

— Volto amanhã cedo. Pego o voo para Roma às 10 horas, faço uma escala de um dia lá e vou para Tóquio depois.

— Não, tudo bem. É porque amanhã, final da tarde, eu queria te levar para conversar com o pessoal do Sul. O secretário-executivo do governador estará aqui, e falaremos sobre o PGD.

Cairo Góes tinha um tique nervoso de sempre olhar para o interlocutor com um meio sorriso. Era difícil, com isso, distinguir entre a ironia e a receptividade. Não sei se era algo consciente, mas o fato dificultava um pouco a percepção do interlocutor. A reunião transcorria bem, ele falando das experiências das eleições presidenciais anteriores, a dificuldade em estabelecer um diálogo com Lucas, que, mesmo preso, não esmorecia em sua hegemonia, os problemas de sua verve e o realçar da necessidade de autenticidade na política.

O governador do Estado do Sul, Duarte Lato, eu não conhecia pessoalmente, mas seu secretário-executivo, Leandro Marçal, tinha sido meu assessor no Palácio Presidencial.

— Conheço bem, presidente. Foi meu assessor na época do último Novo Presidente. É o Leandro Marçal, um jovem promissor, sempre apostei nele.

— Sim, sabia que ele tinha trabalhado contigo. Mas tudo bem, fica para a próxima. Então, acho que Lisarb chegou ao fim institucional. Este governo quebra uma regra de ouro do pacto antiautoritarismo, antes dos governos pevistas. Sei que sempre pode piorar, não costumo subestimar a imponderabilidade, mas a situação é caótica. Não me lembro, em quase cinquenta anos de vida pública, de um tempo tão ruim.

— De fato, presidente. Desculpe ser muito sincero, mas esse é um fator muito importante para mim.

— Pode explicar melhor?

— Estou fora do país desde *2038*, há nove anos; estabeleci-me em Roma, dou muito valor à vida que vivo atualmente. Voltar à Lisarb seria um desafio de vida, antes de tudo.

— Você desistiu do seu país?

— Digamos que sim. Acredito que o centro político não terá mais como se rearticular em torno de um projeto de país, a menos que apresente uma proposta nova totalmente diferenciada sob o ponto de vista institucional, um iluminismo pós-moderno.

— Desinstitucionalização, seria algo próximo?

— Sim, é o que ainda me move, por isso estou aqui com o senhor.

— Olha, Alex, você foi o principal assessor do Romeu José, um crápula, uma das pessoas que escreviam os discursos do Lucas, que está preso. Vou te falar algo, você só está aqui porque sei da tua história e da forma como você foi enxotado deste país, em *2038*. Sei também como foi difícil liberarem os arquivos do livro que você escreveu sobre os bastidores dos últimos governos.

Nesse momento, a conversa fica mais tensa, meu *allphone* toca, Cairo Góes olha para mim assentindo que eu atendesse a ligação. Era Benigna. Faço um sinal a Cairo mostrando a aliança no dedo da mão esquerda, travo a ligação e mando mensagem automática no *modo consorte*, dizendo que estava em reunião, com localização, aroma do local e pequeno *flash* de som e imagem, olho para Cairo e faço um sinal de que poderíamos prosseguir.

— Mandou mensagem no *modo consorte*? Eu desabilitei essa porra. Invasão de privacidade horrível. Não temos mais paz. Vou te falar uma coisa, meu último casamento é dos modernos, coloquei cláusula de reserva de privacidade. Mas vamos lá, vamos adiante na contratação? Temos interesse em contar com teus serviços para os próximos meses. Precisamos ganhar esta eleição. Outra coisa: não tem muito dinheiro. O país está quebrado, nós também, você sabe disso. Nós o remuneraremos com o que é justo, mas estamos sem grana.

— Presidente, fiz várias reuniões, como o senhor vem acompanhando, e não são os honorários que me movem, mas a possibilidade de contribuir com uma proposta nova. O PGD traz um conceito muito próximo de uma novidade real. Me anima a diminuição progressiva dos postos políticos, a profissionalização dos quadros, a regulação forte do mercado, as privatizações e a democracia direta por meio das consultas à população, ao mesmo tempo que o Estado retoma o papel de grande indutor econômico. Chegou a hora de bater o martelo, mas eu peço ao senhor só mais alguns dias, até o final da semana que entra, pois preciso resolver questões pessoais no meu retorno a Roma.

— Sim, o pessoal da Executiva já havia me dito que você precisaria de mais uns dias para dar a resposta. Vamos aguardar mais uma semana. O time será bom, e você, tenho certeza, será um dos nossos melhores jogadores.

Antes de nos despedirmos, Cairo pede que eu vá até a janela e veja a vista da Baía:

— Alex, este país está no fim. Desde a redemocratização de Lisarb, mesmo nos governos do PEV tivemos avanços, mesmo com essa coisa louca do Caminhão Freezer-Triturador, despersonalização, algo impensável para os direitos humanos, institucionalização da corrupção etc. A política, meu amigo, e isso é ruim de ouvir, mas é verdade, é a utopia do possível, a arte do menos pior. Nós fomos contra em *2038*, lideramos protestos importantes, mas te falo que se o centro democrático deste país não voltar a se recompor, iremos para a guerra civil. Não sei se ela será rápida, se virá nos próximos anos, mas haverá de ocorrer, se essa radicalização não tiver fim.

Num primeiro momento, eu tive dificuldades em acreditar na viabilidade eleitoral de Cairo Góes, mas entendia a Desinstitucionalização como uma bandeira a ser levada adiante. Posteriormente, aprofundando meu retorno à Lisarb, verifiquei de perto a fragmentação daquela eleição. Mesmo com a necessidade de ser travada uma verdadeira cruzada civilizatória para a retirada do poder do pior de todos os governantes da história do país, a união em uma frente ampla não era possível, diante dos interesses partidos. Estava claro que ele seria o candidato do Pluna à Presidência nas próximas eleições, e Cairo buscava aglutinar em torno de sua candidatura todos os matizes ideológicos, que variavam de partidos de centro, da velha direita e de esquerda. A ideia que movia Cairo era viabilizar-se após dois grandes jogos principais: o primeiro, suplantar o candidato do PEV, indicado por Lucas, ou o próprio, e ir ao segundo turno. Esta tarefa parecia ser a mais difícil; o segundo, como alternativa a Montanaro, vencer a ultradireita na fase posterior, parecia ser mais fácil. O grande desafio era superar o candidato do PEV, que poderia ser Lucas, tudo a depender da Suprema Corte. Nesse cenário, havia certo consenso de que um pevista seria adversário mais palatável para Lair, pois o antipevismo chegava em torno de cinquenta por cento dos eleitores. Com isso, a solução Cairo, pela esquerda, fazia sentido, em função da menor rejeição. O problema era convencer o centro político de sua viabilidade e, especialmente, sua confiabilidade, dada a personalidade forte. Minha tarefa seria ajudar a fazer essa costura e impedir a reeleição de um facínora.

Já foi dito que o sono da razão produz monstros. É um quadro comum no processo histórico um momento de desarranjo, mas Lair Montanaro havia superado quaisquer perspectivas, mesmo para um país superlativo em tragédias e dramas humanos como Lisarb. Medíocre nas falas, dono de um vocabulário restrito e de uma intelecção limitada, sua eleição fora o subproduto da rejeição ao pevo-luquismo e sua grande qualidade era o enfrentamento explícito, autoritário e rude das incoerências da esquerda. Amado por, supostamente, dizer verdades, sua palavra, em realidade, nada valia, pois na mesma proporção em que escrachava os equívocos do PEV, de Lucas e da esquerda, mentia, desdizia-se e falseava números. Tudo isso a todo momento, em mídias sociais, vídeos, hologramas. Mas por detrás de uma figura mentecapta e violenta havia, infelizmente, o sentimento uníssono de uma parcela significativa da população, algo em torno de um quarto das pessoas que o admirava e o apoiava cegamente. Além de ter sido produzido pela repulsa ao PEV, havia também no fenômeno o descontentamento com tudo o que havia sido construído na idade contemporânea, um momento de revisitação da base, de reflexão sobre os princípios iluministas. Era claro que o Ocidente estava insatisfeito com a democracia, e a sensação de derrota em face da limitação dos sucessos, a desigualdade social, o fracasso e a quebradeira dos Estados-nação, a insustentabilidade do *welfare state*, produziam, como efeito colateral, trogloditas como Lair Montanaro. A ausência de razão, portanto, em repouso ou dormindo, acabava por propiciar o ingresso de manipuladores que instrumentalizavam o sentimento legítimo de indignação com os paradoxos democráticos. A esquerda, no entanto, não compreendia a necessidade de uma mudança de rumo e auxiliava fortemente o desmonte de princípios conquistados durante gerações. Mesmo que os embustes fossem regra, o jogo democrático deveria avançar, mas faltava paciência e alteridade, algo elementar para ir adiante. É um clássico acontecido, já foi visto inúmeras vezes. No organismo fraco, desgastado, o vírus encontra morada, se instala e se replica, matando o doente. A pergunta, enquanto os mestres do bom gosto gastavam saliva e massa cinzenta a errar e a não reconhecer a necessidade de revisão, era: sobreviveríamos ao ataque frontal, direto, à nossa velha casa?

Minha relação com o Pluna, eu acreditava nisso, era intensificar a necessidade de, no mínimo, levar a Desinstitucionalização para uma vitrine, explanar, por meio de Cairo, que a saída não era a morte da razão, mas seu aprofundamento. A democracia deveria ser levada à frente, não deixada de lado. Seus vícios, sim. Corporativismo de facções estatais, privilégios para grupos determinados com mais poder, inescrutabilidade de agentes do Judiciário e do Ministério Público, verbas federais infindáveis para mandatários, cabides de emprego, fisiologia, clientelismo, utilização dos instrumentos democráticos em favor dos interesses privados e corrupção são doenças que a Desinstitucionalização buscava combater com a implantação de medidas como mais democracia direta, menos representantes políticos, investimento maciço em educação, saúde, infraestrutura e renda mínima. Havia também a polêmica discussão sobre a criação de um Tribunal Arbitral da Verdade, discussão iniciada pelo PEV, que contava com o apoio da esquerda. Cairo Góes, acaso vencesse o batalhão intermediário e se fixasse como opção, poderia ser o próximo presidente de Lisarb, sobre a descrença da população na política haveríamos de terminar nossa conversa:

— Alex, nós temos um compromisso civilizatório, há uma tentativa claríssima de derrubar o Estado Democrático de Direito. Mesmo com a cleptocracia instalada pelo PEV, Doutrina da Aceitação de Lucas, o jogo democrático continuou minimamente.

— Presidente, a ultradireita aproveita-se das falhas do jogo institucional para demolir a democracia. Mas há uma razão para isso, a política, como está posta, é um prato cheio para oportunistas como Lair Montanaro. Sempre foi assim, não estamos vivendo nada novo. Há também o problema da irracionalidade, as pessoas não votam com o cérebro, mas com o fígado. Gosto da proposta do projeto do Pluna de menos política como reforço da própria política, de mais democracia direta, mais tecnicidade e regulação. Embora não sejam propostas típicas da esquerda.

— Alex, a verdade é que nós, os representantes, estamos distanciados há muito tempo de quem vota na gente, mas, ainda assim, temos que tentar por meio do voto. Mesmo que esse seja o jogo favorito dos canalhas, o campo de batalha propício para o sucesso dos psicopatas, ele é o que resta. Temos que defender as regras do jogo, senão não tem mais jogo. Você acha que tudo isso é uma farsa?

Eu também acho, mas a farsa é o que sobrou para a gente defender.

— Concordo, mesmo que seja ruim do jeito que está, temos que ir, na tentativa e erro, aparando daqui e dali, seguindo em frente. O que não dá é para acreditar que esse mentecapto seja a salvação de algo ou alguma coisa.

— Aguardo tua resposta na semana que vem, Alex.

— Com certeza, presidente.

III

Saí da reunião cansado, mas feliz pela provável contratação. Na realidade, só dependia de meu aceite. Eu ainda tinha dúvidas em função de como seria. A última reunião com a direção plunista havia acabado no centro de Litorânia às 15h30 e eu poderia, antes de voltar para o hotel, passar pela PIC do Holandês. Como eu estava afastado de Lisarb e vinha ao país raramente, deveria me atualizar e vivenciar situações concretas, cujas informações eu detinha, mas não sabia exatamente a dimensão. A virtualização de tudo fazia quase o teletransporte da pessoa para outro local. As antigas videoconferências hoje eram reuniões praticamente presenciais no campo de realidade virtual montado pelos hologramas, mas a presença física era um paradigma muito difícil de ser quebrado. Saber as coisas, sentir, presenciar não se substituíam pela realidade virtual. As viagens interestelares por meio da expansão da consciência ainda sofriam descrédito pela ausência de confirmação científica, mas o fato é que eu precisava, antes do meu retorno, visitar uma Praça de Informação e Cidadania — PIC. Compreendia o contexto a partir de reportagens e, por uma visita virtual uns três ou quatro anos depois de minha saída de Lisarb, sabia que as PICs estavam sucateadas. Os famosos domos vermelhos, o ambiente *high-tech*, perfumado, com o pessoal bem-treinado e vestido de forma elegante, haviam se transformado num mercado público decadente em apenas nove anos.

Com a saída do PEV em 2041, as PICs perderam o protagonismo nas comunidades das grandes cidades. Litorânia contava com mais de uma dezena de PICs instaladas nos seus morros. Rios de dinheiro foram vertidos para o ralo. Com o desgoverno inicial, quando assumiu o presidente da Suprema Corte, a propaganda estatal foi interrompida, e as PICs fecharam por um tempo, até sua programação ser substituída por filmes comerciais e seus grandes espaços internos utilizados para exposições, lançamentos de livros e outros produtos culturais. Em *2047*, o governo, cujas prioridades não contemplavam a temática, simplesmente relegou as PICs ao quase desmonte pelo vandalismo, em função da simbologia dos grandes domos vermelho-dourados, ligados ao PEV e ao culto personalístico à imagem de Lucas. Era importante para o culto antipevista deixar as ruínas expostas de um aparelho não mais funcional, analógico. A velha dominação das mentes pelas PICs, apesar de toda tecnologia grandiloquente de realidade virtual, tinha ficado obsoleta, analógica, sendo substituída pelas milícias digitais de Montanaro. A lavagem era instantânea, direta, diária e mais barata.

Desci a escadaria do prédio neoclássico, sentei-me na pequena cafeteria ao lado da portaria, pedi um expresso. A sensação de dever cumprido, as reuniões bem-sucedidas e a negociação em curso me davam muito prazer naquele momento, e a ideia de ter de rever Benigna era entristecedora, mas necessária. Busquei pelo aplicativo um carro que sobrevoasse o Complexo do Holandês, comunidade de baixíssimo Índice de Desenvolvimento Humano e números superlativos de violência. A área, antes dominada pelo tráfico de drogas, cuja legalização, iniciada em 2020, também fora derrubada pela Suprema Corte e abolida na Carta de Mórus, agora era disputada pelas milícias de inspiração montanarista. Pelo horário, daria para sobrevoar a área, descer e ingressar na PIC do Holandês. Tomei o café vendo o centro de Litorânia, assistindo à paisagem urbana empobrecida e embrutecida da população lisarbense. Na esquina ao lado do café, militantes pevistas faziam protestos contra as prisões dos seus líderes, encarcerados em 2041, em especial de Lucas. Na outra extremidade da rua, partidários de Montanaro eram contidos pela polícia para não avançarem sobre o protesto pevista. Ambos os grupos se xingavam com ódio, e o protesto, inicialmente pacífico logo no início da reunião, evoluiria para o embate físico. Chamei o carro, mas, por precaução, dei o endereço três quarteirões acima do café, longe do protesto. Paguei a conta e saí, passando ao lado do grupo de pevistas, perpendicular ao café, na outra esquina. A palavra de ordem era "Lucas livre". Os olhos dos pevistas detinham uma expressão de grande indignação, estavam em menor número, mas faziam muito barulho. Atravessei a rua no calor úmido de Litorânia. Meu terno era de linho, mas mesmo assim a temperatura no centro da cidade sempre castigava. Os militantes suavam suas camisas vermelho-douradas, os condicionadores de ar pingavam a gélida gota, os camelôs vendiam acessórios para *allphone*. Ao fundo, os montanaristas gritavam "Lucas ladrão" e beatificavam Servius Mórus em bonecos de gás, reproduzindo o homem forte com sua capa preta, a toga. Fôlderes virtuais com explicações rápidas da Suprema Razão Ética Acima de Tudo, base do Ensinamento Morista, eram vistos em hologramas disparados em direção ao grupo pevista. Cheguei perto deles e senti as pessoas empobrecidas, calejadas, sulcadas pela dureza da crise econômica. Andei os três quarteirões que me separavam da parada do Veículo Aéreo Leve — VAL, o carro voador, um grande drone com rodas. Veículo elétrico e de custo baixo, transportava rapidamente e por cima dos engarrafamentos os passageiros. O carro chegaria na estação às 15h54. Pontualmente, entrei no veículo e fomos na direção, num voo de quatro minutos, da estação de VAL sobre a PIC do Holandês.

O piloto era jovem, tinha uns 25 anos. Estava de bermudas e boné. A camiseta regata multicolorida, os dois braços tatuados e brincos nas duas orelhas faziam um tipo muito comum nos últimos anos. A fala desengonçada e para dentro, os trejeitos toscos, o lisarbês mal-articulado, demonstravam um cidadão litorâneo de classe média baixa. Um adesivo com a bandeira de Lisarb e a fala raivosa espontânea, sem minha provocação, denunciavam ser um montanarista:

— Tá vendo esse pessoal do PEV, doutor? Roubaram o país, afundaram Lisarb na lama, agora querem o Lucas de volta. Quer saber? Quero é que morram todos.

Apenas perguntei a ele sua idade e sobre o Governo Montanaro.

— Quantos anos você tem? E este governo, o que você está achando dele?

— Vinte e cinco, doutor. Não sei, não é muito bom. O dinheiro continua curto. Esta companhia aqui, do VAL, me paga só 35% dos valores da corrida, mas está dando para viver. Na época do PEV, minha mãe dizia que era melhor, tinha mais dinheiro, mas não quero saber mais desse povo. São uns ladrões.

No meio da viagem, entre o centro e a Comunidade do Holandês, os contrastes lisarbenses, vistos de cima, ficavam mais gritantes. No percurso, algumas áreas nobres, com Índices de Desenvolvimento Humano alto, até mesmo maiores que o de alguns países europeus, com ruas planejadas, quarteirões em ordem e arborização, contrastavam, segundos após, com agrupamentos urbanos desordenados, casas de alvenaria sem reboco, de três, quatro andares, como se fossem caixotes de papelão empilhados. Nas zonas nobres, os terrenos de 800 m² comportavam uma residência. Nesses mesmo espaço, nas comunidades pobres, sobrepunham-se 25 ou 30 residências. As árvores das ruas ordenadas da zona nobre eram substituídas, em questão de dois ou três quilômetros, por vielas tortuosas com esgoto a céu aberto. O marrom avermelhado das ruas tortas de chão batido e o cinza cancerígeno do amianto nos telhados emolduravam um quadro desolador e persistente. Até quando as cidades de Lisarb revelariam realidades tão diversas? A desigualdade gritante, com a inovação dos Veículos Aéreos Leves, cujo voo era em rota mais baixa em relação aos pequenos aviões e helicópteros, aproximou ainda mais a classe média da visualização, por cima, da realidade. Especialmente em Litorânia, cidade crivada de grandes comunidades, entremeavam-se as zonas mais ricas do mundo com as mais pobres. Essa convivência não era pacífica. Mas como esperar paz no país ocidental que mais escravizou? O racismo estrutural estava presente no oxigênio do lisarbense, atavicamente, e atualizava com tintas modernas a velha escravidão, por meio da exclusão de empregos de alto nível, matança desenfreada pelas polícias, menores índices de escolaridade e de acesso ao mercado.

Ao contrário das PICs, outro instrumento de grande utilização nos governos pevistas, o Caminhão Freezer-Triturador — CFT não fora sucateado, mas aperfeiçoado, assim como toda legislação da política de despersonalização tinha sido aprofundada, com a ampliação do leque de crimes abrangidos pela possibilidade de aplicação do princípio legal que retirava a condição de pessoa humana de determinados indivíduos. Anteriormente, sob a Doutrina da Aceitação, traficantes irregulares, latrocidas, homicidas e assaltantes eram considerados "não pessoas", e, com a institucionalização das milícias e dos esquadrões da morte já existentes no seio das corporações policiais, podiam ser executados. O policial era amparado pela legislação e poderia despersonalizar, apenas não podendo confundir uma não pessoa com uma pessoa. Mas a profilaxia social, plenamente colocada em prática, perdoava, na realidade, essa falha, e o acusado de crime era praticamente, em cem por cento dos casos, absolvido. Agora, com a Suprema Razão Ética Acima de Tudo e o Ensinamento Morista, a legislação evoluíra para a despersonalização sociomoral para os crimes contra a Administração Pública, como corrupção, peculato, concussão, lavagem de dinheiro, organização criminosa e para a improbidade administrativa, além de incidir também nos crimes contra a liberdade e a dignidade sexual. Assim, a Polícia Especial, o Judiciário e o Ministério Público, fundidos numa única grande instituição com a Carta Mórus, podiam despersonalizar sociomoralmente até mesmo de forma preventiva o suspeito dessas práticas, aplicando a prisão cautelar e a proscrição no rol provisório dos social e moralmente despersonalizados.

Com esse quadro novo, o Caminhão Freezer-Triturador, nos crimes de sangue, apenas tinha evoluído suas tecnologias internas e mudado de cor, passando do vermelho para o verde-amarelo, e uma nova viatura era utilizada, especificamente, pela Polícia Especial: o Caminhão Moral e Cívico, simplesmente conhecido por CMC. Esse veículo, na cor preta, detinha, assim como o CFT, um pequeno aparato judicial para a possibilidade de julgamento sumário do investigado. Compunha a equipe um juiz, um membro do Ministério Público e um jornalista plantonista, encarregado de dar a notícia dos fatos investigados em tempo real nas mídias. Assim como o CFT era uma síntese perfeita do pragmatismo da Doutrina da Aceitação, o CMC era o orgulho do Governo Montanaro e a aplicação prática do Ensinamento Morista, de justificação rápida, imediata, da finalidade punitiva em detrimento do moroso sistema de ampla defesa, que virara, na Carta Mórus, uma mera formalidade sem conteúdo. Assim, iniciada uma investigação contra determinada pessoa, a fase oculta, com quebra de sigilos, escutas telefônicas, infiltrações e outras medidas invasivas, preparava o bote final, dado grandiosamente com os Caminhões Morais e Cívicos, preparados durante a noite para darem início à cruzada na manhã do dia seguinte, quando eram feitas as prisões dos investigados. Tão logo eram presos, mediante ordem judicial expedida pelo juiz competente ou pelo próprio juiz itinerante, a Polícia Especial procedia à tomada de declarações do investigado, mantinha-o incomunicável, encaminhava o termo ao Ministério Público para ser formalizada a denúncia a ser entregue até o final do dia ao investigado e ao jornalista de plantão dentro do CMC. Após a entrega das declarações à imprensa e ao Ministério Público, o investigado somente poderia comunicar-se com algum advogado após a exposição pública do caso pelas mídias e depois de sua declaração preventiva de despersonalização social e moral. Isso se dava, normalmente, ao final do dia, quando toda a sociedade já fora noticiada sobre a despersonalização preventiva do investigado. Por volta das 19h, o investigado, devidamente despersonalizado social e moralmente, poderia comunicar-se com um advogado para exercício do direito de defesa ou fazer um acordo, no qual optava por aceitar a culpa das acusações, mediante redução de cinquenta por cento das penas, das multas e retorno à possibilidade de tornar-se, novamente, uma pessoa, sob o ponto de vista social e moral, em cinco anos. O pacto, caso aceito, encerrava rapidamente o processo e incluía também a cláusula de delação compulsória. Depois disso, o investigado era preso e, nos seus registros formais, em todos os negócios jurídicos que participara durante a vida, seu nome era substituído pelo número do processo que respondera, com um *link* para ser acessado por todas as pessoas interessadas em buscar as informações do vivente. Dessa forma, todas as certidões, contas bancárias, escrituras públicas, contratos, nomeações no serviço público eram substituídas por um número e um *link*. Além disso, a Carta Mórus havia tornado constitucional o rol de proscritos sociomorais, que era acessado por todos na internet.

O Caminhão Moral e Cívico era o instrumento concreto de um novo conjunto de normas jurídicas criado pela Doutrina Mórus: a Leviata, sigla para Legislação Vigorosa Altamente Taxativa, que reunia num só órgão específico a polícia, o juiz e o Ministério Público. A Leviata, primeiramente aplicada somente a crimes contra a Administração Pública, era mais uma resposta de Mórus e Montanaro ao combate à corrupção. Aprovada por grande parte da população, excluía a defesa de toda fase preliminar, cuja celeridade era primordial para encarcerar, rapidamente, os envolvidos com corrupção e toda sorte de esquemas ilícitos envolvendo dinheiro público.

— Estamos chegando, doutor. Cuidado com o assalto aí na PIC do Holandês.

— Tudo em paz, meu amigo, conheço bem a área.

O VAL começara sua descida de maneira suave sobre uma plataforma instalada ao lado do grande domo da PIC, agora pintado de verde-amarelo. Não dei muita conversa para o jovem piloto. O PEV, Lucas e a Grande Coalizão cometeram equívocos que custaram a perda de uma oportunidade única na história de Lisarb. O mais importante partido, a mais preparada geração de políticos de esquerda do país e os mais renomados quadros forjados na intelectualidade, na Igreja, nos movimentos sociais jogaram fora a grande oportunidade de começar a mudar a curva do *modus operandi* político nacional. Aquilo que combateram com veemência quando de sua época oposicionista tinha se convertido, em sentido diametralmente oposto, em prática, mais do que prática, em institucionalização de um modo de vida viciado. Tudo errado, tudo bem, mas mesmo assim toda a parafernália nefasta não poderia validar a odiosa luta fratricida vista na sociedade lisarbense, especialmente pelo fato de que muitos dos oponentes tinham sido aliados anos atrás e compartilhado dos mesmos ideais, jantado à mesma mesa, comido o mesmo prato gostoso e suculento da opulência carnal cleptocrática. O discurso do jovem montanarista era um produto desse ódio polarizado. Por isso, esperei a aeronave silenciar os motores e desci dela, apenas me despedindo formalmente e avaliando o piloto com a nota 5. Afinal de contas, ele não era responsável por sua opinião, suas ideias eram fruto da instrumentalização política, e este era o ponto mais importante: saber, especificamente, que toda a massa era irresponsável.

Após sair do VAL, desci as escadarias da PIC por entre escombros daquilo que sobrara dos tempos de fausto. Teias de aranha, o contrapiso aparente em praticamente todos os lances de escada, fruto do vandalismo, as lâmpadas queimadas, o cheiro de urina e fezes nos cantos faziam o ingresso na PIC, anteriormente um local com aromas especialmente escolhidos para embalar o sonho de Lisarb grande, um retorno cruel ao patamar imediatamente anterior aos governos pevistas. A armadilha, no entanto, parecia estar contida nesse raciocínio, e meu sentimento nostálgico exacerbado acionou, imediatamente, o Sensor Aguçado de Sentimentos — SAS. Essa inovação vinda em *2047*, do efervescente mercado de biotecnologias, garantia a programação emocional do indivíduo durante o dia. A programação emocional podia ser feita por qualquer um que adquirisse o sistema. Era recomendado pelo menos um ano de psicoterapia para a utilização do sistema, que auxiliava na identificação de autossabotagens e, pessoas tóxicas, como portadores de transtornos *borderline*, sociopatas, mitômanos, histriônicos e outros tipos nocivos à convivência. O SAS, um aplicativo instalado no *allphone*, recebia os sinais do corpo humano via *bluetooth* de microchips instalados no sistema límbico. Eu resisti muito tempo em adquirir o SAS, mas, após as brigas intermináveis com Benigna, busquei, já quase no final da relação, como defesa das suas manipulações, a instalação do aplicativo e a microcirurgia de introdução dos chips. No caso das PICs, o sensor soara o alarme para não confundir o sentimento de tristeza pelo patrimônio público jogado às traças com a legitimação daquela lavagem cerebral que houvera em Lisarb, anos atrás. Coisas distintas, e o serviço do aplicativo funcionara. O SAS, como seu nome diz, aguçava os sentimentos e emoções, tornando-os mais vivos, concretos, possibilitando a identificação mais rápida e a presença de sentimentos nocivos, evitando patologias, paixões equívocas.

Ao chegar ao saguão, antes de ver como estava o campo de realidade virtual, fui abordado por usuários de mask, a droga mais barata e letal até então produzida. Os viciados em mask definhavam e podiam perder de dez a quinze quilos em uma semana, pois se alimentavam apenas da droga. Derivado do antigo crak, o mask aumentava em dez vezes o prazer inicial do crak, tornando a dependência muito mais complexa, causando a morte mais rapidamente, quer pelo efeito devastador, quer pelo envolvimento do usuário com a violência dos traficantes. Um deles, com os lábios todos queimados e rugas profundas no rosto, pediu-me dinheiro para comprar comida. Rapidamente, quando fiz menção de pegar alguma moeda na carteira, outro, sem camisa, mostrando uma lesão enorme do que parecia ter sido uma cirurgia no abdômen, com a aparência ainda mais deteriorada, se aproximou, e o primeiro, de posse de um pedaço de madeira pegado rapidamente num canto do saguão, tratou de afastá-lo com um empurrão, seguido de uma paulada, gritando palavras sem nexo. Eu aproveitara o entrevero e saíra, deixando para traz os zumbis e jogando uma moeda no chão, por sobre a qual ainda houve mais uma luta, da qual subiam odores de uma disputa fétida. Cheguei na central de agendamento, agora sem filas. Naquele horário, eu poderia assistir a um filme policial norte-americano sem custo em tela normal, ou aguardar o término de outro filme para ver um documentário sobre a vida de Mórus, cogitado para disputar a cadeira presidencial na eleição de *2047*.

Aguardar seria temerário. A PIC do Holandês fedia com a presença dos usuários de mask e exalava sensação de insegurança. Anteriormente, a entrada da PIC lembrava os luxuosos cinemas do Estado Americano, com seus pisos de carpetes coloridos. Os carpetes ainda estavam lá, mas imundos e desgastados pelo tempo de uso, e agora impregnados pela fumaça preta da queima do mask. As enormes telas holográficas, que mostravam as cenas de um jovem Lucas se desenvolvendo e chegando à idade adulta, foram substituídas por enormes balões de gás com as figuras de Mórus e Montanaro, e o odor muito agradável da época do PEV, que não remetia a lugares específicos, mas trazia a sensação de sucesso, associando o pensamento e o sentimento do indivíduo a lugares sofisticados, deu lugar ao cheiro da urina e da fumaça incrustradas num carpete semiapodrecido. Havia não somente um desleixo governamental, mas uma política de contraposição ao ideário pevista. A morte da PIC era o sucesso da nova ordem. A apropriação da realidade histórica, utilizada de forma bem-sucedida pelo PEV, agora servia a Montanaro. Para a Grande Coalizão, havia orgulho em conceder à população o luxo das instalações da Praça de Informação e Cidadania ao preço final de uma viagem ao coração ilusório de um país inexistente na realidade, mas existente apenas na virtualidade. Para o novo governo, destruir essas sensações da época, as mesmas experimentadas quando se ingressava num hotel de luxo ou quando se comprava um carro zero-quilômetro, era um objetivo importante, crucial, ao custo da deterioração do patrimônio público. A manipulação sempre estava entremeada em quaisquer que fossem as cores políticas. Até quando o sistema democrático continuaria indefeso contra o poder real? Seria mesmo possível a democracia?

A patologia da normalidade apontava para uma democracia apenas no papel. Frágil em si, sua tolerância com líderes autoritários e outros desvios funcionava como um cavalo de Troia para autocratas com Montanaro se instalarem no seu seio. Mesmo o discurso pevista, consistente em denunciar a declaração de inconstitucionalidade da nova Constituição de Lisarb, e de todos os símbolos e sistemas criados pela Grande Reforma de 2020 como um golpe jurídico, comportava, em si mesmo, a contradição de sua própria instrumentalização, efetuada com grande sucesso naquele passado recente. O ponto fustigador era este: como assumir um lado, se o lado era sempre instrumentalizador? A instrumentalização sempre se dá e há a militância. Meu partido é um coração partido. A carga de paixão do militante traz a cegueira, a estupidez, o sectarismo. É algo inexorável e imbecilizante. Como se fora um torcedor de um time, um componente de uma claque a gritar palavras de ordem determinadas pelos instrumentalizadores da democracia. É um paradoxo, mas a existência da militância apaixonada, seguidora do líder carismático, é a própria antítese da democracia. O produto da atividade política de instilar ideais nos corações e nas mentes é a prática da exclusão do pensamento livre, fundamento democrático mais importante. Mas é uma regra histórica essa contradição, e o militante, tal como um torcedor de time de futebol, levado pelo efeito manada, crê na ideologia e passa por cima de conceitos cristalizados e consensuais. Pessoas com alto grau de instrução se tornam seres infantilizados em nome de paixões e crenças, e o embate binário se instala, sem autocrítica. O militante ideológico é um ser passional, subjetivista, beira a irracionalidade; ele torce em vez de pensar, crê em vez de analisar o jogo das ideologias, ele é o próprio e mais importante instrumento.

No momento, com o novo governo, um dos grandes instrumentos era a punição imediata, passando por cima de princípios clássicos e avanços civilizatórios inafastáveis, a exemplo da ampla defesa, do contraditório, da presunção de inocência, da proteção da privacidade. Como numa pesca de arrastão, os peixes visados eram pescados, os grandes malfeitos descobertos, mas o dano ambiental era enorme, pois a tartaruga marinha era atingida, peixes menores pagavam a mesma pena de morte dos maiores, outros animais marinhos em extinção colhidos pela rede inespecífica do pescador moral eram atingidos para sempre. Esse era o preço? Sim, parecia que as chagas produzidas por centenas de anos de cleptocracia, aprofundadas sistematicamente pelo pevo-luquismo, deveriam ser curadas pelo punitivismo exacerbado, sem a mediação de princípios basilares do Estado Democrático de Direito. Esse era o preço? Não seria alto demais pagar com o atropelo de regras estabelecedoras dos limites estatais investigativos, punitivos, o produto inegavelmente virtuoso da punição da apropriação privada dos bens públicos, ou seja, a salvação da própria República? Pagaríamos com o afastamento da aplicação de regras básicas e seculares de proteção do indivíduo em busca dessa virtude, mesmo olvidando que os aplicadores são seres humanos normais, cometedores de erros e portadores de contradições, criados, orientados, amadurecidos num sistema totalmente contraditório, de corporações sugadoras também do patrimônio público, ineficazes e privilegiadoras das classes abastadas, e muitas vezes infestadas com a pior espécie de corrupção? O preço para a implantação da regra número um do novo sistema, entranhada na Carta Mórus, era o retorno ao período pré-iluminista, em que o Estado tudo podia, e o soberano era a própria lei.

Atravessei o saguão de entrada com tranquilidade. Decidi não esperar o filme sobre Mórus. Buscaria na internet, posteriormente e, caso eu viesse a aceitar a oferta do Pluna, certamente eu deveria analisá-lo com vagar. Valia mais dar uma volta no local, ingressar na sala para ver como tinha ficado o imenso campo de realidade virtual e ir embora, chegar mais cedo no hotel, tomar um vinho, responder mensagens e dormir mais cedo para poder pegar o avião com tranquilidade. Nas laterais do saguão, onde antes ficavam vários estandes com informações e distribuição das mais variadas bolsas governamentais, agora havia o comércio de pequenas mercadorias, e vendedores ambulantes se misturavam aos usuários de mask, gritando suas ofertas. O piso desgastado dos tapetes em tons vermelhos, dourados e azuis era mesclado com mármores e granitos opacos, muitos deles já retirados pelo vandalismo. Como não havia mais a necessidade de cadastro, apenas fui identificado facialmente e me dirigi para a atendente da central de agendamento. Era uma senhora discreta, quieta e com olhar inteligente, diferente dos vendedores de bugigangas. Passou outro leitor na minha íris e pediu que eu esperasse, antes de me entregar o tíquete para o filme. Levantou-se, foi até a parte de trás da central e voltou com uma pergunta:

— O senhor respondeu a um processo por crime contra o governo há alguns anos?

— Sim.

— Era só para confirmar a informação do sistema. O senhor chegou a ser condenado?

— Não, fiz um acordo com o governo. Mas qual a razão da pergunta?

A atendente não se mostrou impaciente, mas parecia até mesmo resignada com meu início de insatisfação.

— Nada, senhor, são perguntas de praxe. O senhor pode ingressar e assistir ao filme, sem problemas.

Não respondi nada e apenas dei um aceite no tíquete virtual que já estava no meu *allphone*. Sabia do controle feito pelo novo governo e até mesmo estranhei ela não ter perguntado nada antes mesmo de conferir meus primeiros dados captados pelas câmeras de reconhecimento facial. Passei pela entrada do antigo campo de realidade virtual, agora dividido em duas enormes salas de cinema. O filme iria começar em cinco minutos. No local, com capacidade para trezentas pessoas sentadas, não havia mais do que duas dezenas. Acomodei-me numa poltrona no fundo, a última. Não consegui assistir nem ao início do filme. O cheiro de urina era muito forte. A busca pela atualização sobre como estavam as PICs estava pronta. Depois disso, era masoquismo, e não sei como o SAS não foi ativado.

Saí da imensa sala e busquei a claridade do saguão da PIC. Passando por entre os zumbis do mask, ouvindo a gritaria dos vendedores, sentindo o odor fétido de tudo e vendo o semblante impávido da recepcionista, lembrei da necessidade de abastecer, antes de tomar um VAL e ir para o hotel, meu Sistema Intravenoso Orgânico — SIO com doses de megazepan, ibuprofeno e meu medicamento para controlar a pressão arterial, além das vitaminas, aminoácidos e a dose de reposição de testosterona. Perguntei à atendente onde havia uma farmácia perto:

— Não aconselho o senhor a sair da PIC e atravessar a rua. Volte para o centro e procure uma farmácia lá. Aqui o senhor terá que andar no sol por uns dois quarteirões e será assaltado.

Não respondi, apenas assenti com a cabeça e chamei o VAL pelo aplicativo. Chegaria em cinco minutos, que era o tempo de subir as escadarias fétidas da PIC do Holandês.

Lisarb estava aparentemente mudada. A rodada histórica era outra, o centro político migrara para uma posição de combate à corrupção e elegera os atores que protagonizaram o grande festival das propinas constitucionalizadas para serem os principais inimigos dessa busca desenfreada de punição, esquecendo, de outra parte, que esse mesmo centro político se beneficiara com o show, foram sócios, cúmplices, tanto literalmente, gozando de benefícios fiscais, subvenções, desonerações de impostos e renúncias fiscais, passando pela participação em alguma negociata legitimada pelo sistema cleptocrático, licitação comprada, como indiretamente, elegendo sempre os representantes da Grande Coalizão no Parlamento, reelegendo os candidatos de Lucas e dando a ele, ao final de seu último mandato, noventa por cento de aprovação. Tudo estava dentro e, agora, tudo estava fora. Era uma guerra insana, ingrata, desmesurada, desmedida. O ódio entre os polos liquidava a possibilidade de diálogo e emperrava o crescimento. Era lícita a luta contra a corrupção instalada em Lisarb, mas o bom senso pedia que os participantes do banquete anterior, cujo ingresso fora carimbado na entrada pelos organizadores da festa, não efetivassem, no momento, a busca de indenização por terem ficado obesos. Esse raciocínio era aplicável a grande parte do empresariado, dos banqueiros, órgãos de imprensa e grandes *players* do mundo político-econômico cuja locupletação se deu de forma organizada e legalizada, com a constitucionalização do sistema cleptocrático. Havia, em contrapartida, uma grande parte da população do centro político que não participou do banquete, pelo menos diretamente. Essa parte majoritária, não influente nas negociatas e *approach*s de Lisarbia, não regada pelo verde viscoso das verdinhas, beneficiou-se em função do crescimento econômico contínuo proporcionado pelo sistema desburocratizado de derrame de dinheiro na sociedade.

O sistema era redondo e funcionava, fisiologicamente, como o pulsar do sangue no corpo humano, o sono ao entardecer ou a abertura dos olhos pela manhã. Era natural, estava de acordo com os impulsos egoísticos humanos de preservação de sua própria vida, de sobrevivência, pois a Mateus era primordial que os seus fossem primeiramente alimentados. Essa era a natureza humana, e o PEV e Lucas souberam disso desde cedo. Toda a população gozava desses benefícios pragmatistas. Portanto, o crédito rápido, caro e farto fornecido pelos bancos públicos prescindia de análise sofisticada de cadastro e, por isso, eram ignoradas restrições e outros problemas para a concessão. As inúmeras anistias fiscais a enormes dívidas eram o reconhecimento tácito de que o governo roubava do cidadão e de que o cidadão, naquele momento, teria seu dia de caçador. Era um grande faz de conta. O governo fazia de conta que prestava serviços de educação, saúde e transporte público, a população fazia de conta que respeitava regras de trânsito, não praticava caixa dois, não pedia recibos médicos frios, não falsificava a carteira de estudante e não adquiria nenhuma mercadoria pirata. Assim era o jogo e, mesmo essa parcela desinfluente do jogo cru, mas sofisticado de Lisarbia fez parte, de algum modo, da compra e venda de consciências proporcionadas pelo grande sono. Essa imensa parcela da população de Lisarb tratava com dureza a classe política, mas adotava para si própria regras mais complacentes e autoindulgentes. Entretanto, duraria pouco esse cenário. As entranhas de Montanaro logo foram abertas, e sua ligação com o grupo mais fisiológico do Parlamento em detrimento da aliança inicial com Mórus foi o final da lua de mel com a classe média.

Entrei no VAL. Havia marcado o hotel, próximo ao aeroporto, como destino final da corrida. Enquanto sobrevoava a megalópole mais sintetizadora dos maneirismos lisarbenses, puxei algumas fotos do meu *allphone*. Fui direto à sessão de Suzana. Eu havia me afastado dela nos últimos anos, e o contato era pequeno. Em Paris, com minha depressão pela morte de Lisa e todo o contexto do confisco dos meus escritos, o processo a que respondi e a falta de perspectivas para o futuro, fomos nos afastando. Nossa ligação amorosa e sexual permanecia inalterada, mas meu estado de espírito não contribuía para um horizonte estável, pois, mesmo Suzana, mulher dona de sua vida, independente, almejava a estabilidade conjugal, e isso eu não podia propiciar, pelo menos naquele momento. Havia saído liquidado de Lisarb em *2038*, e a paciência dela teria cabo ao final do primeiro semestre de 2039, quando fizemos uma viagem para Amsterdã. A aridez criativa, o ócio e o álcool excessivo, conjugados com a falta de atividade física, trouxeram-me quinze quilos mais. Acordava tarde e ficava fuçando as matérias de Lisarb em busca de sinais de como estavam as coisas, os negócios, a política. Reinaldo e James mandavam mensagens, sempre buscando novos negócios. Suzana vivia bem com os valores da indenização de sua empresa, mas precisava de um norte, e seu companheiro não esboçava reação havia meses. Numa manhã de sexta-feira, fomos conhecer Amsterdã. No café da manhã, com a mesa colocada perpendicularmente à janela de onde se observavam os telhados de Paris, antes de tomar o trem na Gare du Nord, Suzana deu-me o xeque-mate:

— Alex, vamos aproveitar essa viagem para traçar algumas metas, colocar no papel os projetos. Você fica sempre enrolando... Estamos em Paris há seis meses, esta bolsa do Governo de Lisarb está terminando contigo. Salário fácil na conta, zona de conforto, aluguéis e essa vidinha.

— Você tem razão. Nesta semana Reinaldo encaminhou um projeto de exportação de esmeraldas. Tem um submundo aqui. Estive perto da Ópera, na quarta passada. Tem umas salinhas de fundo lá, nuns edifícios na avenida que dá na Ópera. Uns muquifos, cheios de compradores. São alguns milhões que podem ser realizados rapidamente.

Naquele momento, ao que percebo hoje, a ficha de Suzana caiu. Reinaldo era um picareta, um mentiroso contumaz e patológico, somente havia conseguido emplacar o negócio dos MIRVs em função da minha influência no governo e do produto tecnológico desenvolvido por James. Eu estava completamente atrapalhado pela depressão e pelo desalento em virtude da perda de Lisa. Definitivamente, também fora um erro ter ido logo para Paris, com Suzana. Por mais que minha relação com Lisa estivesse acabada sob o ponto de vista sexual, eu nutria por ela um sentimento muito forte, e a lembrança de sua morte, nas circunstâncias dadas, confrangia-me o peito. Suzana, percebendo minha alteração de consciência, minha total alienação quanto ao seu pedido de prioridade, fez um apelo:

— Você não consegue perceber a perda de tempo? Estamos em Paris e você se tornando um contrabandista de esmeraldas? Ainda se fosse verdade, mas, fora o negócio dos MIRVs, que você, aliás, nem recebeu todos os valores, nunca vi Reinaldo acertar uma. É um inexpressivo, um mitômano. Todos sabem disso, Alex.

— Sim, mas estou tentando alguma atividade.

— Alex, você me conhece há alguns anos e sabe que não sou de me exaltar, mas olha só: você é um jornalista, escreve muito bem, tem contatos em toda a Lisarb. Até quando o dinheiro dará? E vou te falar uma coisa, não sei se o Lucas consegue emplacar novamente este *novo presidente*.

— O que você quer que eu faça? Pensei em publicar o livro que escrevi, mas você sabe, tem acompanhado, não consigo reaver os arquivos. Eu só tinha uma cópia no notebook e uma escrita. As duas foram confiscadas.

Naquele momento, hoje eu sei e sinto: foi ali que a alma da esperança na relação deixou o corpo da parte feminina do casal. Suzana percebeu todo o meu alheamento. Não teria, como não teve, mais paciência, e fez uma pergunta protocolar, totalmente desconectada do assunto anterior, sem replicar minha resposta tonta:

— Sim, mas o que você pretende fazer depois de verificar essa questão das esmeraldas?

— Vou checar com o Reinaldo, parece que há também um novo projeto dele com jogadores de futebol. Ele me falou que conseguiu a licença para intermediar negociações internacionais.

— Ok. Vamos pegar o metrô.

Depois desse diálogo pegamos o metrô até a Gare du Nord e de lá seguimos para Amsterdã. Ela parecia feliz. Provavelmente feliz com a paz da decisão tomada.

Há um grande desafio em buscar entender as razões inconscientes das escolhas feitas. As decisões não são racionais, nem as escolhas delas derivadas. Ao longo da jornada que tive com Suzana na Europa, e, depois, com Benigna, percorri diversos países em busca de mais cultura, prazer e conhecimento, de tal forma que os museus e catedrais do Velho Mundo foram se misturando nas minhas memórias até se tornarem um bloco só. As cidades, salvo as mais importantes, tornaram-se um mix de informações intangíveis, e suas lições eram absorvidas automaticamente, acredito, de forma inconsciente. Amsterdã, cidade dos sonhos da minha juventude no interior, foi um desses casos de absorção por osmose. Minha vida com Suzana em Paris era o caos. Desde minha adolescência, não lembrava de um tempo tão desencontrado. De certa forma, foi uma experiência apenas sensorial. No início, ainda na ressaca do processo, do confisco de meus escritos e da morte de Lisa, os mecanismos de sobrevivência se ativaram para que o plano fosse executado de imediato. Suzana havia recebido uma bolada, eu tinha dinheiro suficiente para passar uns dois anos sem trabalhar e, se vendesse algum imóvel, mais tempo ainda. A opção por Paris fora influenciada, hoje sei, por desejos infantis e ligados a questões artísticas. Acredito ter sido uma opção correta sob o ponto de vista do encontro com esse lado da minha personalidade. Apesar de os arquivos terem sido confiscados, eu bem poderia reescrever, se fosse o caso. Trabalhar, novamente, em outro projeto, ou somente estudar francês. O diabo é que o comportamento corporal não se encaixava nos planos engendrados pelas estruturas conscientes. Chegamos no inverno. Acredito nessa contribuição, também, para o desestímulo e o deixar para amanhã os projetos. Uma perda de tempo corroedora da vontade, que se transforma, logo, em depressão. Ao meu lado, uma mulher linda e dotada das virtudes femininas mais admiráveis não compreendia o que havia acontecido com o dinâmico Alex, jornalista influente e *ghostwriter* dos discursos de Lucas.

O caminho até a Gare du Nord foi espetacular, e credito, prova-velmente, àquela viagem o início das coisas terem começado a ficar sob controle, minimamente. Havíamos feito uma mala pequena, apenas para passar o fim de semana. O apartamento era simples, somente uma sala com uma cozinha acoplada, e um banheiro. Nada do luxo de que desfrutava na Parte Murada de Lisarbia, com os sistemas inteligentes de ambientação. No início, quando lá chegamos, vi um perfeito ninho de amores a serem praticados de maneira incessante, romântica. Depois, com o transcurso da realidade dos dias, as coisas não se concretizaram. Suzana tinha uma rotina bem interessante. Embora angustiada com minha inércia, acordava cedo todos os dias e fazia um curso de história da arte numa instituição ligada ao Museu D'Orsay. Algo meio impensável para a pragmática Suzana, mulher de negócios, mas ela estava vestindo bem a *persona*. Naquela manhã de sexta, após o desjejum, descemos as escadarias do prédio e fomos até Estação Abbesses, monumento intocado do Art Nouveau, passeando pelas lindas ruas espremidas de Montmartre e pela Praça dos Artistas, àquela hora já infestada de turistas. Nas poucas vezes em que visitei Paris, antes das viagens, algum viajante, como eu, em roda de conversa, sempre dizia: "os parisienses são muito chatos com os turistas", "tome cuidado com a falta de educação dos franceses, eles não aturam os turistas". Confesso, tais vaticínios nunca se concretizaram comigo. Apesar de meu atabalhoado francês, eu cumpria um estereótipo meio típico por lá e, com Suzana ao meu lado, sempre muito bem postada e com os trejeitos típicos de uma mulher independente, bem ao gosto médio francês, jamais fui importunado, pelo contrário, sempre bem recebido, especialmente na fase de ouro do PEV e de Lucas, admirado por todos, figura simpática ao ideário político local.

Descemos até Abbesses sem tocar em assuntos desagradáveis. Eu, por idiotice, ainda insisti na questão das esmeraldas de Reinaldo, ela, por sabedoria, mudou de assunto e perguntou se eu havia comprado os bilhetes para o Museu Van Gogh:

— Alex, deixa esta questão do Reinaldo para a volta. Me diz uma coisa: você comprou os ingressos para o Museu Van Gogh?

— Não há necessidade de compra antecipada, Suzana, é só chegar lá.

— Ok. Você me conhece, gosto das coisas organizadas...

Em Abbesses, aguardando o trem, ouvia-se "Por una Cabeza", de Carlos Gardel, tocada no acordeão por um artista de metrô, viam-se os grafites, os senegaleses vendendo suas bugigangas, os jornais virtuais invandindo nossos *allphone*s com notícias sobre a tentativa do novo governo francês de sair da União Europeia.

O trem para Gare du Nord chegara. Entramos em harmonia, falando sobre tango e a persistente decadência do Estado Platino. Para mim, nascido no Estado do Sul, era particularmente mais doloroso ver a situação dos irmãos platinos. Ao lado deles, o Estado

Celeste parecia ter encontrado equilíbrio. Um equilíbrio de classe média baixa, mas avançava distribuindo de forma razoavelmente justa a sua pouca riqueza. Suzana gostava do Estado Celeste, tinha feito alguns cursos sobre mercado financeiro por lá e sempre dizia que tinha interesse em estabelecer, um dia, residência naquele país. Nossa estada em Amsterdã foi protocolar e, hoje sei, uma despedida.

IV

Além do fastio com a política, com o jogo de cenas e toda ordem de manipulações, eu já não tinha mais paciência com discussões muito ideologizadas. No momento, após um dia massacrante de reuniões, avaliações de cenários junto aos plunistas e minha visita à insalubre PIC do Holandês, minha tolerância estava esgotada. Cheguei ao hotel cedo, por volta das 17h30, e fui até o restaurante pedir um vinho e comer algo leve.

O avião para Roma sairia às 10 horas, e eu deveria chegar no aeroporto às 8 horas. Acordar cedo *versus* tomar um vinho. Pedi uma garrafa inteira de um Sauvignon Blanc, do Estado Celeste, e fiquei observando o final de uma reunião sindical. O hotel onde eu estava hospedado era tradicionalmente ocupado por delegações, encontros e congressos de partidos e organizações esquerdistas. Naquela noite, o final de uma assembleia acabara de ocorrer, e a direção do sindicato acomodara-se em duas mesas próximas à minha. Meu vinho chegara, eu tomava um bom gole para dissipar o cansaço e aguardava o robalo à moda do chefe observando a reunião. Uma vida inteira acompanhando política, uns trinta anos vivendo em grupos de esquerda, um *script* clássico sempre se desenrola. Tem o cara nervoso que inicia a discussão, puto da cara com o acontecido na assembleia, a feminista que pede a palavra depois de uns três ou quatro discursos e vem raivosa também, a militante negra que observa atentamente. Depois de uns cinco ou seis discursos vem o militante mais velho — todos calam e ouvem —, que busca o argumento de autoridade ("estou há quarenta anos no movimento sindical...") e o cara do melhor discurso, com empolada pseudoin-telectualidade, buscando nos chavões da cultura marxista o respaldo da sua oratória. Este é respeitado, assim como o velho sindicalista.

O peixe chegara com o arroz de brócolis fumegando, e agora era a vez de o estrategista pedir a palavra para trazer informações, em vez da discurseira. Sempre apreciado, o estrategista normalmente é contestado por outro mentor de táticas com um ego do tamanho da conta, e a discussão sem fim se reinicia. O militante mais velho fica irritado com a reabertura daquilo que estava aparentemente fechado, a feminista também com a falta de coesão do grupo, a negra se alia à feminista, a conta chega, há um silêncio sepulcral instantâneo, ninguém, por segundos, olha para a comanda, até que o bêbado, invariavelmente de bigode e barrigudo, de meia-idade, relembra que quem irá pagar é o sindicato, para o alívio de todos e todas, e chama o resíduo do coletivo para uma rodada saideira, fora do hotel, em local politicamente incorreto. Tem início a madrugada e, enquanto os mais conservadores são exortados pelo bonachão para a farra, eu termino meu robalo, pago à vista para não ter *check-out* na manhã seguinte, termino de tomar o Sauvignon Blanc e vou dormir, meio embriagado e achando graça com a perspectiva de fazer parte, novamente, desse cenário.

Chovia, e eu havia dormido pouco, efeito do álcool no orga-nismo. A única forma de combater uma noite maldormida era um banho quente, revitalizador. O hotel era bom, de uma velha e desbotada rede norte-americana. Um quarto com carpete naquele estágio civilizatório não é algo que se possa imaginar. Saí do box com medo de cair no chão molhado, e alguém já disse que banheiros são assassinos de velhos. A luta de anos do politicamente correto e da segurança, contudo, sutira efeitos, e um pequeno corrimão colado à parede ajudava na descida.

Os recados eram evidentes, a resposta não vinha com a mesma rapidez e os excessos, cada vez mais raros, eram precedidos de dias de restauração do sistema. Não poderia perder mais tempo. O espelho estava embaçado pelo vapor do banho quente. Mirei o secador de cabelos na altura do que seria o reflexo do meu rosto envolto na bruma opaca. Em segundos a umidade se esvaiu, partindo de um pequeno círculo inicial para um espaço circular que logo refletiu o homem de quase 50, com suas imperfeições, cicatrizes, memórias dolorosas. Há quem diga que a idade mais feliz é a infância, pois ainda não possuímos passado.

Apesar de não linear, o tempo existe de algum jeito, e a demonstração dele era o horário. O *transfer* sairia às 7h30 do hotel, e mal daria para tomar o café da manhã. O voo partiria para Roma às 10h. Essa seria a primeira escala de minha viagem até Tóquio, onde eu daria uma palestra sobre a realidade política de Lisarb para investidores orientais.

Enquanto terminava de secar o cabelo, os hologramas de Tóquio chegavam à profusão no *allphone* 10, que eu havia deixado desligado, mas os vírus digitais de propaganda, detectando minha viagem e minhas reservas, haviam se aproveitado de um alarme e se infiltrado na máquina para encaminhar filmes sobre restaurantes e passeios. Até uma luta de sumô passava no quarto escuro, apenas iluminado pelas imagens em três dimensões. Na ânsia de baixar algum programa no *allphone*, eu provavelmente concordara em ter meu aparelho ligado pela propaganda. Como tudo se dava com a leitura dos movimentos da retina, eu nem havia percebido, e era mais fácil continuar recebendo esses lixos virtuais do que saber de onde teria provindo minha ordem visual, dada a grande perda de tempo que seria vascular os aplicativos. Definitivamente, eu não conseguira cumprir a meta autoassumida no ano anterior de diminuir a invasão de privacidade na minha vida. Minha nota no Sistema Winchester estava em 7,48, e tudo poderia cair por algum deslize, algum site pornográfico acessado ou alguma postagem bêbada.

O Sistema Winchester, ou SWCHT, era uma síntese perfeita dos tempos, uma nota virtual que cada pessoa recebia na sociedade em função de suas condutas nas redes sociais. Livremente atribuída, por qualquer um e sem filtro, era um território livre interligando toda a miríade de redes sociais para a atribuição de um julgamento de 5 a 10, sobre as condutas e comportamentos em lugares públicos cobertos pela rede automática de *check-in*, opiniões políticas, fotos postadas, lugares visitados, músicas, filmes, restaurantes, vinhos tomados. Tudo servia de parâmetro para a pessoa ser avaliada por meio de *likes, superlikes, megalikes, nons, superenons* e *meganons*. Um órgão julgador moral instalado na virtualidade com direito a seguidores e haters, em que prevalecia a aparência. As empresas e o governo eram proibidos de usar o SWCHT para fazer avaliações, mas sempre o consultavam informalmente, antes das contratações. Notas entre 8 e 9 eram uma média boa, acima de 9, excepcionais. Uma nota abaixo de 7,5 era considerada baixa. Abaixo de 6, a pessoa se tornava um pária, mas, como tudo em Lisarb, jeito se dava, obrigava o cidadão a programar um novo estilo de vida, pelo menos nas mídias sociais, ou contratar um exército de *fakes* para fazer subir a média. Empresas especializadas em melhorar o *handicap* em SWCHT, advogados *experts* em danos morais derivados de *meganons* destrutivos e sistêmicos, psicólogos e psiquiatras lidando com as mais diversas patologias, um mercado novo muito rentável fora criado, e minha nota precisava melhorar. Era uma prisão moral eficaz.

Atabalhoado, mas decidido a não perder o avião, peguei minha mala de mão, uma garrafa d'água de 500 mL no frigobar, tomei um gole, ajustei o monitor do Sistema Intravenoso Orgânico — SIO para ibuprofeno líquido de 400 mg de oito em oito horas por dezesseis horas, saí do quarto e desci o elevador. Um aviso em luz vermelha informava que eu deveria repor o sistema. O *check-out* já estava pronto, e a água mineral seria debitada automaticamente com a retirada da garrafa do frigobar. Cheguei ao saguão do hotel cinco minutos antes do *transfer*. Dirigi-me ao salão onde era servido o café da manhã, e a luz forte do ambiente ofuscou-me. Um desconforto, uma sensação de pequena depressão e ansiedade induziu-me a ajustar o SIO para 5 mg de megazepan líquido SOS. Minha receita estava vencida para uso do ansiolítico, mas meu médico, sabendo de minhas viagens constantes, havia me repassado um chip *no limits* para uso do medicamento no SIO. Uma conduta somente permitida para pacientes com Transtorno de Ansiedade Generalizada — TAG, que eu não tinha. Entrei no ambiente fortemente iluminado, com famílias, esposas calmas comendo mamão, executivos nos seus *allphone*s e crianças correndo, apenas para tomar uma xícara de café e pegar mais uma garrafinha de água mineral. Sentei-me por menos de dois minutos, tomei o café amargo, sem açúcar, e avistei a van, pela janela, estacionando em frente à porta principal do hotel. Os efeitos da cafeína e do ansiolítico eram contraditórios, mas contrabalanceavam-se harmonicamente, formando uma ambivalência no limite certo. Despedi-me com um aceno da recepcionista charmosa, entreguei a mala de mão para o motorista acomodá-la no bagageiro e sentei-me confortavelmente na parte de trás da van. Eu seria o único passageiro. O trajeto era de apenas oito minutos, pois o hotel ficava no complexo do Aeroporto Internacional de Litorânia. Daria tempo de apreciar alguma coisa ainda na Sala Vip, comer algo, tomar outro café, ler alguma coisa.

Dei bom-dia ao motorista, que apenas grunhiu. O tempo de ficar chateado com respostas negativas a bons-dias já havia passado, e disso eu me orgulhava. Durante o trajeto, percebi o asfalto mais esburacado que a média usual de Lisarb, mais mendigos na rua, os trajes mais desbotados dos pedestres, os carros mais velhos e o motorista mais nervoso. Cheguei pelo aplicativo, e o voo estava atrasado 40 minutos. Fui invadido por um pequeno alívio, no mesmo momento em que o motorista puxou conversa:

— Olha a buraqueira. Roubaram tudo. Não tem mais nada em Lisarb. Depois que o PEV e o Lucas liquidaram este país, não nos resta mais nada, doutor. Uma pouca-vergonha. Eu faturava, há dez anos, o dobro de hoje. E, olha, ainda estou bem melhor que a média. Não tem sentido, e, o pior, não consigo ver saída, os caras que entraram depois que a Suprema Corte derrubou o sistema conseguiram deixar pior a coisa.

A pequena ressaca não permitia o diálogo. Apenas concordei com tudo e fiz uma pergunta:

— Qual o ano desta van?

— 2040. Comprei antes de o sistema cair.

— Então, era melhor antes, com o PEV?

— Não sei, doutor, só sei que dava pra gente comprar as coisas. A roubalheira era grande, estava tudo legalizado, eu mesmo ganhava comissão em cima de todas as corridas dos colegas, pagava um cafezinho pro guarda e não tinha multa, o fiscal ganhava o dele. Tudo beleza, sem maiores problemas, e todo mundo feliz. Dava certo, eu pagava as contas e sobrava sempre no fim do mês. Hoje está este aperto, mas não quero que o PEV volte, Deus me livre... Bom dia, doutor.

A van encostou no terminal, peguei a mala de mão e dirigi-me ao *check-in*.

Apesar dos protestos de *2038*, no penúltimo ano do mandato do Novo Presidente, a Grande Coalizão conseguiu mais uma reeleição. Com isso, o PEV, Lucas e a Grande Coalizão deveriam governar Lisarb até 2043. As políticas de bolsas, no entanto, foram sofrendo diminuição da qualidade do bem ou serviço repassado pelo Estado e sendo implementadas em intervalos maiores de tempo, os concursos públicos escasseando, o crédito rareando, mas as políticas sendo mantidas a um custo muito alto de endividamento público, até que começaram a atrasar e, depois, algumas foram canceladas. O sistema de *approach* começava a ser observado com mais crítica pela população, cujos ganhos nos níveis 1 e 2 estavam encolhendo em função do início de uma recessão mascarada artificialmente pelo governo, enquanto os ganhos dos níveis 3, 4 e 5, ligados à distribuição de propinas legalizadas dentro do Estado, só aumentavam. As grandes corporações de servidores públicos de alto grau, juízes, membros do Ministério Público, advogados estatais, deputados, senadores, políticos investidos em cargos de comissão, prefeitos, vereadores, toda a porção da sociedade que se ligava ao Estado por meio de ganhos, continuava sorvendo o doce mel das verdinhas, enquanto a iniciativa privada começava a minguar, e o povo voltava a passar fome. O Pluna, mesmo sendo um partido de esquerda, começou a capitalizar a recessão nascente, mas a centro-direita e a direita não se identificavam com o ideário plunista. Começava a surgir, já como oposição forte em 2040, no primeiro ano do mandato de reeleição do Novo Presidente, uma nova força no mundo político lisarbense: o PVL, Partido

Verde-Louro, com uma plataforma conservadora que caiu como uma luva nos setores cooptados pelo PEV ora insatisfeitos, em especial com a recessão. O dinheiro começava a sumir da praça, e a pressão sobre as corporações e os políticos subia.

Minguando o vertedouro de dinheiro público para o financiamento do consumo, na inversa proporção do ganho das corporações e dos políticos pelo sistema de *approach*, a grita das ruas se iniciou com força, novamente, puxada agora não pelos pleitos sociais e denúncias do Pluna, mas por uma força esparsa e altamente conectada, cujas descrença e raiva pelo modelo pevista de governar eram captadas por líderes da direita mais radical. Começaria a escassez de vários elementos na equação pevista, além da liquidez financeira. Lucas cometera um erro clássico: não dera espaço para a formação de um líder que o sucedesse de modo real, não apenas simuladamente. Os novos presidentes pevistas que se seguiram após seus mandatos eram títeres ou incompetentes politicamente e, com isso, a Grande Coalizão foi, na proporção direta da falta de dinheiro na economia e no sistema cleptocrático, perdendo força e integração. Defecções eram sentidas a todo momento. Romeu José, que debelara os protestos de *2038* com grande profissionalismo, não conseguira manter a base de apoio no ano seguinte, e, em 2041, os protestos, então com viés de direita, se avolumaram numa imensa massa de classe média descontente em todas as grandes capitais. Era impressionante como havíamos derivado rapidamente, e um acidente histórico estava prestes a acontecer.

A pressão da população por mudanças fez surgir o velho moralismo, antes encarnado de maneira magistral pelo PEV e por Lucas, mas esquecido diante da normose e do grande sono. A corrupção legalizada, constitucionalizada e praticada como modo de vida, começara a ser vista pela população como uma vergonha nacional. Todos antes felizes com seu churrasquinho de domingo, com os eletrodomésticos novos e financiados, carros zero quilômetro comprados em centenas de prestações, agora estavam sem dinheiro e acordaram para outra realidade brutal: havíamos parado no tempo, e, enquanto prédios de 1 quilômetro de altura eram construídos ao redor do mundo e surgiam tecnologias avançadas de bioteconologia, assim como, especialmente, uma capacidade imensa de processamento de informações era criada pelos países do norte, Lisarb estava caquética, perdida em discussões básicas e tacanhas, desperdiçando tempo e, na economia, sendo ultrapassada por outros países. O temor era de que nos transformássemos no nosso vizinho maior, o Estado Platino.

Os governos da Grande Coalizão sempre optaram pelo curto prazo, pela relação direta do consumo com a felicidade, e deixaram de lado algumas das bandeiras históricas da esquerda e o entendimento de que justiça social, forte, de longo prazo, somente se faz quando se tem uma educação eficiente.

As paisagens dos aeroportos sempre estiveram entre minhas preferidas, e nos governos pevistas e nos discursos luquistas eram exaltadas como um grande feito: a classe C, enfim, começara a voar. As classes A e B gastavam rios de dinheiro no exterior, em roupas e artigos de tecnologia. As passagens aéreas, em *2047*, em razão da recessão refratária, continuavam com valores razoáveis, mas as moedas internacionais, supervalorizadas em relação à moeda lisarbense, aplacavam a fúria consumista dos mais abastados, enquanto as empresas aéreas sofriam com a diminuição da procura.

O Aeroporto Internacional de Litorânia, como toda obra lisarbense, demorara demais para ser reformado, e a entrega de sua reestruturação se dera tardiamente, em 2043, auge da crise institucional, com o governo pevista já deposto pela declaração de inconstitucionalidade da nova Constituição de Lisarb, assim como todos os símbolos e sistemas jurídicos criados pela Grande Reforma de 2020 e pelo Consenso da Aceitação. Nessa fase, com a queda do PEV, a ruína da sociedade lisarbense estava apenas começando. Muito mais do que uma crise de liquidez internacional, um modelo econômico novo a ser implementado e todas as suas dificuldades, como reformas previdenciárias ou tributárias, algo visceral havia começado: a quebra de um paradigma socioeconômico e cultural entranhado no DNA de cada lisarbense reverberava na alma de todo o tecido social. A corrupção, como modo de vida, ganho e sustento da elite e das famílias, começava a ser revista pela primeira vez de um modo tão duvidoso quanto a própria corrupção em si. Mas, simplesmente, não sabíamos como ir adiante sem que os negócios fossem azeitados com a viscosidade das verdinhas. Pássaros fora de uma gaiola às avessas, não compreendíamos como deveríamos agir sem sermos corruptos, e, o pior, a aliança que fez ruir o PEV, Lucas e todo o resto da parafernália cleptocrática também estava comprometida. Não há santos nem amadores em Lisarb, e, mesmo sob o signo do cobertor curto, os detratores querem manter seus benefícios pessoais, uma constatação inexorável da apreciação histórica. A política e a arte são feitas, infelizmente, para nutrir um sentimento primeiramente pessoal de vaidade. Depois vem o público.

O horário estava tranquilo. *Check-in* feito, mala simples, comecei a me arrepender de ter iniciado a dosagem de ansiolítico. Era muito mais um hábito, ou um vício. Não havia necessidade, e o fato de ter chegado sem transtornos e exaltações ao aeroporto, a tempo e modo, como se dizia antigamente, mostrava uma certa maturidade de comportamento. Era bom chegar mais cedo, sem atropelos. De fato, eu estava ficando velho. Fui ao banheiro antes de dirigir-me ao embarque e urinei uma parte do Sauvignon Blanc bebido na noite anterior. Antes de lavar as mãos, verifiquei uma mensagem de Benigna:

"Faça uma boa viagem, benzinho. Preciso de uma transferência de mil euros, por favor, hoje ainda. Estarei na Toscana quando você chegar, em Florença, como você sabe. Na geladeira tem uma ambrosia que você gosta. Me manda hoje este dinheiro, por favor, estou precisando."

Não respondi nem fiz a transferência, apenas me encaminhei para a rota final, ansioso e mais uma vez me sentindo um imbecil completo. O avião lotado, passageiros japoneses de máscaras e rumores de que no Estado Americano uma nova doença respiratória estaria surgindo. Acomodei-me na classe econômica, num assento com mais espaço para as pernas. A comissária serviu-me um chá. Exaurido, olhei para minhas pernas cansadas, senti a cervical doendo, o ruído de fundo das falas, estocadas de malas, abertura de espumantes na classe executiva. Olhei para o relógio, era cedo para pedir uma bebida. Já contemplando um início, eu havia percebido em Litorânia uma distância enorme entre um velho Alex, ainda admirado e querido por muitos, e aquele ser partido ao meio, esfrangalhado. Os ânimos serenavam dentro da aeronave, as últimas malas eram acomodadas por comissários, já sem muita paciência com a bagagem de mão excessiva. Um garoto pula no colo da mãe na fileira ao lado, está quase tudo pronto, o piloto dá as boas-vindas, informa a temperatura e o tempo de voo. Meu assento fica isolado, ao lado da janela, aperto o botão para chamar o comissário. O batom vermelho, a educação melodiosa e o encanto me abrem a guarda:

— Pois não, senhor.

— Um uísque duplo, por favor. Com gelo.

V

Conheci Benigna Alphonsus traindo Suzana, numa viagem que fiz à Sicília, no ano seguinte à nossa chegada a Paris, em 2039. Eu precisava arrumar minha documentação para a aquisição da dupla cidadania, visitar as cidades dos meus antepassados, recolher certidões, e Suzana resolvera ficar, precisava ultimar seu curso de história da arte. Benigna Alphonsus era o nome social de Maria Lígia Gnatalli, uma lisarbense que residia em Roma. Achava o nome Maria Lígia brega e, como vivia nas altas rodas de lisarbenses ricos na Europa, precisava passar uma impressão mais nobre, requintada, menos brejeira. Meu encontro com ela foi o início de um caminho de grandes descobertas.

Depois de aterrissar na Cidade Eterna, peguei um trem até Nápoles, onde fui recebido por ruas coloridas e estreitas. As roupas das famílias estendidas nos varais dos apartamentos cinza e velhos, as vidraças quebradas, os letreiros desbotados e os rebocos carcomidos traziam-me o pertencimento latino, próximo dos Estados Celeste e Platino. Chegando à estação, aluguei um carro para me dirigir até a ponta da bota e atravessar o estreito de Messina. Já era tarde, não daria para subir até o Vesúvio ou visitar Pompeia. Resolvi passar a noite em Sorrento, para depois seguir viagem para o Sul. Alojei-me no centro histórico, num hotel simples, perto da Praça Tasso, local ideal para, à noitinha, pedir uma garrafa de Lacryma Christi e desfrutar de uma boa pasta, e foi exatamento isso o que fiz, ao que me recordo, sem *bug*, e posso dizer que há dias e noites especiais, mais fáceis de buscar na memória. Acredito que está na intensidade do momento vivido a feitura de uma estampa com cores mais fortes, sinapses mais sólidas e gestos mais cálidos. Lembro intensamente dos passos dados no mesmo calçamento pisado pelos romanos, de admirar a estátua do poeta Torquato Tasso, dos restaurantes para turistas que me pegariam pela enésima vez, do cheiro do mar, do entardecer com o Monte Vesúvio ao fundo, das garrafas de *limoncello*, das cerâmicas de um amarelo único, das italianas em suas motonetas.

Entrei no restaurante turístico, com uma varanda de telhado verde e vermelho, garçons galantes e um jogo de futebol sendo transmitido holograficamente numa parte vazia, sobre o que seria um tablado para música ao vivo. Sentei-me numa mesa lateral, perpendicular à transmissão, e logo me chamou a atenção um burburinho de mulheres lisarbenses ao fundo do restaurante. Pelas roupas, mais formais, não pareciam turistas, mas falavam lisarbês e riam alto. Todas vestidas elegantemente, pareciam mais saídas de uma recepção do que, propriamente, lisarbenses prestes a explorar a Costa Amalfitana.

Pedi uma garrafa de Lacryma Christi tinto e fiquei observando as lisarbenses que, com o passar do tempo, cada vez falavam mais alto. Chequei com o garçom o rótulo e a safra 2035. Uma garrafa de San Pellegrino para acompanhar, algumas azeitonas, salame e muçarela de búfala fariam minha vida ficar um pouco mais alegre. Pensei logo em abordar o grupo, dizendo-me lisarbense, com saudades e essas coisas para puxar assunto, mas logo fui confirmando tratar-se de mulheres lisarbenses moradoras da região, e trazer assuntos ligados à Lisarb, em especial na crise vivida em *2038*, era algo desagradável. Passei para o jogo de bola. Não tinha muito apelo, e os turistas pareciam mais preocupados em ouvir suas próprias falas e impressões sobre a Costa Amalfitana, as belezas de Positano e as curvas em cotovelo da estrada costeira.

Apesar do meu grande amor por Suzana, nossa vida em Paris estava péssima, e eu a sentia cada vez mais distante. O próprio gesto de me deixar ir sozinho ao Sul da Itália foi uma senha, hoje tenho certeza disso, cujo algoritmo abriu o arquivo do meu sorriso ao passar uma morena mais chamativa que as demais lisarbenses do fundo do restaurante. Com o passar do tempo, os segredos vão diminuindo, e uma série de descortinamentos ocorre. Não é por outra razão o aumento da percepção dos feromônios excretados pelos poros da fêmea. Percebi muito claramente os passos firmes, de um certo exagero no vestir, mas com um perfume que me pôs, desde logo, a não mais conseguir desgrudar os olhos e a buscar qualquer comentário relevante para formar um pretexo. Sorvi uma taça em poucos minutos enquanto observava as falas. Um homem sozinho numa mesa sempre chama a atenção de um grupo de mulheres, mas, pelo sorriso disparado pela morena, fiquei um pouco mais confiante de que eventual investida pudesse ter efeito. Comi algumas azeitonas, servi mais uma taça de vinho, e um pouco de pão italiano, duro que só, mas gostoso de um tanto, chegou à mesa, enquanto a morena, mais uma vez, passeava seu olhar perto do meu, e o gol de um dos dois times faz a alegria de dois garçons, sob o olhar censor do caixa, que parecia ser o dono da bodega, enquanto as lisarbense falavam de futilidades como marcas de roupa, *outlets* perto de Florença e restaurantes de Roma que não eram dados a receber turistas, pois não os aguentavam mais.

Levantei-me e fui ao banheiro. Pude perceber, ao passar perto da mesa das lisarbenses, que elas estavam dividindo a conta. Um misto de tristeza e alívio, ambivalentemente, trouxe-me leve angústia. Ao voltar, uma delas, loira com um vestido verde com detalhes em amarelo, pede um cartão de visitas para a outra:

— Benigna, estava ótima a recepção, podíamos fazer mais uma dessas em Firenze, só para as lisarbenses da Toscana.

A morena que havia sorrido, pegada de assalto de uma outra conversa, enrijeceu os ombros, ajeitou o corpo em direção ao novo diálogo, assentiu com a cabeça para a interlocutora. Com o olhar resoluto de quem tem um negócio a fechar, retirou da bolsa Louis Vuitton uma pequena e elegante peça de prata e lhe entregou um cartão de visitas:

— Sim, vamos fazer, conheço várias vinícolas da região. Tome meu cartão, organizo em duas semanas.

Ao passar ao lado, de forma rápida, observei que o início da atenção dada a mim em três oportunidades transferiu-se rapidamente para a *blonde* verde-amarela esticada de ponta a ponta, lábios de preenchimento e testa lisinha de *botox* que daria para esticar uma fileira de cocaína em cima. Fui para a minha mesa. Sentei, peguei o *allphone* para checar mensagens e tomei mais uma taça, em um gole só. Minhas têmporas começaram a latejar, lembrando um bom gole de Bourbon. As mulheres lisarbenses, agora de pé, despedindo-se umas das outras, entre gargalhadas, roupas coloridas e espalhafatosas, ainda bebiam as últimas gotas de um vinho ou espumante rosé, quando começaram a passar pela minha mesa. Benigna ainda cortejava negocialmente a loira, mas já se encaminhava para a saída, sem demonstrar que haveria de me render uma última paquera.

Tasquei, na sua passagem, de relancina, e muito mais ao sabor da aventura propriamente dita do que pelo interesse, a indagação salvadora:

— Me desculpe a intromissão, mas vi que você trabalha com vinhos, poderia me dar seu cartão?

— Olá, qual seu nome?

— Alex Tedesco.

— Lisarbense de onde?

— Do Estado do Sul, mas moro em Lisarbia.

— Ilha da fantasia. Adoro Lisarbia. Amo toda aquela corte.

— Estou passando um período na Europa, querendo conhecer pessoas, e gosto muito de vinhos.

— Não trabalho propriamente com vinhos, mas com organização de eventos.

Durante o diálogo, avancei meu olhar para o decote insinuador de belos seios, lábios carnudos, os cabelos escorridos de um preto brilhante que só os gatos bem alimentados têm, a contrastar com o branco do vestido, um pouco *overdressed* para horário e local, mas a combinar perfeitamente com a tez clássica da morena brejeira lisarbense.

— Benigna, vamos tirar uma foto do grupo — grita uma das mais exaltadas madames de fora do restaurante, em meio ao amontoado de mulheres já formado.

Ela olha para mim, sorri e observa discretamente meu relógio Rolex no pulso esquerdo, oferecendo seu cartão de visitas:

— Tome meu cartão, vou ter que ir. Me procure, será um prazer.

E partiu rapidamente para dentro da falação e das risadas lisarbenses com um semissorriso metido no olhar de uma jovem mulher madura, ingressando num lugar central, bem escolhido e estratégico no ajuntamento, enquanto um garçom italiano, entre entretido e impaciente, aguardava com um *allphone* na mão.

As lisarbenses, após várias fotos, risadas e fuxicos, foram embora. A morena Benigna foi uma das últimas a sair, pois ainda trocava detalhes de uma negociação com a loura vestida de bandeira da Lisarb. Eu voltei para a metade do meu vinho, pedi um reforço nas muçarelas e passei a ler um pouco mais sobre a Costa Amalfitana e o Sul da Itália. No outro dia eu começaria o trajeto em busca da documentação para a dupla cidadania rumo à Sicília e não queria dormir muito tarde.

Voltei relativamente cedo ao hotel. No caminho de volta, consegui desvencilhar-me, minha memória ainda processa bem, de um inferninho. Feliz por ter conseguido ir dormir, subi as escadas, era um ambiente antigo, com cheiro de mar e carpetes, uma hospedaria simples. Na portaria, um idoso com um bigode farto foi gentil ao assegurar o carro alugado:

— *Buonanotte, signore, la macchina* è *al sicuro fuori, dormite tranquilli.*

Após tomar o café da manhã, fiz um trajeto sobre os montes de Sorrento, avistando das encostas os belíssimos e antigos promontórios, a ilha de Capri, a conurbação napolitana e o lendário Vesúvio. Que cenário! Era a primeira vez que ia ao Sul da Itália e sentia alguma chateação de não estar acompanhado naquele romantismo do local, mas, enquanto o carro subia a montanha e deixava para trás a paisagem encantadora da baía de Nápoles, eu me sentia em paz e sem nenhuma saudade de Suzana, que havia mais de 24 horas não me ligava nem mandava mensagens. No fundo, o ser humano ama a estética porque quer se distanciar de sua sombra, e as verdades extraídas de paisagens naturais como as encostas de

Sorrento, de quadros de Botticelli ou de goles plumosos de Brunellos di Montalcino elevam o ser para algo inatingível na sua prática diária, gregária. O belo é a busca da independência do cotidiano comum, mas não há como viver somente no belo. Há pessoas que buscam o tempo inteiro o afastamento da dor da vida real, de suas penúrias, e vivem imersas em anestésicos, mergulhadas em torpores fúteis e buscando aparências. Há certo relevo na intenção, mas, normalmente, há uma negação da realidade. Não falo dos pintores das belas paisagens ou dos vinicultores fantásticos e da transformação que emana das gotas do vinho; falo de uma vivência mais rasa, sem nenhuma conexão com a dimensão transformadora da arte e da beleza, aquela que nega a dor, que nega a sua própria realidade, sempre calcada em alguma espécie ou proporção de dor, pois essa é inevitável, tal qual a imperfeição da vida e da sociedade. Tentar transformar a dor em algo belo é sublime, fugir dela ou negá-la é um ato errático. No caminho de Palermo, um ano após ter enfrentado a morte de Lisa e entendido a mais profunda de todas as manipulações lisarbenses, comecei um processo de reinicialização, cujas atualizações me cobrariam uma conta altíssima. Essa dor, uma orientação desnorteada no caminho das negações e construções sobre o falso, hoje sei, foi o meu maior aprendizado.

A estrada agora levava *la macchina*, uma BMW Série 13, para o topo da serra. O carro agora começava a descer, e eu já podia visualizar os primeiros tons de azul-turquesa da Costiera Amalfitana. Das curvas estreitas da descida, já por entre a mata, alternando vistas cinematográficas e penhascos mortais, aflorava a luta entre a admiração do belo e a segurança da estrada. Devia me precaver, mas o mar era lindo, as encostas ainda mais belas, com casas, vinhedos dependurados, e os carros passando a um milímetro do meu começaram a trazer uma sensação de tontura. Eu havia acordado cedo para tentar almoçar em Amalfi, já na saída da estrada, atravessar as imediações de Salerno e chegar em Cosenza à noitinha. Esse era o plano inicial, mas quando cheguei próximo de Positano, durante a viagem, próximo da descida que levava à cidade, subitamente, após passar por um pequeno túnel, em velocidade baixa, de não mais que dez metros, bem no alto da encosta, um reflexo muito forte do mar Tirreno, vindo debaixo, ofuscou-me violentamente a visão e acelerou a tontura já sentida na luta entre a visão da paisagem e da atenção na estrada. O medo de cair do penhasco fez com que tirasse o pé do acelerador à mesma medida que a inconsciência me levava ao desmaio, o ar-condicionado parava de funcionar, uma sensação de leveza no corpo contrastava com uma forte dor de cabeça, e não sei mais o que aconteceu depois.

* * *

Foram poucos segundos, talvez meio minuto, entre o desmaio e o acordar com o rádio do carro trazendo uma fala meio misturada com a tontura, com o sonho. Realmente, até hoje, não posso dizer o que de fato ocorreu. Eu estaria mentindo, sofismando, levantando uma hipótese inverossímil, mas a verdade é que era o trecho de uma cena de um filme que estava sendo narrado no rádio, uma narração em italiano de uma peça teatral do meio do século XX, mas perfeitamente compreensível em lisarbês e que parecia se dirigir a mim:

— Alex, Alex, qual vantagem em perseguir a verdade? Não vês o quão tola é esta busca? Não compreendes que a versão sempre valerá mais do que ela?

— Quem ousa ir contra a verdade?

— Não interessa saber meu nome. Importante é que saias do lugar onde estás e vás até a cidade mais próxima. Lá tu encontrarás alguém que irá te conduzir ao mundo importante, concreto, feito de coisas que realmente interessam.

Ainda aturdido com a dor de cabeça, olhei para o lado e observei, com a visão turva, o quanto tinha dado sorte. No rádio, ainda trechos do filme. Lembrei-me das madrugadas no frio do Estado do Sul, ainda criança, quando gostava, para espantar a solidão, de ligar o rádio e dormir com os diálogos de entrevistas que varavam a madrugada. Em meio à névoa da noite, assuntos futebolísticos, eu acordava sem saber de quem eram as falas, olhava o relógio e via que ainda faltavam mais umas duas ou três horas de sono, algo bastante motivador, pois logo iria acordar para pegar um ônibus gélido. Esses sons de rádio eu ainda gostava de ouvir no meio da noite, quando dormia só, mas, para ser bem franco, não sei o que aconteceu naquele dia na Costa Amalfitana, pois do cotovelo da curva logo após o túnel, lembro-me até hoje, da ré que dei para tirar o carro de cima das macegas, beirando o penhasco, também, e do diálogo do rádio, perfeitamente. Tenho hipóteses, mas prefiro pensar numa sincronicidade às avessas, pois minha descida para Positano traria mais uma confirmação da conversão.

Ainda não refeito da dor e com a visão turva, pensei que pudesse ter tido um derrame, uma isquemia. Minha pressão não andava bem. Chequei o *allphone*. Não havia nenhuma mensagem nova. Pensei em ligar para Suzana, mas preferi dirigir, mesmo enxergando mal, até a primeira cidade, para buscar socorro médico. Desci até Positano com medo de cair com o carro dos penhascos. Ainda não passava do meio-dia. Resolvi descer até a beira do mar, acreditando que lá encontraria um hotel. Pela pesquisa que tinha feito antes de viajar, sabia da existência de um bom hotel à beira do mar Tirreno. Deixei o carro numa garagem, pois eram proibidos os veículos depois de um ponto determinado da cidade. A cidade multicolorida de Positano, linda nas fotos, com casas nas encostas, lembrava as grandes comunidades de Litorânia. A favela chique, naquele dia, eu não pude observar em razão da minha visão turvada. Com dor de cabeça, trêmulo, entrei no hotel e pedi um quarto, mas com a sensação de ser algo passageiro, um mal-estar devido ao estresse.

Desde que chegara na Europa as coisas iam muito mal, a vida com Suzana péssima, os projetos sem deslanchar, o dinheiro dava para viver ainda, mas, se não mudasse a trajetória, as coisas iriam para o brejo. Eu precisava recuperar o livro que o Governo Central havia confiscado, me situar profissionalmente, talvez como correspondente, como escritor. Como já havia transcorrido mais de um ano desde os episódios do final de *2038*, isso me empurrava para uma tomada de posição e para uma situação emocional de muita pressão. A parada em Positano atrasaria a viagem, mas, do quarto, eu faria uma ligação holográfica para o seguro saúde e um médico me atenderia. Esse era o meu plano.

Entrando no quarto, com varanda para o mar, deitei-me na cama e fiz a ligação holográfica para o número de emergência. O seguro era bom e me dava direito a uma consulta semipresencial, com um médico projetado. Se fosse necessária uma internação, eu precisaria ir até um local mais próximo, que ficava em Sorrento ou Salerno. Na discagem, o *allphone* deveria ser posicionado em local onde houvesse espaço para a projeção em hologramas, de modo a poder ocupar espaço e ângulo adequados para a imagem do médico ser vista por mim, que estava sentado numa poltrona, bem como para o médico poder me observar. Os meus sinais vitais, como pressão, pulsação e temperatura, eram aferidos diretamente pelo aplicativo do plano de saúde instalado no *allphone*. Ele também fazia um rápido exame de sangue. A central direcionou-me para um jovem médico-residente de um hospital do interior do Estado do Sul. A imagem dele se projetou entre a poltrona onde eu estava sentado e a janela.

— Bom dia, doutor.

— Bom dia, senhor Alex, qual é o problema? Onde o senhor está neste momento? Acho que não é em Lisarb, pois os dados aqui do formulário virtual dizem que a ligação vem da Itália.

— Sim, doutor. Estou numa cidade chamada Positano, à beira do Mar Tirreno. Depois, vou virar o *allphone* para o senhor ver o mar.

— Que beleza, meus pais estiveram aí no ano passado. Paisagem linda, mas o que houve?

— No caminho para cá, a estrada é bem sinuosa e estreita, mal dá para um carro, e passam dois, em meio aos penhascos, eu tive uma espécie de desmaio. Foi rápido, numa curva. Tive sorte de não ter desabado. Lembro apenas de uma luz muito forte, vinda de baixo, parecia ser um reflexo do sol no mar, que ofuscou minha visão.

— Como está se sentindo agora?

— Com a visão turva e um pouco de dor de cabeça.

— Coloque, por favor, o dedo indicador no sensor do aplicativo. Segure até eu dizer para tirar.

À medida que pressionava o dedo no sensor, meus dados eram repassados e gráficos eram automaticamente formados. O médico, simultaneamente, observava a tela do seu computador no consultório, noutro lado do mundo.

— Muito bem. Nenhuma alteração. O senhor usa algum medicamento?

— Tomo para pressão alta.

— Tomou hoje?

— Sim, no café da manhã.

— Pressão normal, pulso normal, temperatura normal. Vamos fazer um exame de sangue agora.

— O senhor está conseguindo levantar-se?

— Sim.

— Vá até o banheiro e, com uma agulha, ou outro objeto pontiagudo, faça um pequeno ponto no dedo indicador. Por medida de protocolo, devo advertir ao senhor que o instrumento cortante deve ser esterilizado com álcool gel 70. O senhor deve ter no seu *nécessaire*. Quando tiver a gota de sangue, passe-a no mesmo sensor.

Eu levantei e fui até o banheiro. Não tinha álcool gel nem agulha. Pensei em ligar para a recepção e pedir os materiais, mas, até fazer isso, o médico iria perder a paciência que até agora vinha apresentando, ou deveria repetir a ligação com outro profissional. Resolvi pegar a tesoura de unha, e fui até o frigobar verificar se havia algum uísque em miniatura. Bingo. Não tinha uísque, mas uma vodka russa. O médico estava observando a tela do seu computador e não viu minha movimentação. Passei a vodka na tesoura e fiz uma pequena picada no indicador.

— Pronto, doutor.

— Ok. Coloque a gota no sensor e vamos aguardar cinco minutos. Este exame é mais demorado.

Do mesmo modo que no exame anterior, os gráficos iam sendo produzidos na tela do *allphone* ao mesmo tempo que ela projetava a imagem do médico. Agora, os índices mediam a glicemia, o colesterol, hormônios e outros índices, além de enzimas que poderiam mostrar algum resquício de um pequeno infarto ou mesmo um derrame cerebral.

— Senhor Alex, todos os seus índices estão normais. Um pouco de alteração no cortisol, colesterol, mas nada que seja relevante para causar um desmaio. Esse exame que fizemos checa vestígios de alterações vasculares sérias, como um AVC ou infarto. O senhor não tem nenhuma alteração. Acho que pode ter sido algo emocional, devido ao estresse.

— E a visão? Ainda está muito turva.

— O senhor está com dor de cabeça. Acredito que seja uma enxaqueca. Descanse um pouco. Durma umas duas ou três horas. No final da tarde, acredito que já terá passado. Vou encaminhar por mensagem a receita de um medicamento.

Segui a orientação médica. Enquanto tentava adormecer, assustou-me, agora relaxando, o risco que corri. Lembrei do fim do insensato e do sábio, exatamente o mesmo, e tudo, ou quase tudo, será esquecido. Há uma tentativa de transcendência pela arte, pela política, pelos grandes feitos e descobertas, pois, apesar da finitude da existência material, a sabedoria fica para o depois, e aquilo que chamamos de imortalidade é a busca humana incessante pelo drible ao fim inevitável. A obra fica e, apesar de Salomão — a quem se atribui a escritura — ter ido infalivelmente ao pó, suas palavras continuam a ecoar como umas das fundadoras do pensamento ocidental, mesmo depois de quase 3.500 anos. Minha mente estava muito confusa, eu não sabia exatamente o que faria do futuro, um caminhar para dentro da vida me impelia a buscar essa transcendência, mas, a esmo, sem saber, e ainda muito baqueado por tudo, minha vida chegara a um mar de sargaços, com suas famosas calmarias, mas de perigosa navegação, um ambiente propício para experimentos e instalação de soluções aparentes criadas pela ansiedade e pela busca de algo que, de fato, eu não sabia o que era. Não podia voltar para Lisarb, pensava em escrever, mas estava havia um ano enrolando com um novo livro. Podia virar analista político, mas o jornalismo era algo quase extinto. A verdade, hoje sei, é que quando não se sabe exatamente que caminho tomar, em vez de optar pelo impulso de uma ideia aparentemente genial, mas sem muita base, o melhor é ficar quieto. De onde menos se espera, é daí que nada sai, diz-se, popularmente, e hoje eu sei isso, ou se sabia eu havia esquecido completamente, pois minha criação espartana no Estado do Sul me havia dado essa sabedoria. Minha família sempre manteve valores e princípios com os pés no chão e, apesar de sempre terem me ensinado a mirar as estrelas, especialmente meu velho pai barba branca, havia aprendido com ele também o quanto é essencial, nessa operação de projeção futura, jamais esquecer o passado.

É um grande equívoco a esquiva do centro, da risca original, uma negação totalmente desligada do acerto. Romper com suas próprias tradições, caminhos traçados pelos antepassados, trará uma conta enorme mais adiante. Há um plano subjacente e subjetivo, invisível e indivisível que permeia as famílias, um inconsciente coletivo comum, regras não escritas, nem mesmo ditas, que formam um padrão repetitivo. Hoje sei que romper com comportamentos erráticos perpetuados ao longo das gerações é algo salutar, difícil, mas possível. O problema reside, no entanto, em confundir esses modelos que levam ao equívoco perpetuado com os legados positivos, de bens imateriais, principiológicos deixados pelas famílias. Ficar quieto, esperar, ver qual caminho está mais de acordo com as origens, isso é o melhor a fazer quando se está em situação de dúvida. *Deixar como está para ver como é que fica*, máxima popular, na verdade uma prática política muito usual em Lisarb, pode parecer conformismo, mas, se aplicada à situação em que paciência é o principal vetor, evita muitas dores de cabeça, um conservadorismo que, se bem aplicado, evita dissabores.

Mas a ideia de transcender fulminava a paciência conservadora, pois ela é fascinante e não está na sobrevivência da carne. Está em brincar seriamente em construir mundos imaginários em romances, poemas, narrar realidades fantásticas, pintar paisagens surreais ou mostrar a visão nossa, particular, cuja realidade singular só nós estamos vendo através da nossa mente, criar melodias apaixonantes e com elas tocar os sentimentos e afetar os corações, fazendo com que deles transbordem lágrimas universais de beleza. De tudo, hoje, cheguei a poucas conclusões, e as lições me ensinam a ter clareza e confiança na assertiva de que é necessário muito heroísmo para conquistar a si mesmo. Ao mesmo tempo, a noção de *timing* é muito importante, pois, como disse Oscar Wilde, "toda arte é, ao mesmo tempo, superfície e símbolo. Aqueles que descem além da superfície fazem-no com risco". O risco é a dor, a dor da exposição, da verificação do sofrimento humano e, especialmente, na verificação *a posteriori* do equívoco e da perda de tempo. Naquela tarde, melhorando de algo que até hoje não sei bem o que foi, iniciei um caminho inusual para meus antigos padrões.

Acordei por volta das 18h, sem dor e enxergando bem, até onde capacidade da minha memória ainda pode registrar, logo após ouvir um diálogo em lisarbês no corredor do meu quarto. As vozes, misturadas com barulhos estridentes, de cadeiras arrastando, e surdos, de malas sendo manuseadas. Como minha cama estava muito próxima da porta, pude ouvir com exatidão uma voz feminina, ao que pareceu, em ligação telefônica:

— Sim, estou aqui já em Positano, de acordo com sua orientação, mas ainda não achei o vaso que o senhor escolheu... Está quebrado, como assim?... Certo, comprarei por um valor mais baixo, e vamos consertar para fazer parte da coleção aí em Roma. Ok.

Parecia familiar, fechou-se a porta do quarto, ao que parecia, ao lado do meu. Ouvi, ainda, um:

— *Grazie!*

Com o diálogo, fiquei desperto. Não houve necessidade de comprar o medicamento. Suzana havia deixado várias mensagens de texto perguntando como eu estava. Respondi sem dizer a ela o que aconteceu, apenas que estava na rota de Salerno, e que deveria chegar à Sicília no dia seguinte. Omiti minha noite em Positano, obviamente, por ser um destino romântico conhecido. Mesmo para Suzana, que não era muito dada a cenas de ciúme, era sempre importante a precaução, para evitar discussão. Tomei um banho quente, coloquei a mesma roupa, pois havia deixado minha mala na garagem, um quilômetro acima do hotel, e desci para a varanda. Meu mal-estar passara completamente, e a vista do fim de tarde me encorajara a pedir um *limoncello*. A varanda era refrescada por azulejos amarelos e azuis nas paredes, e um toldo verde, estirado uns vinte metros sobre a praia de pedregulhos, amenizava o sol do final da tarde. Russos, japoneses e chineses faziam a babel. Os garçons italianos, não muito afeitos ao inglês, usavam tradutores sonoros instantâneos, aprofundando a percepção de que a tecnologia, se por um lado ajudava muito a agilizar as coisas, por outro, produzia certa atrofia cerebral. Nossa geração ainda não sabia, ao certo, o que fazer com as milhões de sinapses inutilizadas com os aplicativos de trânsito, mapas, buscas, pesquisas instantâneas. Havia um emburrecimento geral nas redes sociais, cujo reflexo se via na repercussão de todos os tipos de crenças, pseudociências e asneiras absurdas. Legiões, gamas enormes de seguidores curtiam e compartilhavam seus conteúdos ardorosamente, reforçando também a convicção da existência de uma crescente massa manipulável, aumentada ou superexposta com a revolução tecnológica e da informação. Assim, em vez de diminuírem as manifestações obtusas, a estupidez parecia ter aumentado à medida que todas as bibliotecas e pesquisas científicas do mundo ficavam ao acesso de qualquer pessoa, a poucos cliques de distância.

Sentei de frente para o mar, pedi um *limoncello* e fiquei de costas para o restaurante e bar, que ficava dentro do prédio, com as portas e aberturas para a varanda. Logo, toda sorte de pensamento derivado das dúvidas sobre o meu futuro mais uma vez me assaltou. Com Lucas ainda no comando do PEV e da política em Lisarb, eu jamais teria espaço. Com a oposição em frangalhos, o que me sobraria? Pensava em falar com Antônio Paulo para reaver os arquivos do meu livro. Reescrevê-lo também seria uma opção, mas como eu estava em uma espécie de recesso intelectual e criativo, não seria algo muito produtivo ou viável. Enquanto a dúvida persistia, eu dissipava minha angústia com um bom gole de *limoncello* e lendo sobre a Sicília, a voz feminina em lisarbês, ouvida no corredor, colocou a mão em meu ombro direito e indagou:

— Olá, não nos vimos em Sorrento ontem à noite?

Era Benigna, em toda a sua beleza, vestida de branco, com um decote no meio dos seios fartos, mostrando o colo com pintinhas discretamente pretas, e a pele de uma mulher madura, mas com uma sensualidade exalando pelos poros.

— Olá, mas que surpresa agradável... quer sentar-se comigo?... já provou o *limoncello* daqui?

— Ainda não, cheguei agora há pouco no hotel.

— Conhece Positano?

— Sim, como te falei, moro aqui na Itália e trabalho com eventos. Positano sempre é procurada pelos lisarbenses.

— Sente-se comigo.

— Não queria incomodar.

— Não incomoda, vamos conversar um pouco.

O *limoncello* chegara gelado, e ela fez uma pequena exigência para o garçom, em lisarbês, cuja tradução foi feita simultaneamente pelo tradutor de voz:

— O senhor pode trazer um que não esteja gelado?

— Sem problemas, senhora.

Logo vi seus modos à mesa. Com gestos delicados e contidos, conversava com uma voz pausada, alternando tons graves, uma característica que buscava pontuar sua classe social. Reiniciei:

— Então, Benigna. Nome bonito. De qual região de Lisarb você é?

— Sou do Estado Diverso, mas moro na Europa há vinte anos.

— Ah, uma diversa... sempre aprendi muito com os diversos. Aliás, sou do Estado do Sul, que sempre teve uma afinidade histórica com o Estado Diverso.

— Tenho muito orgulho das minhas origens, mas não faço muita questão de falar das coisas de Lisarb. Hoje vivo aqui na Itália, com minhas amigas, fazendo o que gosto, que são as recepções para os lisarbenses que vêm para cá. Ajudo a organizar os eventos dos turistas. Muita gente conhece a minha família em Lisarb e me procura aqui.

— Então você tem uma empresa...

— Digamos que sim. Esta noite ficarei aqui. Amanhã teremos uma recepção em Ravello, de mulheres lisarbenses. Haverá uma montagem da *La Traviatta* ao entardecer, com o golfo de Salerno ao fundo.

Ela não era muito assertiva, parecia estar escondendo alguma informação, cujas linhas, pensamentos, emoções se esquivavam por entre as pernas, subiam pelo colo, rodeavam o olhar e ingressavam nos decotes descortinadores dos seios. Mas as informações superficiais, como a beleza das pernas, eram por mim entendidas como mais importantes naquele momento. Pedimos mais um *limoncello* e uma salada *caprese*. A morena lisarbense, do Estado Diverso, mas moradora da Itália, insinuava seus lábios carnudos a cada bocada, bem de mansinho, como se deve iniciar a comer algo ou alguém, nas muçarelas de búfala preparadas segundo a tradição milenar. Eu olhava, buscava me aproximar pelos pés, pelas mãos, pelo olhar, de um modo que fosse o meio-termo entre a busca incessante e o desdém de quem o interlocutor é sabedor do teatro. Isso, creio, é importante, mas a morena pareceu-me entregue quando, após muitas conversas sobre a situação política de Lisarb, nas quais ela se mostrou irredutível em seu ódio e oposição a Lucas e ao PEV, pedi, percebendo o gosto refinado da potranca, um vinho:

— Garçom, por favor, este Brunello — e apontei no cardápio para uma safra de 2033, que sabia ser uma das melhores dos últimos anos na Toscana.

— Ótima pedida, Alex. Você já esteve na Toscana?

— Ainda não. É um dos lugares mais românticos do mundo, queria estar lá, mas acompanhado, se possível, por alguém que deguste comigo essas maravilhas.

Veio o vinho. Não demoramos muito em acertar a mesma decisão. Pensei em pedir um prato leve, um peixe, algo assim, mas tanto meu pensamento como o de Benigna apontaram o caminho do quarto. O cair da tarde, com o final das luzes do sol sobre o mar Tirreno, era convidativo:

— Vamos terminar esta garrafa na varanda do meu quarto?

— Sim, lá a vista é melhor.

Com a garrafa de Brunello di Montalcino numa mão, no elevador, a outra dedicou-se a contornar as costas da morena lisarbense. Senti o corpo inteiro de Benigna pulsando num ritmo intercalado, quente, se aninhando ao meu, com a respiração arfante. Abri um pouco a porta do elevador pantográfico, no meio da subida para o terceiro andar, e ele parou. Escorei-a com a garrafa de Brunello na fresta aberta entre a extremidade da porta de metal e o beiral emborrachado. Foram três ou quatro minutos em que imergi nos peitos e por debaixo da saia branca, donde o calor confortável expelia os odores que levam o homem às situações mais perigosas da vida, assim como era explorado por cima da calça e abaixo da cintura. Desarmei o vestido branco, com o mesmo cuidado de um passarinho quando se encosta no gatilho da arapuca, e, no meio do elevador, assistindo aos olhos da morena dançarem desordenadamente nas órbitas, fixando apenas as imagens internas dos sentidos, mergulhei ainda mais fundo, ouvindo e me acabando no deleite. A necessidade de mesclar aventura e boa presteza me fez vir a dez por cento de razão e, com a crença de um comando que só existe na mente do homem desavisado, sugeri, no que houve concordância, um continuar mais confortável. Sim, era melhor dar o melhor. E, aí, a coisa foi daquele jeito que só sabemos o resto quando o quadro termina de ser pintado. A tela, em óleo por cima, começou a ser emoldurada com as águas mediterrâneas e, como toda obra de arte tem seus mistérios em cada pincelada, e o final só pude perceber a totalidade de seus contornos quando o último pano caiu, no momento da reinicialização, digamos assim, do sistema. Como diria um velho ditado da política lisarbense: sabe-se como se inicia uma CPI, mas não se sabe como ela termina. Noite intensa. Os detalhes diabólicos ficarão para mim e para ela, mas só eu sei o quanto a hipnose foi fatal e o encanto, delimitador da visão serena.

Pela manhã ela iria para Ravello, e eu seguiria para a Sicília. Descemos até o café da manhã. Mesmo após a intensidade do encontro, nem eu nem ela conseguimos comer uma fatia de pão. Benigna insistia na pergunta sobre minha volta para a França, se eu estava casado mesmo, mas sempre com cuidado para não transparecer ansiedade, sem descer do salto, sem se entregar totalmente na aparência, pois o essencial estava feito. Eu, por minha vez, não entretinha nenhuma coordenação, pensava em esquecer, pensava em Suzana, pensava em seguir minha viagem.

Benigna sugou toda minha vitalidade desde a primeira garfada. A razão, no entanto, às vezes soprava sobre a mesa do café, e ela se despediu de mim após tomar um suco de laranja e um comprimido para dor de cabeça.

PARTE CENTRAL

PARTE GERAL

VI

*Há vezes em que devemos mergulhar até
o fundo da nossa miséria para entender a
verdade, da mesma forma que devemos descer
até o fundo de um poço para enxergar as
estrelas em plena luz do dia.*

Václav Havel, in
The Power of the Powerless

Foi difícil perceber uma constatação bastante natural, hoje: o desafio de sentir-se em paz, em harmonia com os melhores valores e em progresso com o entendimento tradicional de matriz iluminista havia sofrido importantes golpes reais nos últimos anos. O modelo precisava de aperfeiçoamentos, estava descolado do real, não entregava. Eu havia ficado absorto numa vida totalmente materialista e me descuidara de observar a eclosão do relativismo, do aprofundamento dos discursos das minorias e, principalmente, da ascensão, muitíssimo à direita, de uma novidade vicejante em Lisarb. Ao mesmo tempo que o ideário pós-modernista, à esquerda, fustigava com racional e coerente pertinácia a noção da inexistência de valores concretos, reais, que sustentassem a proeminência e a realidade de sistemas considerados positivos e progressistas, eliminando os imperativos categóricos, a ultradireita, em leitura paralela, mas absurdamente irmanada, fazia a relativização ao seu modo, destruindo as instituições democráticas. Tudo era discurso, narrativa e retórica. A verdade pós-moderna era constructo social, o bem não existia propriamente. As falhas do sistema democrático, no entanto, ao que ele se propunha, eram reais e concretas. A esquerda, desnorteada com seu desnudamento, falta de entrega e, especialmente em

146 — 2047: A Revolução dos Dementes

Lisarb, enlameada com a construção de um Estado cleptocrático, não conseguia mais falar ao povo, sua voz não alcançava a maioria. Defender o Estado Democrático de Direito, as liberdades e a justiça social era algo distante para quem precisava pagar o gás às milícias, o arrego às polícias e se proteger das balas perdidas. Montada num cavalo branco, a direita, com um cardápio muito mais palatável, aproveitava-se das contradições e, ao preço da liquidação de toda construção pós-Primavera dos Povos, solapava com uma facilidade incrível as conquistas. Montanaro descortinara a sombra, fazia subir, do fundo do poço, o lisarbense médio, sua longa tradição extrativista, escravagista, preconceituosa e ligada à exploração, seja da terra, seja do povo, sob o pretexto de uma liberdade. Livre das amarras de uma democracia pretensamente protetora de minorias, que buscava igualar na medida das desigualdades, dando voz às mulheres, aos negros, à identidade de gênero, aos povos tradicionais, livre das amarras de uma democracia instituidora de um sistema corrompido, instrumentalizado pelo interesse próprio, a fala da ultradireita além de fácil, imediatista, fascinava por uma aparente coerência: tudo o que veio até agora é podre, o Legislativo é um balcão de negociatas, o Judiciário está cheio de juízes corruptos, não existe justiça social, esse Estado para o qual vocês pagam impostos não entrega, não deve mais existir senão para poder dar a todos vocês a liberdade para trabalharem e contratarem com as grandes empresas, quem estiver mais qualificado irá adiante, somos meritocratas e não apoiaremos vagabundos.

Foi difícil compreender o quanto o afastamento das linhas iniciais e originárias trouxe-me prejuízos. Saber que o PEV e Lucas haviam sucumbido às velhas práticas e aprofundado o sistema era um golpe duríssimo, mas o que estava desenhado, se dando à luz do dia, sob o auxílio direto da complacência e do apoio da desilusão, era o resgate de um monstro criado no esgoto, cujo agigantamento foi subestimado, alimentado pela urina das contradições, pelos excrementos da ineficácia do modelo democrático, por meio dos resíduos sólidos de uma república toda furada pelas balas de canhão do interesse privado. Antes mergulhado no chorume institucional disfarçado pela cooptação da mídia tradicional, e até mesmo em função da noção de processo histórico, o monstro apenas vinha à tona para produzir soluços e escarros ocasionais, não era levado a sério. O tempo, no entanto, o fez crescer, as mídias sociais perceberam sua existência e ele passou a aparecer, tomar corpo, sair do subterrâneo. A falta de paciência com o tempo tradicional e a resposta lenta do Estado corroído o faziam passar mais e mais períodos à luz do dia, dando voltas cada vez mais longas na cidade. Antes desdenhado, achincalhado, menosprezado, ele voltava para seu lar, na imundície. Ao longo dos anos, como já ocorrera outras vezes no passado, dada a alimentação farta pelo esgotamento institucional, seus músculos foram se desenvolvendo, sua aparência sendo normalizada com seus passeios cada vez mais constantes, sua fala gutural e vociferante compreendida, fazia eco nos botecos e nas corporações grotescas. Levando debaixo do braço sempre para passear a cartilha do moralismo, o monstro explicava que *viado* era *viado* e sua aceitação uma desonra; Deus era Deus, e Ele faltava no coração dos comunistas; preto era preto, e a dívida histórica da escravidão não passava de um discurso vitimista; branco era branco, e era o ser dominante; índio era um sujeito a ser desenvolvido, e todo o resto era choro de maricas. Apontando para um retorno a supostos valores tradicionais inexistentes, para uma sociedade pré-Revolução Francesa, o monstro era anacrônico por excelência e vendia uma quimera tão impossível quanto a realização de justiça social numa sociedade capitalista desregulada pelo Estado: o regresso a um tempo somente existente na ficção de supostos anos dourados. Fedendo à putrefação, cravo de defunto e mofo, aproveitou-se do nariz dessensibilizado do lisarbense, acostumado com a morte normalizada, com a corrupção institucionalizada e com a desigualdade criminosa, e jogou o jogo do oportunismo.

Foi difícil constatar que Lair Montanaro jogou luzes na pior parte do tecido social lisarbense. Estávamos nus diante do espelho, e o roxo dos hematomas, o amarelo do abcesso, as cicatrizes malfeitas de quatrocentos anos de escravidão, e de uma história toda de extração sem contrapartida, eram as imagens mais vivas. Porta-voz e representante de uma coletividade envergonhada, encurralada durante décadas por um progressismo de costumes incompatível com sua mentalidade medieval, o monstro, ao sair do pântano com a cabeça pintada para a guerra, foi ao encontro dos corações trevosos humilhados pelo politicamente correto e impacientes com a ascensão do bom senso. Fruto direto do fracasso do PEV e alicerçado por ele, o monstro trouxe à tona toda a ruindade do lisarbense e a elevou ao paroxismo. O que há de pior em todos nós, nosso machismo, nosso racismo, nosso sexismo, nossa obtusidade e nossa insensibilidade para com a pobreza e a injustiça social, tudo isso foi colocado num caldeirão fétido, amalgamado pela mão de um ser complexado historicamente, um pária político defensor da tortura, da ditadura, da repressão. Seus graves defeitos de caráter e a falta de civilidade foram relativizados, supostamente, em nome da derrubada da cleptocracia. Haveria de ser pior, haveria de uma tristeza ainda mais dolorida chegar à casa de todos os lisarbenses, e o desastre seria como ele sempre é: completo. Montanaro não somente trouxe o nosso lado B para a praça pública, ele estava indo a fundo na tarefa e esmerou-se para aprofundar e buscar dentro da mente do lisarbense ainda mais lodo e mais dor. Como um médico que implanta no fígado de seu paciente um *chip* de ódio, Montanaro buscou, com sucesso, excitar nossa essência mais rudimentar. Trabalhando em conjunto com enfermeiros fardados, buscou no laboratório dosagens de violência, ignorância e crença, fez da fé cega sua faca amolada e rasgou com força o ventre do paciente, transferindo a ele sua dor intensa de ser desprezado e sua quase sincronística morte. Anestesiado pelo comprimido do desmando, pela ressaca de um sono profundo da razão, e enraivecido pela desgraça da carestia, do desemprego e dos juros altos, o paciente saiu da mesa de operações, foi ao encontro do médico e lhe agradeceu por ter tido seus olhos abertos, não percebendo a presença e o cheiro da criatura.

Uma nova doença, a espicaçar ainda mais o tecido social, havia sido descoberta e aprofundaria o drama lisarbense. Os japoneses fecharam a fronteira para viajantes do Estado Americano, Eslavos do Norte e Lisarb, indenizaram-me e pagaram o meu retorno para Lisarb. Na realidade, eu até gostei da sensação de voltar mais cedo, as coisas com Benigna estavam, em grande parte, resolvidas, e Cairo Góes me aguardava para que pudéssemos verificar os cenários para a grande batalha que seria retirar Montanaro da Presidência da República. Naquela semana, Lucas tinha sido solto pela Suprema Corte e recuperara o direito de se candidatar. Montanaro abria, com isso, guerra ao Judiciário, aprofundando, também, o isolamento de Servius Mórus, que ficava cada dia mais apagado e esquecido. Resolvi desligar o Sensor Aguçado de Sentimentos — SAS. Vida nova e grandes desafios. Eu ainda não sabia ao certo como seria minha rotina, meu apartamento na Parte Murada de Lisarbia estava alugado, e eu deveria ficar mais tempo em Litorânia, sede do Pluna. Antes de pegar o voo, troquei mensagens com Cairo Góes:

— Presidente, voltarei amanhã para Litorânia. A viagem ao Japão foi cancelada por causa dessa nova doença que apareceu.

— Boa notícia, venha logo, antes que você não consiga mais entrar em Lisarb. A doença está se espalhando muito rapidamente. Você viu que o Montanaro desistiu do Acordo de Assunção? Deu uma guinada em tudo, livrou-se do Servius Mórus, outro bandido. Lucas foi solto, como a gente achava que iria acontecer. E essa doença... desde que você saiu daqui os casos estão aumentando exponencialmente. É algo muito estranho, não sabemos ainda como lidar com isso.

— Tenho acompanhado. Lisarb e o Estado Americano são os focos principais.

— Sim, é algo impressionante.

Em poucos dias, Montanaro chegara ao ponto de inflexão em meio ao início de uma doença nova. Fizera uma reforma ministerial, rompendo com a liderança de Servius Mórus, isolando sua influência no governo, e buscara aproximação direta com o Parlamento, por meio das mesmas práticas fisiológicas condenadas por grande parte de seu eleitorado, base do discurso com o qual tinha sido eleito, acabando com a ala moralista, aproximara-se de vez do que sempre chamara de velha política e, com a aprovação em declínio, concentrava sua força política e eleitoral num núcleo mínimo, mas resiliente, de vinte e cinco por cento do eleitorado Cairo e outros atores, com pouca intenção de votos, como Duarte Lato e Jorge Douro, entendiam pela possibilidade de avançar sobre o eleitorado e tentar acabar com uma polarização resistente.

Busquei a parada mais próxima do VAL. Em poucos minutos ingressei no veículo. O piloto perguntou-me se eu era lisarbense. Com minha resposta, ele retirou do bolso duas máscaras cirúrgicas. Colocou uma e pediu para eu fazer a mesma coisa. Não discuti, apenas coloquei. Estávamos próximos do Coliseu, e fizemos o sobrevoo das maravilhas da Cidade Eterna, mas minha atenção estava mais próxima das notícias de Lisarb vindas em vídeos holográficos por mim negligenciados nos últimos dias em função da separação de Benigna. Era algo impressionante. Em questão de duas, três semanas, as primeiras notícias de que um grupo de agricultores idosos do interior do Estado do Sul estava sofrendo com deformações e mutações no corpo espalharam-se para os outros dois estados do sul de Lisarb. No Estado Americano, os casos também se iniciaram no sul do país e estavam se espalhando rapidamente para o centro. O jovem piloto do VAL perguntou o que eu achava da nova doença, ainda sem nome. Eu estava desinformado, não pude lhe dar resposta. Liguei para Tenório, em ligação convencional:

— O que está havendo aí? Não passavam de umas deformidades no corpo num grupo pequeno... quando estive com o Cairo, nas reuniões do Pluna o pessoal nem deu bola para esse troço.

— É, mas parece que é grave, é transmitido por um vírus, se espalha muito rápido pelo ar.

— Que coisa... já não bastava nossa situação política...

— Vai piorar. Tudo incerto, no Estado Americano o surto é grande também. Na Europa, tem um foco no leste. E aí, já está em Tóquio?

— Não; desculpe, nem te contei. A viagem foi cancelada, justamente por conta da doença. Amanhã estarei aí. Topa almoçar? Tenho muita coisa para te falar.

— Ah, sim. Vamos almoçar então.

— Escolhe o restaurante. Pago o vinho.

— Fechado. Amanhã mando localização e horário. Vou chamar o Rogério, ele está aqui, me ligou mais cedo.

— Boa notícia. Ele vai apreciar as novidades.

O VAL chegava ao Aerorporto Leonardo da Vinci, a conta estava paga. Ingressei no saguão, e fôlderes virtuais da administração aeroportuária pululavam no ar com advertências sobre a nova doença, chamando atenção especialmente para os lisarbenses se identificarem e buscarem informações antes de entrar nas salas de embarque, sob pena de não viajarem. Fui isolado juntamente com um grupo de uns cinquenta lisarbenses. A autoridade falou:

— Vocês passarão por medição de temperatura e uma entrevista. O principal sintoma da doença são deformações que começam nas mãos e nos pés, nas extremidades. Ainda não temos maiores informações sobre o estágio final e mais avançado da doença, mas tudo indica que leva a uma transformação corporal. É algo novo. Por precaução, precisaremos borrifar uma solução bactericida sobre vocês, uma revista corporal, e depois passaremos a todos um avental descartável de TNT e máscaras cirúrgicas para vocês poderem voltar para Lisarb.

Um lisarbense, vestido com a camiseta da seleção lisarbense, se recusou:

— Para que essa solução bactericida, revista corporal? É um vírus que se espalha pelo ar. Não vou ser submetido a essa humilhação.

— O senhor pode optar por ficar em quarentena aqui mesmo, próximo do aeroporto, às suas expensas, e depois o deportaremos.

Fui um dos primeiros a ser entrevistado. As perguntas eram as de praxe: há quanto tempo eu havia estado em Lisarb, ou nas outras duas regiões focos da doença, se eu havia sentido alguma alteração no corpo, especialmente nas mãos e nos pés. Depois disso, mediram minha temperatura, ingressei num *scanner* corporal para a detecção de alguma anomalia e, por fim, deram-me os trajes para vestir. Apesar de humilhante, eu não iria me indispor com ninguém. Meu objetivo era voltar rapidamente para o meu país e começar a compreender aquela nova situação, aonde ela chegaria, qual o seu grau de influência nas eleições. Ao sair da zona reservada, percebi que havia uma ala específica também para os passageiros americanos, mas eles não precisavam usar o uniforme destinado aos lisarbenses. Questionei a autoridade italiana:

— Por que os americanos não estão usando esta roupa?

— No Estado Americano, o controle está maior. Em Lisarb ainda não existem barreiras sanitárias. O presidente de vocês acredita que é apenas um surto de uma doença degenerativa incomum.

Senti-me um pária. Fiz os procedimentos de praxe e ingressei no salão de embarque, com aquela roupa ridícula. As notícias chegavam aos borbotões, dando conta de que a doença iniciava usualmente nos dedos, com a junção do dedo mínimo e do anular. O mesmo se dava com o polegar, o indicador e o médio, que acabavam se unindo por meio de um tecido epitelial muito forte e resistente. Nos pés, o processo era idêntico. Nos casos mais avançados, naqueles dias, observava-se a necrose desse tecido, cuja consistência endurecida progredia para uma formação cartilaginosa muito dura, quase óssea. O doente, apesar de ter pés e mãos transformados, não sofria outras alterações e continuava a viver. Havia relatos ainda não confirmados de pacientes com alterações nas cordas vocais, e estado mental de grande agressividade. As fotos eram chocantes, mas a todos os pacientes uma circunstância parecia ser comum: eles não se queixavam muito do estado em que se encontravam. Ainda era muito cedo para afirmar demais sintomas e se a doença faria o paciente ir a óbito, diziam os médicos. Tudo era muito novo.

Cheguei em Litorânia na manhã seguinte. O clima político em ebulição, as notícias da guinada de Montanaro, sua desistência do Pacto de Assunção, o afastamento de Mórus, soltura de Lucas e a aproximação com o Parlamento misturavam-se, no balé holográfico, pelo ar, poluindo ainda mais o visual, com os fôlderes virtuais sobre a nova doença. No aeroporto internacional de Litorânia, as autoridades aeroportuárias não fizeram nenhum tipo de exame, nem entrevistas, e logo pude dispensar no banheiro a roupa, mas resolvi ficar com a máscara. Embora cansado, cumpriria o meu compromisso com Tenório. A ideia de encontrá-lo, com meu amigo

Rogério Pietroboni, era acalentadora, pois poderia, enfim, conversar com alguém sobre o meu desfecho comBenigna. O restaurante era o Pandemicus. Havia feito uma reserva num hotel, até que minha situação com o Pluna ficasse acertada.

Benigna havia ficado para trás, isso era o mais importante, e o desafio daquelas próximas eleições me dava novo ânimo de seguir em frente, embora a depressão fosse grande. Eu estava quinze quilos acima de meu peso antes de conhecer minha segunda mulher, com dívidas bancárias desnecessárias, desregulado financeiramente, afastado dos amigos. O longo tempo com Benigna foi errático. A verdade é que temos muito pouco tempo para compreender. Uma vida humana não parece ser suficiente, não é nada em comparação com a idade das coisas, e sempre corremos contra o tempo. Olhava para trás decepcionado comigo mesmo, destroçado pela verificação do equívoco, do ausentar-se, do vender-se. Essas constatações me foram corroendo a alma durante um tempão. Ao mesmo tempo, precisava me livrar das substâncias que auxiliaram na dispersão de minha atenção. Era impressionante como hoje eu posso observar, até mesmo em função da recomposição do sistema, com bastante clareza os momentos em que fugia do álcool e dos ansiolíticos, e me concentrava na atividade física. Com o passar do tempo, com minha mente clareando, minha companheira observava o ingresso da serenidade e de uma lucidez conducente à verificação dos abusos, mas, em lugar de incentivar a troca de estilo de vida, procurava o meu embotamento. Obviamente, hoje, e até mesmo na época, sempre compreendi honestamente, com o coração sincero e tranquilo, uma responsabilidade total pela minha opção, algo inevitável, culpa minha. Se eu erro, se sou enganado, pensava, e, na situação na qual hoje me encontro, com mais clareza, sistema operacional em dia, objetividade e racionalidade, muito em função das novas circunstâncias, ainda penso, o descuido é obra do descuidado, não do descuidista. A lição de Pietroboni, quando de sua fala acerca da construção sobre o falso, é esta, sabemos, mesmo inconscientemente, por pulsão de morte, o buraco onde estamos nos metendo. No entanto, é preciso um reparo, algo de justiça, de precisão de colocar as coisas em seus devidos lugares. Se a obra do descuido é mais do descuidado, não há como rechaçar que o descuidista aparece na ocasião, se mostra oportuno, se enlaça com o tempo, com as circunstâncias, se encaixa na fenda, contrata matrimônio com o demônio naquele exato instante em que o detalhe está somente na sua cabeça e, como um vírus, se instala no organismo frágil, ingressa nos seus meandros mais íntimos, descobre deficiências, vaidades, carências, se replica, toma conta e acaba com o descuidado. A cura é demorada. Olha-se para trás com raiva, com ódio, primeiramente, depois, pelo que vi, isso se transforma em indiferença. Ainda não consegui ingressar na seara do perdão, mas, pelo que falam os sábios tibetanos, deverei ser um dia grato àquela proporcionadora dos maiores erros da minha vida. Tudo bem. E assim busco, na transposição do dia a dia, mediante a *experiência com coisas reais*, na assertiva de que *disciplina é liberdade* e na certeza de que nada substitui a luta incessante nascida a cada manhã, olhando para trás apenas para não errar o velho, pois errar o novo é da vida, até uma necessidade da vida.

Caminhando para a saída do aeroporto, após responder à mensagem de Tenório para confirmar o almoço, um holograma gigante de Lair Montanaro, no centro do saguão, reproduz uma fala do presidente sobre a nova doença:

> *Não há razão para alarmismo. Não sei a razão pela qual estes canalhas estão impondo restrições aos nossos cidadãos no exterior. Só pode ser fruto de ideias há muito tempo deixadas de lado, como o comunismo, e que agora querem se implantar de novo na nossa querida Lisarb. Não somos idiotas. Esta doença nova, ainda não sabemos, parece apenas atingir os mais idosos e é um surto apenas. Consultei os especialistas. Todos dizem a mesma coisa. Vai passar rapidamente, não devemos temer. Ainda não há nenhum relato de mortes e elas não deverão ocorrer. Já estamos providenciando um medicamento curativo, em breve anunciaremos. Continuem com suas atividades.*

Eram poucas as pessoas usando máscaras. O aplicativo marcava mais de trinta minutos para a chegada de um VAL. Resolvi ir de táxi normal.

— "Hotel Vila Galã, centro, por favor".

— "Pois não, doutor."

O taxista não usava máscara. Pedi para abrir os vidros da frente. "Tudo bem, doutor". Ele puxou assunto sobre a nova doença:

— Doutor, isso tudo é uma bobagem. Acabei de voltar do Sul. Está todo mundo bem por lá. Minha família está ótima, não tem nenhum caso na minha cidade. Vou lhe dizer uma coisa, doutor, eu acho mesmo que isso aí é uma invenção. Um reumatismo que deu num e noutro lá, pelo amor de Deus. Está certo o Montanaro. Imagina só se tem que parar as coisas, como alguns médicos estão dizendo.

— Cheguei hoje pela manhã, ainda não vi nenhum médico falando sobre isso.

— Alguns médicos comunistas estão dizendo que é preciso fazer medidas restrititivas. A nova doença está começando no interior, especialmente nas zonas rurais.

— Há quantos dias você esteve no Sul?

— Cheguei de lá anteontem.

Nesse momento o *allphone* do taxista toca. Ele pede licença para colocar no modo holográfico. Uma mulher idosa, de uns 70 anos, está projetada no banco do carona. Ele diz estar em serviço, e precisa ser uma ligação rápida:

— Seu pai foi internado ontem.

— Como assim?

— Começou a ficar sem voz, muito agitado. Um colega do André esteve aqui em casa mais cedo, falou da nova doença e ele mandou o guri calar a boca, tomar naquele lugar. Seu pai nunca foi de dizer palavrões... O rapaz não ficou quieto e tivemos de segurá-lo para não bater no menino. Muito estranho, ele está bem, sem febre, os dedos das mãos e dos pés estão normais, mas a voz está estranha. Tem hora que não dá para entender o que ele fala.

— Me manda notícias. Assim que eu terminar esta corrida, eu ligo novamente para a senhora.

Não falei nada. O taxista também não disse nada mais, apenas ligou o rádio e seguiu o caminho. O carro era de câmbio manual.

Em cima, dependurada no retrovisor, uma flâmula do time Imortal, em estilo Início do Século, revelava sua paixão pelo futebol. Notei que ele começou a mexer os dedos da mão direita, como se estivesse a exercitá-los. Usava o relógio na mão direita, com uma tela que a mim se mostrava preta, cujo objetivo era, justamente, trazer apenas para o campo de visão do olhar do dono do relógio as informações de hora e outras interligadas ao *allphone*. O dedo mínimo e o anular, talvez impressão minha, assim pensei, estavam mais unidos, e o motorista se esforçava em separá-los. Como se estivesse fazendo uma fisioterapia espontânea, ele mexia incessantemente os dedos. Parecia agitado depois da ligação. Reforcei a máscara e abri os demais vidros. Já estávamos quase no centro de Litorânia quando avistamos um grupo grande, quase uma centena de pessoas vestindo camisetas verde-amarelo, algumas empunhando fuzis. Traziam faixas dizendo que a nova doença não existia, pedindo para que Montanaro decretasse Estado de Defesa. Estavam atrapalhando o trânsito, muitos no meio da via faziam o condutor reduzir a marcha. Um pai com dois filhos, um em cada mão, gritava palavras de ordem contra o PEV e Lucas, um engarrafamento se formava atrás do nosso carro. No céu, dois helicópteros. Ouviam-se estouros de fogos de artifício. O taxista, nesse momento, não se conteve e se agitou dentro do carro:

— O homem está aqui, o homem está aqui hoje, doutor, olha o helicóptero dele.

Atravessamos a pequena multidão, adiante, uns trezentos metros seguindo a rua, quase no hotel. As ruas estreitas do bairro boêmio mais antigo de Litorânia começavam a se mostrar, com seus botecos e mesas amarelas de plástico. Grupos de jovens brancos de aparência nórdica contrastavam com a massa parda lisarbense, o calor úmido, típico da cidade, e uma brisa com maresia se misturavam e ingressavam no táxi. O motorista seguia sua fisioterapia. Adiante, avisou-me não poder deixar-me exatamente na frente do hotel, pois recebera o aviso do aplicativo sobre um outro protesto, em sentido contrário ao primeiro:

— Esses comunistas estão fazendo arruaça em frente ao hotel do doutor. Estamos a menos de cem metros do hotel. Vou deixar o senhor naquela esquina. Pode ser?

— Sem problemas.

— Desculpe, doutor. Temos que matar esse pessoal, não vai ter mais jeito.

Mais uma vez calei-me, foi-se o tempo. Meu objetivo era chegar ao hotel, deixar a mala, não muito grande. Meus pertences, meus livros, estavam num depósito nos arredores de Roma. Eu só daria destino a eles quando firmasse o contrato com o Pluna. Meu *allphone* toca em ligação tradicional, era Suzana. Não falava com ela havia alguns meses, mas tinha avisado por mensagem da minha separação na semana anterior. Ela, de certa forma, acompanhou meu casamento, pois mantivemos sempre o diálogo. Pensei se atendia ou não. Olhei as mensagens. Ela havia perguntado se eu estava em Lisarb e se podia falar rapidamente ao telefone. Atendi:

— Oi, Suzana, tudo bem?

— Sim, tudo. Está em Lisarb?

— Sim, em Litorânia, naquele trabalho que cheguei a comentar com você na última mensagem. Você está no Estado Celeste? Vi que o número é internacional...

— Sim, estou por aqui. Ótimo que iniciou o novo trabalho. Eu precisava falar com você pessoalmente. Deverei ir a Litorânia, posso dar uma passada por aí na semana que vem. Algum problema?

— Imagina, por favor, me avise quando vier.

— Vou te mandar mensagem, é importante.

Nesse momento, o táxi deu uma freada forte. Um pedestre de camisa vermelha, militante pevista, havia atravessado a rua correndo. Atrás dele, dois policiais militares. Meu *allphone* cai no assoalho. A irritação toma conta, pela primeira vez, o taxista pede desculpas, pego o telefone de volta sem desligar a chamada com Suzana, e o coloco no bolso de dentro do paletó. Desço do táxi.

Há alguns dias, estive naquela mesma região. Há poucos dias estive ali, naquela mesma região, mas agora percebia uma atmosfera mais pesada, observei os velhos prédios, os táxis amarelos, os vende-dores de rua. Mulheres na varanda, nas ruas paralelas à principal onde me encontrava, esticavam roupas nos varais, mendigos, muitos, deitados em frente a um comércio fechado de livros, um velho sebo onde eu costumava achar raridades e que tinha deixado de existir. Cachorros tomavam banho numa poça d'água formada por uma adutora furada, jorrando água ao lado de um hidrante vermelho. Lembrei dos meus 20 e poucos, quando estive pela primeira vez, com meu primo Ali, em Litorânia, cidade cuja beleza eu apenas costumava ver apenas pela televisão. Ficamos num hotel próximo do centro também já fechado, com promessas de ser reaberto por um grande empresário, preso após julgamento pela inconstitucionalidade da Doutrina da Aceitação. Época na qual pouco imaginava sobre onde andaria, apenas queria andar. Cheguei ao hotel por volta de umas dez e meia da manhã, um antigo colégio privado adaptado, com um palacete em estilo clássico, cujas antigas salas de aula haviam sido transformadas nas melhores suítes. Daria tempo de descansar antes do almoço. O saguão, onde se via bem no centro do piso uma rosa dos ventos em mármore, recebia turistas, dentre os quais o grupo de jovens nórdicos avistado por mim de dentro do táxi, um casal japonês, ambos de máscara, e um mensageiro vestido com uniforme vermelho formavam o ambiente típico dos *lobbys* de hotel de cidades turísticas. Enquanto os procedimentos de ingresso eram feitos, preparei um café expresso duplo. Dispensei o mensageiro e fui até meu quarto sozinho. Seria uma das suítes, com vista para uma bela piscina retangular em tamanho semiolímpico. O calor era forte, talvez tomasse um banho. Não havia escadas, o quarto era térreo, e o prédio, do século XIX. Coloquei as malas em cima de um suporte, liguei o ar-condicionado e descansei. Meu pescoço doía. Olhei o *allphone*, a dose de ibuprofeno havia acabado no Sistema Intravenoso Orgânico. Um pouco de ansiedade veio. Definitivamente, eu ainda não havia aprendido que não podia tomar café duplo. Estava tentando não usar mais o megazepan, não ativei o SIO. Várias toneladas haviam ficado para trás e adormeci, mesmo com um pouco de ansiedade. Estava cansado.

VII

Quem faria uma refeição num restaurante chamado Pandemicus? Era uma brincadeira de Giovanni, o dono da *trattoria*, cujo tataravô fez fortuna no interior do Estado Metropolitano durante a Gripe Espanhola, quando teria sido um dos inventores da famosa caipirinha. "Devo toda minha pequena fortuna, que se reduz a esta bodega, a uma pandemia", gabava-se o carcamano em meio a goles de cachaça e gargalhadas. O restaurante era todo decorado com fotos antigas de cachaças e propagandas das primeiras caipirinhas, um elixir vendido no início do século XX, durante a pandemia de Gripe Espanhola, como modo de matar o vírus. Imaginava-se que o ácido acético do limão acrescido de álcool limparia o organismo. Em função dessa ironia histórica, a bebida mais conhecida de Lisarb, mundialmente apreciada, fora inventada. Lotado o restaurante, Tenório, feliz com minha chegada, batia alegremente um papo com Pietroboni, de passada por Litorânia, no balcão, esperando uma mesa. Os dois, como eu, estavam de máscara. O assunto, obviamente, era a nova doença, quando cheguei, atravessando o tema:

— Teremos uma nova pandemia?

— Ao que parece — respondeu Tenório. — Mas esta tem características diferentes da Gripe Espanhola. É um vírus transmitido pelo ar, mas são muitos os sintomas, e ainda não tivemos casos com problemas respiratórios.

— Já há relatos, sim, de mortes no Estado Americano por SRAG — emendou Pietroboni.

— Ainda não tinha visto os relatos de Síndrome Respiratória Aguda Grave — informei.

— Sim, temos um rol extenso de sintomas. Está muito cedo. Aqui em Lisarb está no Estado do Sul, apenas.

— Negativo — atravessou Tenório –, os outros dois Estados da Região Sul apresentam diversos surtos no interior. Olha só, pessoal, estamos aqui rindo, o Giovanni é um cara bacana, já havíamos marcado este encontro, mas vou dizer uma coisa: está tudo mudando muito rapidamente, acredito que nos próximos dias haverá decreto de confinamento, e não poderemos mais nos reunir.

— Assisti hoje pela manhã a um discurso do Montanaro no aeroporto. Ele é contra, não irá decretar fechamentos.

— Depois daqui você vai para o diretório do Pluna? — perguntou Tenório.

— Sim, vou. Queria te convidar para fazer parte da equipe. É o único pedido de indicação pessoal que farei ao Cairo.

— Falamos depois sobre isso. Ainda estou na *Folha*...

— Pessoal, vagou uma mesa, o Giovanni está chamando lá no fundo — avisou Pietroboni.

Tomei um gole da cachaça de rolha que o italiano me ofereceu, e fomos ao fundo da *trattoria*, muito aconchegante, como todo restaurante italiano, mas eu já me incomodava com a nova doença, a ligação da mãe do taxista ainda estava viva na minha cabeça, e o mexer de dedos do motorista me preocupava. Até onde as máscaras protegeriam? Considero este almoço um marco do meu retorno a Lisarb. Estava com dois grandes amigos. Tenório, sempre irônico, não permitia que eu falasse muito sobre o passado com a Benigna:

— "Viveu, porra. Transou muito, porra. Curtiu, agora passou, olhar pra frente, *brother*".

Eu insistia em desabafar:

— "Foi um colapsar em marcha lenta, um desmoronamento para dentro, imperceptível para o próprio personagem, algo do que não me orgulho, a demonstrar minha própria torpeza e indignidade; os anos com Benigna, na verdade, foram um doutorado em maldade".

Pietroboni, mais tranquilo, mas sempre com fina ironia, consentia a fala passadista:

— "Deixa o gajo *hablar*, fui o *coach* dele na época, tenho responsabilidade pela decisão, agora temos de aguentar".

— "Só vou te dizer uma coisa, meu irmãozinho, vais ter de perder esta pança. Não tem sexo com isso aí não, viu?"

— Gargalhava o Tenório, que contava mais uma história:

— Uma vez eu fui dar uma entrevista sobre uma reportagem que eu havia feito sobre minha passagem pelo Cairo, numa rádio em que o dono era árabe. Era um programa desses em que os entrevistados passam o tempo todo no estúdio, e o entrevistador vai passando a bola. Tinha um outro entrevistado, era um médico urologista, falava sobre disfunção erétil.

— Tá, mas e aí?

— Aí, Rogério, que ele falou algo que eu não imaginava. O raio era que o entrevistador árabe era fã do médico e só passava a palavra para ele. Era uma explicação que relacionava a aterosclerose e as placas de gordura das artérias com a disfunção erétil. Ninguém se liga nisso, mas a verdade é que a gordura que mata no coração é a mesma que faz o nego brochar...

— Tá vendo, Alex, hora de baixar a pança.

— Vou iniciar um jejum intermitente..., mas só a partir de amanhã. Vou pedir um filé à Chateaubriand. Dupla homenagem, ao escritor francês e ao jornalista mais amoral da história lisarbense. Escolhe o vinho, Tenório, eu pago, como disse.

— Tudo bem. Traz um alentejano. Eu vou pedir um Oswaldo Aranha, em homenagem a vocês dois, do Sul. E tu, Pietroboni?

— Me contento com um robalo à moda do chefe, já que vamos falar de assuntos mais mundanos.

O outro tema de nossa conversa, além do desabafo sobre meu casamento com Benigna e a nova doença, foram as eleições presidências próximas, motivo maior do meu retorno ao país. Eu queria muito Tenório comigo na empreitada. Ele, sabedor da minha pretensão, valorizava o passe. Era um jogo quase combinado, porque ele tinha consciência plena de que eu sabia de sua estratégia e se entregaria ao final. Eu precisava dele para tentar construir o candidato do centro, tese na qual ele apostava. Rogério não acreditava mais em viabilidade no centro. O mundo havia se radicalizado demais, dizia ele. As duas teses eram boas. Pietroboni, ao seu estilo, jogava lenha na fogueira e não acreditava nem um pouco em uma vitória de Cairo Góes. Tenório, do mesmo jeito, não via o candidato do Pluna com força suficiente para desbancar Montanaro e Lucas:

— O Cairo vai ser engolido pelo Lucas. Nosso Líder Maior e Grande Companheiro vem com tudo. Montanaro está circunscrito a 20 ou 25 por cento dos eleitores. Lucas deverá ir para o segundo turno. Estou certo disso. A única chance do Cairo é derrubar o Montanaro, já no primeiro. Aí ele é capaz de levar no segundo, mas não acredito.

— Não tenho como trabalhar com o PEV, depois do livro que lancei, mas faço minha autocrítica em não ter batido mais no Montanaro. Essa gente estava no armário, Rogério, estão soltos, faceiros, vai ser muito difícil tirá-los, mesmo com toda a estupidez desse estúpido. Quando você foi me visitar em Roma, uns dias antes, eu recebi um casal de amigos da Benigna. O marido tinha sido ministro do Montanaro. Olha como pensa esse pessoal. Eu gosto dele, embora eu saiba que hoje está auxiliando a Benigna. Ele já estava bêbado, tinha tomado meia garrafa de Gentleman Jack, e fazia um discurso reacionário: "Alex, o fato é que a democracia, a república, são coisas muito chatas... veja este garçom que você contratou, você não se acha melhor que ele?".

Tenório estava começando a ficar mais dócil sobre a possibilidade de vir comigo para dentro da campanha de Cairo e explanava sobre o espaço e o sentimento de centro:

— Alex, eu não acredito muito no Cairo, mas a verdade é que o figurino centrista cabe mais nele do que nos demais que estão aí se apresentando. Ele ainda tem mais eco, é mais conhecido e tem um partido estruturado, embora pequeno. Não sei se ele irá capturar o sentimento de centro. Vejam vocês dois o seguinte: o centro oscila entre o empate perfeito de um terço do eleitorado com Lucas e Montanaro. Acredito que mais de um terço das pessoas não querem nem o retorno de Lucas, nem a continuidade desse desastre. Esse sentimento está difuso, só ainda não conseguiram um candidato, uma pessoa viável a derrotar os dois, que são fortes.

— Tenório, não há mais o centro, não tem mais espaço para o morno. O Cairo está confuso. A primeira coisa que um candidato precisa é definir a estratégia. Ele está dúplice, antitético. Ele nunca teve uma definição ideológica clara. Precisa se definir, parece biruta de aeroporto. No início, posou à esquerda; com o retorno de Lucas, quer posar de centro e agora tenta abocanhar a direita não montanarista.

— Sim, mas não conseguiremos construir uma alternativa a estes dois polos? — perguntei ao Rogério.

— Não. Simplesmente as pessoas desistiram do centro. Ele é inócuo, morno, sem graça, não transformador, faz concessões demais, não é assertivo. Isso não existe mais na nossa sociedade. Talvez estejamos vivendo algo muito próximo do que vivemos no Iluminismo, mas às avessas. O centro não muda nada, o centro é para sociedades estabilizadas. Quais são elas? Temos quantas no mundo? O centro é para o depois, mas nós não conseguimos terminar o antes. Infelizmente, quando a sociedade constatou isso, depois de o PEV ter feito um governo de centro, centro-esquerda, traindo seu ideário, foi a hora de retirá-los do poder, e quem assumiu foi esse bando de lunáticos. Mas observem: a tal desintitucionalizão pregada pelo Pluna quem está levando à frente é a ultradireita, acabando com o Estado, mas não do modo mediado, aparador de excessos, implementador de democracia direta, como quer o Pluna. Eles, o Montanaro, o Partido Verde-Louro, esse pessoal violento está ingressando com muita competência na dor do povo que está de saco cheio de política, de impostos, de Estado, de juízes ladrões. Eles parecem histriônicos, patéticos, e são mesmo, mas canalizaram a insatisfação. Agora, tem uma coisa, eles não perceberam, muitos deles incautos, que vão entrar pelo cano, pois estão destruindo o único meio de fazer a mediação. Vai ser muito difícil, mesmo para Lucas.

Tenório era um dos melhores analistas políticos que eu conhecia. Ele estava certo, a sociedade lisarbense era puro ódio a Lucas, ao

PEV, a Montanaro, que pregava abertamente o divisionismo, mas o sentimento, a vontade de ter novamente um líder ao centro parecia mais próxima de um pensamento desejoso de Tenório do que propriamente uma tendência mostrada pelo números e também do exemplo das demais democracias mundiais, à beira da falência e polarizadas. A insatisfação com o modelo democrático, com suas manipulações, instrumentalizações e com a corrupção ínsita foi escancarada pelas redes sociais. Os fôlderes virtuais, os pequenos vídeos holográficos chegando a todo instante dentro da casa das pessoas, mostrando os defeitos e a ineficácia do modelo democrático, haviam sido capturados pela ultradireita. Todas as vertentes políticas ligadas ao humanismo, desde a democracia cristã mais à direita, passando pelos sociais-democratas, ao centro, até os socialistas, à esquerda, eram atacados pelos montanaristas. O mundo estava assim, desigual, injusto, corrompido, por causa do ideário "comunista", uma fala tendente a resgatar no atavismo gerado pela Guerra Fria do século XX o medo e o ódio, sentimentos destrutivos excitados por Montanaro. A figura do lisarbense cordial, amigo de todos, tinha ficado no passado, se é que um dia existiu de fato e não foi uma idealização. Parecia mais correto o rompimento de um pacto tácito e tênue de séculos, no qual uma luta de classes surda em Lisarb guerreada diariamente, de forma não declarada, hoje falava mais alto. As Zonas Muradas das cidades, o Caminhão Freezer-Triturador, a despersonalização efetuada pelas polícias, mortes sem julgamento reguladas pelo Estado, agora ainda mais vivas com Montanaro, formavam uma moldura para um quadro muito claro. Os anos de PEV e Lucas, com grande liquidez e crescimento econômico, mascararam o *apartheid*. Montanaro incentivava um conflito violento entre os mais conservadores, como evangélicos, mercado financeiro, agronegócio, e as universidades, o meio artístico, os sindicatos e setores ligados aos direitos humanos. Essa era a face mais visível de um conflito. Em *2038*, ao final, os protestos eram o prenúncio do rompimento de uma bolha histórica. Depois vimos que não era somente a insatisfação do Pluna, o que veio foi difuso, misto, uma insatisfação gereneralizada com as instituições. Além de capturar a classe média descontente com a política, Montanaro, mesmo dentro da política, paradoxal e legitimamente, era o representante da antipolítica. Do outro lado, fustigados pela incoerência da prática, desnorteados pela falta de discurso, e precisando defender instituições carcomidas, a maior parte dos lisarbenses estava perdida e não assimilava o golpe e a superação da divisão interna.

Um estouro em frente ao restaurante interrompeu o diálogo, justamente na hora da chegada dos pratos. Todos levantaram-se e foram ver o que acontecia na rua estreita do centro de Litorânia. Era uma batida entre dois automóveis. Uma colisão frontal. À esquerda do restaurante, alguns militantes pevistas reclamavam indignados. Estavam na mão certa da via, e um carro de um militante montanarista, na contramão, havia fechado a frente e forçado sua parada com a colisão. Dei dois passos à frente e fui até a calçada. Com uma camisa amarela, empunhando um revólver, o militante, descalço, gritava palavras de ordem em cima do capô do carro pevista. Observei a deformação típica da nova doença nos seus pés descalços, em estágio avançado, formando um casco bipartido. Mesmo com os pés deformados, ele se mantinha em pé, entre exaltado e exultante, entre sátira e tourada, suava em bicas, olhos esbugalhados, cabelos loiros desgrenhados, um misto de ódio e estupidez e, como se a sapatear sobre o corpo do inimigo, o barulho do bater de lata do capô produzido pelos cascos misturava-se ao som gutural de seus berros, alternando palavras de ordem com gritos ininteligíveis. A voz soava grave, como um som de um berrante, entre os gritos de "fora, comunistas". Embaixo, acuados pelas armas e tiros dos demais, os pevistas recuaram. A polícia assistia a tudo inerte, apenas desviando o trânsito. Os olhos vermelhos do montanarista contrastavam com uma baba branca saída da mesma boca de onde despontavam caninos proeminentes. As suas mãos já davam sinais de avanço dos sintomas. Era particularmente assustador o fato de a arma estar sendo empunhada apenas por dois grandes dedos, bambaleando, à mercê de um disparo a qualquer momento. Giovanni bateu nas minhas costas:

— Alex, entre no restaurante, vá almoçar. Vou fechar as portas agora.

— Certo.

Olhei para trás, Rogério e Tenório estavam voltando para dentro e já se encaminhavam para a mesa. Os pratos, servidos.

Terminamos o almoço enquanto a confusão se amainava em frente ao Pandemicus. Não havia nenhum morto, nem feridos, apenas a cena grotesca e a certeza de que a nova doença havia saído do interior e ingressava nos grandes centros. Despedi-me dos amigos e me encaminhei para a reunião que iria selar meu destino junto ao Pluna. Rogério iria embarcar para o Estado do Sul no dia seguinte; Tenório, morador de Litorânia, recebera uma mensagem de reunião imediata na *Folha*, cuja pauta era a nova doença e o discurso que Montanaro estava fazendo naquele exato instante, sobre o mesmo tema.

Fui a pé até o prédio da sede do Pluna. Estava a pouca distância, alguns quarteirões. Havíamos bebido apenas uma garrafa de vinho, e o café havia cortado algum resquício de sono, estava sem ansiedade e, ao mesmo tempo, sabia da necessidade de baixar o peso. Fazê-lo em meio ao que se prenunciava seria um desafio tão grande quanto ajudar a colocar Cairo no segundo turno. Saber dessa limitação libertava e amarrava. Há um paradoxo muito desconfortável sobre o autoconhecimento, pois quanto mais o buscamos, mais vemos uma certa inutilidade quando estamos diante de sentimentos ambivalentes. Com quase 50 anos, sempre acostumado à agitação, pressão e estresse, o vinho, o charuto, o uísque eram oásis de tranquilidade, pílulas de felicidade, e *existem também drogas pra dormir,* mas talvez seja melhor não usá-las para melhor *ver os perigos no meio do mar.* Constatar a necessidade de trocar o imediatismo das substâncias pela atividade física era uma necessidade. Era simples, eu poderia contar com a sorte e não morrer ou usaria a estatística a meu favor e diminuiria os riscos de ter um ataque do coração. Naquela fase da vida, é muito mais fácil morrer do que viver. Caminhando, pensando na reunião, avistei o resquício da encrenca em frente ao restaurante, o aparato de pessoal do Caminhão Moral e Cívico, a Polícia Especial, um juiz e um promotor agora apuravam, em função de decreto recente de Montanaro, manifestações consideradas contra a ordem, os bons costumes, a moral e a ética do cidadão de bem. Militantes pevistas prestavam depoimentos ao juiz sob a custódia provisória da Polícia Especial, enquanto o Ministério Público denunciava os manifestantes pelo crime de "afronta à ética do cidadão de bem". O advogado somente poderia ingressar no processo após a denúncia e a divulgação pública das acusações. Crime genérico, normalmente, era utilizado quando duas manifestações como aquela se contrapunham na rua, pois os cidadãos de bem atingidos, no caso, eram os montanaristas. O decreto, em pleno vigor, pendia de análise de constitucionalidade na Suprema Corte.

Cheguei à reunião no horário indicado. Lá estavam, de máscara, todos os assessores de comunicação, o coordenador-geral da campanha, Mauro Pereira, um dos mais experientes políticos lisarbenses, o publicitário responsável pela campanha, José Campana, e o próprio Cairo Góes, envolto numa ligação em modo tradicional. A sala era ampla, desprovida de adereços, uma mesa grande de vidro, para vinte convidados, as cadeiras em couro preto, alguns quadros de velhas lideranças plunistas, uma cafeteira e um filtro com água gelada. O ar-condicionado ligado no máximo ficava em cima da janela ampla, um quadro vivo, cuja estampa principal era a Baía Grande, seus navios, petroleiros, os aviões pousando no Aeroporto Central e, ao fundo, a Serra dos Imperadores. Dentro daquele aquário, uma porção de homens da política buscava desafiar Montanaro e, cada um a seu modo, deveria entregar-se de corpo e alma àquela campanha, cujo início, na prática, estava se antecipando, quer pelo retorno de um octogenário Lucas ao páreo, quer pelos fatos dos últimos dias, uma nova doença ainda desconhecida que remexia reações distintas dentro de cada um dos lisarbenses. Numa parte, a maioria, medo, insegurança e falta de perspectivas; na outra, a minoria, um oportunismo mórbido inacreditável de cenas surreais fazia qualquer hipérbole reduzida, e não havia distopia, por mais bem escrita, cujas linhas superassem ou mesmo só dessem conta do real. Cairo terminava a ligação, falava com Lucas, debatiam uma trégua aos ataques provenientes do plunista. O pevista argumentava pela impossibilidade de reatarem os laços no segundo turno das eleições. Eles estavam marcando um almoço para os próximos dias. A ligação, mediada por Mauro, fazia parte de uma tentativa deste último de deixar as pontes abertas. Cairo, irascível, vislumbrava sua única chance em ganhar o universo de eleitores da centro-direita não montanarista. Para isso, precisava antagonizar Lucas. Digladiar com o pevo-luquismo e manter pontes era uma conta muito complexa. Minha chegada ao núcleo da campanha seria para avaliar cenários, ler pesquisas, auxiliar os dois outros coordenadores a encaminhar Cairo e o Pluna. Antes de ingressarmos na pauta da reunião, Cairo, após terminar a conversa com Lucas, fez uma breve explanação sobre os temas e me apresentou aos demais. Ao final, assistiríamos à fala de Montanaro do meio-dia sobre a nova doença.

— Pessoal, estamos vivendo o divisionismo. O Montanaro persegue a luta entre os cidadãos, entre irmãos. Provavelmente, pela primeira vez na história, esse acordo implícito de hipocrisia será rompido. Estou vendo famílias, amigos de infância, brigarem entre si, famílias se dividirem. É por conta desse ser pernicioso, traidor. Ele vê nisso uma oportunidade de crescer, de continuar no poder. Ele só cresce no ódio e na discórdia. Esse negócio acirrou-se agora, com o retorno do Lucas à possibilidade de disputar. Tem mais coisa, ele está desacreditando o sistema eleitoral, cooptando setores das Forças Armadas. Vocês acham que os milicos entraram e sairão assim tão facilmente? Quem vai querer largar essa boquinha? É ingenuidade achar que vão largar o osso tão fácil. Somos um país autoenganado, onde uma figura cordial foi pintada, mas sempre fomos uma terra de massacres, de tragédias diárias... Bom, é o seguinte: o Mauro pediu para eu ligar para o Lucas, mesmo eu tendo batido nele nestes últimos dias, obedeci o comando e disse que a campanha centraria mais o fogo nas traições de Montanaro. Alex, o trabalho será redobrado. Para quem ainda não o conhece, hoje o Alex Tedesco se soma ao nosso time. Esteve um tempo fora de Lisarb, trabalhou com o PEV até os protestos de *2038*. Acho que todos aqui já leram ou ouviram falar do relato que fez sobre os anos pevo-luquistas. Enfim, tem muita experiência. Seja bem-vindo. Quer falar alguma coisa?

— Sim, presidente. Serei breve. Agradeço ao senhor e à equipe que vejo aqui pela confiança. Eu acredito na possibilidade de uma mudança, em algo que não seja o retorno do que foi, nem a manutenção desta desgraça. Fico honrado em poder somar. Iremos adiante, o desafio é grande, sem dúvida, mas temos um time forte.

— Obrigado, Alex. Vamos ver o discurso desse decrépito agora ao meio-dia. Depois, vou passar a bola para o doutor Bráulio Perrela, que vai nos atualizar sobre a nova doença.

Um projetor holográfico de última geração joga um feixe de luz, de cima para baixo, do teto para o centro da mesa, projetando Montanaro, que, propriamente, não fazia um pronunciamento, mas falava sentado num bar sem reboco, numa esquina, tomando um refrigerante com populares, com a camisa de um time de futebol. Atrás dos dois, à paisana, homens armados com fuzis compunham a cena, cujo desenho tridimensional era colocado para os plunistas:

Pessoal, eu só queria dizer uma coisa, e olha que tem muita gente esperando esta fala minha tem bastante tempo. Eu nem queria falar, pois acho que não tem necessidade. Somos homens ou somos bestas? Somos covardes ou somos maricas? Este negócio de nova doença não me pega, não. Nem adianta. "Ah, porque fulano está morrendo por falta de ar... ah, porque beltrano está tendo convulsão, está ficando violento." Primeiro, que tem muita mentira nisso aí. Tem invenção adoidado, vitimização. Agora, tudo que é tranqueira que a pessoa tenha na vida virou essa doença. Que porra é essa? Imagina se vira moda. O destino de todos nós é a morte mesmo, temos de enfrentar de peito aberto, de sair às ruas, levar o pão nosso para casa. Ninguém, nem o diabo, vai me fazer mudar de ideia. Então, já vou avisando, não tem discussão. É todo mundo na rua. A vida não vai parar por conta desse negócio.

— Pessoal, sem comentários, vamos à explanação do doutor Bráulio — pontuou Cairo, sendo interrompido por Campana.

— A questão é a seguinte: ele fala com a população. Ele atinge diretamente uma parcela identificada com aquele botequim, com aquelas mesas de metal e, principalmente, com essa destilação de raiva. Veja, Lucas sempre usou desses artifícios popularescos; jogava bola, falava em futebol, bebia cerveja. Até aí, nada mudou, mas há uma sutileza: as vísceras.

Após o comentário de Campana, Cairo Góes passou a palavra para o médico Bráulio Perrela. Utilizando-se do mesmo recurso audiovisual, exibiu um pequeno documentário em inglês mostrando alguns aspectos da nova doença. Traduzido simultaneamente pelos *allphones* de todos os presentes, começavam a rodar sobre a mesa imagens enormes das planícies do Mexas, estado no Estado Americano onde teria se originado a nova doença, conhecida por lá como Rened-47, derivada da Red Neck Disease. Doença do Pescoço Vermelho, em livre tradução. O nome, em homenagem à população mais afetada até então, os caipiras mexanos, trazia ainda o numeral relativo ao ano em que foi descoberta. Cairo pediu para que a imagem fosse diminuída, de modo a não se esparramar sobre os participantes. Bráulio diminuiu a imagem e disse que somente iria fazer sua explanação após o vídeo.

As imagens mostravam um laboratório no Mexas especializado em virologia. Era um prédio isolado, fora do perímetro urbano. Profissionais da saúde, cientistas com pipetas, vestindo roupas de isolamento, máscaras, toucas, eram vistos nas cenas em movimento, retirando longos tubos armazenados em hidrogênio líquido. As fotos externas de um grande prédio branco e, ao fundo, os campos mexanos com gado *hereford* pastando formam a paisagem arque-típica e trazem o espectador para o sul do Estado Americano. A câmera se aproximava do prédio com uma locução que sugeria que a origem do vírus poderia ter ocorrido naquele laboratório ou por acidente, a partir de uma espécie previamente existente no gado, ou por manipulação genética. Logo depois, noutro plano, o documentário começa a exibir vaqueiros, mexanos ruivos, alguns com as cabeças raspadas e os pescoços vermelhos do sol, grandes caminhonetes com rodas imensas pilotadas por homens muscu-losos, fortes, de cara fechada. Um rodeio, os arenitos vermelhos roubados do Estado Asteca, os prédios enormes das grandes cidades. O apresentador, nesse momento, após explicar as duas teorias sobre o início da doença, fecha o semblante, faz um olhar canastrão e passa a mostrar as faces não idealizadas da Rened-47: os doentes e seus sintomas. Pacientes com Síndrome Respiratória Aguda Grave entubados em UTIs, e pacientes sendo tratados em casa, pela família e por enfermeiros. Havia dúvidas se somente o doente deveria usar a máscara. Com os caninos proeminentes, uma pele endurecida na nuca, de coloração vermelha, olhos esbugalhados e vermelhos e as extremidades solidificadas, formavam cascos nos pés e nas mãos. Este segundo grupo parecia não ir a óbito pela doença e convivia com os sintomas, mas as imagens os mostravam sedados, em camas, sem camisa, com uma coloração vermelha da pele sobressaindo-se. Esse grupo tinha os mesmos sintomas do militante montanarista trepado sobre o carro. Outra tomada mostrava o acontecido quando não estavam sedados. O caso era de muita agitação, violência, com o doente urrando e socando as paredes, dando cabeçadas e agredindo quem estivesse na frente. O filme mostrava agora o mapa do Estado Americano com pontos vermelhos, onde a Rened-47 se espalhava do sul ao centro, para o meio-oeste, preservando as costas leste e oeste, cuja coloração permanecia azul, com poucos casos da doença. Após uma longa fala de explicação sobre a transmissibilidade e de um sintoma comum a todos os doentes que contraíam a segunda forma da doença, consistente em teimar no não uso de máscaras, o documentário mostrava o mapa da Europa, com alguns países do Leste, como os Eslavos do Norte, com um grande contingente de doentes, com os mesmos sintomas. Como os primeiros casos haviam sido reconhecidos no Estado Americano, reputou-se a turistas americanos terem levado o vírus para o Leste Europeu. Ainda não havia um consenso sobre a origem do vírus, e essa era uma discussão que iria se prolongar muito.

O doutor Bráulio começou sua explanação:

— Algumas coisas já sabemos, sobre outras não temos certeza. Vamos começar com aquilo que a gente sabe. Primeiro, é sim um vírus que transmite a doença. O Red Neck 47 é um vírus originado em bovinos. Transmitido pela saliva, gotículas saídas do nariz e da boca, ainda não se sabe exatamente como o ser humano o contraiu pela primeira vez. Tudo indica que os mexanos, amantes da carne malpassada, como os nossos amigos do Estado do Sul, contraíram essa doença, cujos sintomas, raramente, eram vistos nos animais. O que se sabe é que os bovinos não mais adoeciam desse mal. No início do século passado, há relatos sugerindo que o Rened-47 acometia o gado como se fosse uma hidrofobia. Mas não há mais casos relatados. Os animais hoje vivem em paz, sem esse mal. O que se sabe mais? Se sabe que existem dois grupos grandes de sintomas. Os sintomas respiratórios, que podem fazer a pessoa evoluir a óbito em poucos dias, e este outro grupo ao qual estamos chamando de *sintomas animalescos*, em que os pés e as mãos se transformam em cascos, o pescoço e o resto do corpo tomam uma coloração avermelhada, e a pessoa é tomada por muita agressividade, com alterações na fala. Ainda se sabe pouco sobre a evolução desses sintomas, se o paciente pode morrer, se terá outras partes do corpo atingidas com a evolução da doença. Tudo ainda é muito novo.

— E em Lisarb, doutor? — perguntou Mauro Pereira.

— Em Lisarb começou no interior dos estados da Região Sul. Não se sabe ao certo se foi uma coincidência, esta da carne, mas o mais provável é que tenha se originado a partir de turistas lisarbenses que visitaram o Mexas no início do ano. Neste momento, só uma grande pesquisa, uma investigação a fundo para compreender como veio parar aqui, mas parece essa primeira hipótese. O que é certo é: usem máscaras e evitem locais fechados. Reuniões como a que estamos fazendo hoje talvez não sejam as mais adequadas. Nos próximos dias provavelmente haverá determinações de fechamento. Não sei como faremos com a campanha eleitoral que vocês farão parte.

Bráulio trazia uma ponderação sobre algo novo, sobre cujos contornos ainda não tínhamos refletido em conjunto ou individualmente. Como seriam as manifestações de rua, com uma doença progredindo a passos largos? A reunião seguiu com assuntos de conjuntura e deliberações sobre os próximos passos. Cairo pediu para que eu falasse com Mauro Pereira e assinasse o contrato. Eu faria parte da coordenação-geral, redigiria o plano de governo e analisaria os cenários em conjunto com Mauro e Campana.

O primeiro, mais ligado à articulação política; o segundo, ao marketing propriamente dito. Eu seria mais uma voz. Tinha apenas um pedido: trazer um assessor, que seria o Tenório. Como eu ainda não tinha o aceite dele, isso me trouxe certo desconforto, pois a hora de pedir era na assinatura do contrato. Mas fiz um meio-termo, negociando o pedido futuro na conversa com Mauro Pereira. Saímos juntos da sala e fomos ao gabinete individual de Cairo. Mauro tinha sido deputado federal por Litorânia por doze mandatos. Pelo menos quatro gerações políticas completas haviam sido por ele testemunhadas, e, nos três últimos grandes ciclos, governos autoritários, redemocratização, governos pevistas, exercera liderança com relevância e protagonismo estadual. Sua trajetória sempre fora no Parlamento, sem conseguir espaço em eleições majoritárias. Oscilando no centro, no início da trajetória, mais à direita e, nos últimos, à esquerda, a eleição de Cairo deveria ser sua última grande missão. Estava velho, mas considerava a inteligência, antes do ódio a Montanaro, a única saída para poder derrotá-lo. Ele era o grilo falante de Cairo, seu amenizador.

— Não odeie seu inimigo, isso te turva a visão, não aprendemos isso com o Mário Puzzo? — perguntou a mim, abrindo a conversa.

— Sim, com certeza. O Montanaro tem um plano, não é um imbecil, concordo com o senhor.

— Isso, então precisamos esquadrinhá-lo, mostrar seus erros, entender como se enraizou na mente dos lisarbenses, como esse modelo destruidor não adianta, sua incoerência com relação à corrupção também.

— Ele é o antipolítico sendo político...

— Olha, eu estou no Parlamento há quatro décadas, sei o que ele fala. A gente é um mosaico, tem histórias de todos os lados. O problema de ser político é que tudo é muito caótico, o dia é uma maratona, as horas são massacrantes, os acontecimentos se sucedem, e não paramos para organizar. O Cairo até que consegue escrever. Mas vou te dizer o que eu acho: o Montanaro tem doses grandes de razão. O que há é uma fúria com a ineficiência do sistema político. Isso é real, ele não inventou.

— Concordo, ele apenas se utilizou dessa insatisfação, com boas doses de agressividade, falando aos borbotões, sendo direto.

— Sim, mas com muita hipocrisia também. O que ele aponta para o PEV, corrupção, cleptocracia, ele praticou a vida toda, fez patrimônio assim. O sistema que ele diz não funcionar, ele fez parte também, nunca fazendo nada de diferente para mudá-lo. É isso que precisamos mostrar, é isso que o Cairo precisa deixar claro. Deixa eu te perguntar uma coisa. O contrato é este aqui, acho que vocês já se acertaram. Eu não trato de dinheiro, o Cairo pediu só para que você levasse a minuta, desse uma lida, se está tudo ok etc. Você está num hotel no centro da cidade? Está gostando de lá? Nós alugamos um apartamento na Zona Sul. Você se muda para lá amanhã, pode ser? Outra coisa, vamos ter muita coisa para fazer em Lisarbia. Você sabe como é uma campanha, enfim, ponte aérea. Outra coisa. O Cairo pediu para você dar uma acelerada no programa de governo. Esse é um dos pontos de nossa próxima reunião, na segunda.

— E a nova doença?

— Vamos ter de reavaliar tudo...

— Mauro, eu gostaria de indicar uma pessoa, mas ainda não tenho o nome. Alguém para fazer a ligação com a imprensa, diretamente comigo.

— Traga o nome e discutimos.

— Ok. Amanhã te falo.

Terminamos a conversa, peguei a minuta e pedi, pelo aplicativo do *allphone*, um VAL na estação localizada em cima no terraço da sede do Pluna. Estranho não ter tido nenhuma ligação desde a conversa com Suzana, no táxi, quando o celular caiu no chão e fiquei sem me despedir dela. Cairo estava ocupado com várias ligações. Despedi-me apenas com um aceno, no que fui respondido com aquele meio sorriso, cuja interpretação, se positiva ou irônica, é impossível de distinguir sem outros sinais, ainda mais com a máscara, mas parecia feliz com minha chegada. O ambiente estava animado, idas e vindas de assessores, telefonemas, projeções holográficas, muito movimento, não lembrando em nada a sala onde estivera alguns dias antes, tudo mudara, a energia era outra. Dispensei o elevador, subi pelas escadas até o último patamar do edifício, observando que a força destrutiva e construtiva são a mesma coisa com o sinal inverso. A medida de uma campanha também se equilibra neste prumo, bater muito no adversário, eufemisticamente chamando isso de desconstrução, mas mostrar soluções concretas por meio de discursos nem sempre coerentes, mas tudo bem concatenado, em meio a ficções estruturadas, com muita gente sorrindo nessa parte, em contraste com a propaganda em cores mais sombrias da parte da negativa.

Já foi dito que numa campanha se pode fazer o diabo. Esse pensamento nos trouxe até aqui, foi essa lógica de normalização da mentira, da demagogia, do falseamento de estatísticas, da venda da ilusão, do sonho, do irreal, do impraticável, que promoveu um desgaste sem volta para a classe política. Essa prática fez uma parte bem considerável do fracasso do modelo de representatividade. Sim, é algo tão simples, tão pueril, algo muito próximo ao desiludir-se de um filho quando descobre que os pais mentem, pois os representantes não têm compromisso com suas falas. Parece simples, mas nesta perda de confiança, neste descortinar do erro, do engano, do embuste, encontra-se uma das raízes de toda tragédia humana. A traição faz parte do nosso nascedouro, está no *Gênesis*, começa com o ser humano. Talvez seja a primeira ou a segunda coisa que fez na terra: enganar. Nisso, essa campanha seria muito interessante, pois não precisávamos inventar nada de novo sobre Montanaro. A metamorfose ambulante era ele, afinal. Seu método de falseamento, no entanto, era tão escancarado, suas mentiras tão deslavadas e chapadas e a forma como distorcia os fatos sempre efetuada de maneira tão primária, em níveis tão grotescos e cômicos, que fugiam à lógica normal do debate em que se desmascara o adversário. Montanaro, contudo, não estava inaugurando nada, apenas hiperbolizando a prática da mentira no universo político, trazendo para dentro do debate lisarbense algo que Lucas e o PEV, com justiça, não utilizaram: a pós-verdade. Esse conceito, mais sofisticado, com um pilar fundado na velha mentira humana e na propaganda goebbeliana, tinha outros aliados e se desgarrava desses ancestrais, pois pressupunha a supremacia do subjetivo, da vontade, de algo querido no íntimo, em lugar da verdade supostamente objetiva, concreta e amparada em dados científicos. Sem querer, a pós-modernidade identificada com a esquerda, entregou de graça à direita a chance de, legitimamente, fazer a opinião preponderar sobre os dados, a vontade sobre os fatos. Estatísticas, poderíamos fabricá-las com os nossos números. Análises científicas, poderíamos relativizá-las, descontextualizando as suas falas ínsitas de objeção, ambiente prévio para a busca da verdade científica. Retórica, poderíamos esticar o debate até o infinito, buscando as contradições do debatedor, atacando sua pessoa, esquecendo os argumentos, com espantalhos, causas falsas, falácias. É, simplesmente, o abandono do debate racional, com a colocação de crenças sobre dados, fatos e realidades técnicas. Isso tudo impulsionado pela velocidade e superficialidade das redes sociais. Mas havia mais. Havia o cinismo de todos na pantomima. A plateia estava ativa, tinha deixado de se abismar com as invenções dos políticos e agora era cúmplice deles. Montanaro não era um idiota, era o perspicaz ser que trouxe consigo, para mentir junto consigo, uma porção antes apenas atingida pelos embustes. Ressentidos por anos a fio de falta de entrega do prometido, viram, no ser autoritário, o cinismo necessário para fazer ruir toda a cidadela. Lembro-me de uma vez, quando era estudante e morava numa república no Estado do Sul. A bagunça era tão grande, não havia louça limpa, as roupas sujas jogadas pelo chão, as camas desarrumadas, bitucas de cigarro espalhadas em cinzeiros transbordados, latas de cerveja vazando suas fétidas últimas gotas. Meu colega de quarto, hoje um juiz de Direito importante, pediu para arrumar aquela esculhambação. Respondi: "Vamos bagunçar um pouco mais, dando um giro de trezentos e sessenta graus, pode ser que organize tudo num passe de mágica". Esse era o raciocínio dos montanaristas. Buscavam finalizar o problema, não enxergavam conserto, preferiam ir a fundo na desorganização, e o método pós-verdadeiro, antes de ser uma enganação, era uma arma irônica apontada e descarregada em desfavor do velho mentiroso. Mas a democracia pressupõe a verdade, lastreia-se na boa-fé, e a república, por ser de todos, também é a raiz do acesso ao âmago de seus objetos em toda sua extensão e transparência. Ruim ou boa, positiva ou negativa, a distribuição da coisa pública, necessariamente, deve ser verdadeira. Não há como ir adiante com democracia e república sustentando-se no falso. Montanaro, um decrépito rascunho de Nero, era de fato um ser desprezível. Antes de tudo. Era a resposta mais clara a um sistema excludente e falido. Antes mesmo disso, era um subproduto, um excremento dele e, por essa razão bem simples, não podia, não seria jamais sua salvação, senão a representação de seu fracasso definitivo.

VIII

O VAL tinha chegado, e assim eu iria ao hotel. A tarde caía, a Baía Grande ficava para trás, ao centro eu ia, por alto, sobre a metrópole desmaiada à beira-mar. Seria minha primeira e última noite no Vila Galã. No deslocamento aéreo, com o calor, pensei em cair na piscina, pedir uma comida no quarto, depois beber um vinho. Eu praticamente não tinha dormido, tinha chegado cedo e pouco descansara antes do almoço. O VAL me deixou na torre mais moderna do complexo, um adendo feito pela rede hoteleira para ter mais ocupação e lucro, pois os quartos de época eram poucos. Desci doze andares de escadas. As recomendações eram de evitar elevadores. Em poucos dias tudo estava mudando numa velocidade acima da bastante acelerada sociedade digital. Desliguei a notificação de fôlderes virtuais, mas não foi isso que fizeram os demais hóspedes. Junto à piscina, os hóspedes estavam com a função fôlder virtual e vídeos holográficos ativada, criando poluição virtual em todos os lugares. As notícias eram sobre a nova doença, cujo nome, Rened-47, estava começando a ficar popular. Saindo da torre, à esquerda do corredor ficava o restaurante. A presença de poucas pessoas no lado de dentro já prenunciava os novos costumes. Os hóspedes em trajes de banho olhavam as notícias, cada qual com suas mídias, alguns viam clipes musicais, piadas, alguns liam textos, mas a maioria estava ligada na doença. Da parte externa, com a piscina ao centro e palmeiras imperiais bem antigas compondo o paisagismo, era possível vislumbrar os prédios do centro antigo, dois gatos no beiral de um antigo sobrado, com a pintura desbotada e uma mulher negra estendendo roupas no varal, acima dos turistas. As notícias eram de crescimento vertiginoso nas últimas horas. Um bairro inteiro da Capital do Estado do Sul estava tomado pela nova doença, na forma animalesca; uma repórter, em cima da mesa ao lado de um hóspede, com a imagem holográfica improvisada sobre um copão de caipirinha, mostrava uma rebelião de doentes em Porto Casal. Eles se recusavam a ser internados, estavam aglomerados num salão de bailes para idosos, alguns armados, não deixavam os médicos entrarem. Um representante dos doentes, com cabelos desgrenhados, os olhos saltando das órbitas, dava entrevista à repórter, visivelmente apreensiva:

— Temos o direito constitucional de não nos tratarmos, iremos ficar aqui, reunidos, não queremos ir para o hospital. Estamos sofrendo um processo natural, todos vão, de uma forma ou de outra, pegar esta doença. Não podemos ser forçados a nada.

Em frente ao salão de baile, viaturas do corpo de bombeiros e ambulâncias. A polícia militar estava lá, mas apenas observava. A repórter passa para o estúdio, e a âncora do programa apresenta entrevista exclusiva de Lair Montanaro sobre a rebelião:

— Veja bem, você não pode forçar ninguém a ir para o hospital. Não tem cabimento querer forçar o cidadão de bem a se internar. Somos donos dos nossos corpos, do nosso comportamento. Tem que ser muito idiota para, compulsoriamente, querer jogar estas pessoas aí num quarto, numa UTI. Veja, o rapaz está falando normalmente, para que ir para o hospital? Eu proíbo. Tenho certeza de que a polícia não vai intervir...

Não presto atenção ao resto da entrevista, passo direto, a piscina estava lotada, a maioria sem máscara. Entro na parte histórica do prédio, era melhor ficar por lá. O quarto era amplo, com pé-direito alto, sistemas automatizados de som, odor, luz e ar. Ativei o modo *tranquility*, o mais usado por mim no *loft* na Zona Murada de Lisarbia, agora alugado. As vidraças para a piscina foram tomando, lentamente, uma coloração azulada, o odor de flores do campo ingressava de modo suave, um som de fundo de um jazz clássico alternava-se com um som incidental de passarinhos. Visualizei os comandos do sistema, com o olhar fixo e apontado para o comando "chuva fina", troquei o som dos pássaros. No automático, o ar-condicionado baixou um grau, um holograma especial acendeu-se em cima do frigobar com a imagem de uma mulher oferecendo os serviços de bar. De sua mão gentil, veio uma carta de vinhos virtual. Fixei o olhar em um vinho de entrada da Bacalhoa, e no prazo de trinta minutos. Com um comando de voz, liguei a banheira e comecei a despir-me. Pensei em Suzana, mas foi um pensamento sem saudades da fêmea, mais da sua companhia. O que tinha acontecido comigo? Depois de Benigna, toda mulher parecia relativizada em sua força. Após a paixão ardorosa, vieram os anos de manipulação, a alma sequestrada, colocada em penhor para viver uma fantasia e, por fim, a manipulação, a violência psicológica e as consequências concretas de um desfalque, fosse na conta corrente, fosse no tempo de vida perdido. Os próximos dias me trariam distração. Era difícil acordar e olhar para trás. O peso do tempo gasto de forma inútil, anos perdidos. Para meu consolo, pensava em pessoas portadoras de doenças terminais, encarceradas em regime fechado, aquelas que perdem filhos, os falidos que recomeçam, países em guerra. Existem inúmeras tragédias, as cruzes são muitas, de vários tamanhos e cores. Todos temos. Meu tempo com a farsa, de mãos dadas com o inimigo, no entanto, me tinha tirado a paixão. Numa das conversas com Pietroboni, relatando esse sintoma, sem meias palavras, ele disse: "Ótimo; que bom, sinal de que você amadureceu... paixão é coisa de adolescente". De fato, o que viria, com a flor colhida em meio à tempestade, foi o amor, este sim, perene e duradouro, sem arroubos. "Não acredite no fogo ingênuo da paixão." Do cancioneiro à etimologia, sobravam doença, febre, estado alterado de consciência. Como um balão de gás esvaziado de fé nas quimeras, mais feio certamente, sem aquele vigor inchado, eu me sentia real, sóbrio, mais maduro, por ter passado num triturador de carne humana. Desci ao fundo do meu próprio poço, mais do que explorei, fiz uma casa na sombra e foi dificílimo sair dela. Os dias que se avistavam seriam alentadores, iria reiniciar, e a dor no peito eu não podia transmitir para terceiros. Era dose acordar cedo, minha propensão ao álcool aflorava na depressão, mas eu precisava sair. Tinha saído, a bem da verdade, mas atravessar a lembrança do passado recente era como andar dentro de um túnel de vento contrário. A percepção do equívoco era mais do que uma lança cravada na axila, era como a perda de um membro, pois não voltava mais. Como sequela, a falta de vontade de ter novamente Suzana. Haveria de passar, com certeza. Já foi dito que o período de maior ganho em conhecimento e experiência coincide com o de maior sofrimento. Estava no final daquele ciclo, eu sabia disso, o sistema estava se recompondo.

A banheira estava cheia, o vinho estava chegando, busquei um puro na mala. Respeitaria a regra do quarto não fumante, mas havia uma varanda nos fundos do ambiente. Mergulhei, após servir uma taça do vinho tinto. Apesar de toda a vida de esbanjamento na Itália, dos desfalques, eu sempre mantive meu padrão de renda, e o patrimônio amealhado até *2038* estava intacto. O problema era a liquidez do momento, os altos gastos de desmobilização daquela realidade e algumas dívidas desnecessárias contraídas em meio à loucura e à estupidez. O medo da escassez me movia e poderia ter sido um dos gatilhos motivadores da solução de continuidade da relação. "Foi necessário passar por isso", disse-me, certa vez um amigo que havia perdido uma fortuna em cassinos, amantes, carros de luxo. Ele se recuperara em alguns anos da quebra e hoje vivia melhor. Ao fim, venceria a experiência de modo não a recuperar o tempo, dado que não volta, foi jogado, mas, fora os cabelos brancos, a rapidez, como rastilho de pólvora, do reflexo feito pela sequela dá certo gosto ao intento. *Se força me falta no braço, na coragem me sustento.*

Já sob o efeito inicial do vinho, terminei o banho e fui para a varanda, passando pelo quarto gelado. Acendi o charuto em frente à piscina, lotada ainda, quase todos sem máscara. Música, festa. Fui para os fundos do quarto, com pouca luz, mais silêncio, menos erros, apenas o *jazz* do sistema, cada vez mais baixo.

O telefone da recepção toca no quarto escuro, geladinho. Nenhum som, graças aos vidros duplos. Sono ainda pesado. Estico o braço para tentar olhar o relógio sobre a mesa de cabeceira, derrubo no chão uma taça de vinho pela metade. O SIO pisca pedindo reposição de água no organismo, tomo um gole grande. Passava das dez da manhã, havia perdido o horário do café. Atendi a ligação. Havia um pessoal do Pluna me aguardando, iriam me levar até a Zonal Sul. Por sorte, menos por previsão, não havia desfeito as malas. Só tomaria um banho quente. Ressaca zero, vinho bom, organismo revigorado. Foi bom ter dormido cedo. Pedi para me aguardarem uma meia hora. Tomei cuidado para não entrar afoito no banheiro, afinal de contas, sentir-me culpado por perder o café da manhã ou por fazer o pessoal esperar uns dez minutos a mais, de fato, era sentimento do passado. Foi a conta da espera, sem também ser deselegante com o motorista simpático, não muito ligado em política. Conta paga, entrei no carro, e fomos para Virgem Candelária. Motoristas, cabeleireiros, porteiros são os grandes confidentes da humanidade, guardam segredos fortuitos, e Waldir seguia a tradição. Falante, a medida da confiança estava delineada: "Já dirigi para muita gente, doutor Alex. Para o Lucas, para o pessoal todo dos milicos, pro Montanaro. Já vi político bebendo e cheirando pó antes de entrar em reunião, secretária pagando boquete, entreguei propina, só não fiz uma coisa: entregar alguém. O resto, o que o senhor me perguntar se eu fiz, eu devo ter feito. Agora, não me pergunte o nome do santo, que não sai daqui nem em delação". Eu ainda iria testar um pouco mais. Até ali, eu ainda tomava muita chapuletada de gente traíra. Não parecia ser o caso do Waldir, mas, nos últimos anos, eu havia juntado tanta nulidade e gente falsa à minha volta que o lombo estava doído. Saí pelo tradicional:

— O senhor é casado, seu Waldir?

— Terceira esposa.

— Somos dois.

— E como está agora?

— Talvez arrume a quarta, não consigo ficar sozinho, mas acabei de sair do último.

— Eu parei nesta última. Não quero mais invenção. O cara tem que saber se contentar, tem que entender que não dá para querer ter tudo na vida, saber parar. Não tinha aquele negócio "sua busca termina aqui"?

— Era um *slogan* meio comum, um chavão comercial do início do *e-commerce*.

— É isso mesmo. Vou lhe dizer uma coisa, doutor Alex, eu sofri tanto no segundo casamento; o primeiro não, o primeiro eu saí de otário que fui, mas o segundo, benza Deus. Eu não casei com uma mulher, casei com o Cão.

— É?

— Sim, uma vigarista, me roubou, me sacaneou e vou lhe dizer mais: eu nunca tive certeza, e também nunca ninguém me disse, mas deve ter me traído, afinal de contas, como diria um amigo, "ninguém morre mocho".

— Lei da vida. E agora, como está a relação?

— Vou lhe dizer mais uma coisa. É a última. É um negócio diferente, tenho 63 anos. Estou com a Cibele tem mais de dez, treze anos se for contar bruto. Vivi violência com a segunda, doutor. O homem é dominante, tem esse negócio real de machismo estrutural, é óbvio que isso existe. Se eu for contar na frente do juiz, ninguém acredita, mas a verdade é que quem sofria violência, não física, mas psicológica, era eu. E outra coisa, não dá pra fazer esse discurso, por conta das feministas, por isso eu fico quieto e acho que é fora de mão mesmo. Mas não é isso que eu ia lhe dizer. É o seguinte: sem mentira, tem dias em que eu acordo no meio da noite, com medo de tomar uma chamada, uma encheção de saco qualquer, aquela aporrinhação diária, insistente, que vai minando. O cara se acostuma a viver na merda, doutor, mas isso não é normal, não. Aí, eu me acordo e olho pro lado está a Cibele. Pensa numa mulher que não incomoda nada, está sempre satisfeita, não me enche a paciência, deixa eu tomar meu chopinho na sexta. A gente se dá tão bem que tem hora que eu nem acredito. É impressionante, eu desacostumei a ser feliz, essa que é a verdade. Lembra daquele passarinho, hoje não tem mais isso, até crime é, mas sabe o bichinho criado em gaiola, em viveiro? Se puser em liberdade ele não sabe voar, não tem defesa, é meio burrinho. Eu me sinto assim, eu desaprendi a viver em paz. Tem hora que dá medo só de não sentir ameaça nenhuma, grito, cobrança muita a todo momento, porque, claro, sempre tem cobrança, é normal, mas não o que vivi com a segunda mulher. Parei. Vamos passar por baixo da Comunidade do Faisão. Tem que ficar ligado agora. Teve uma operação CSC ontem.

— Caravana da Segurança e Cidadania?

— Sim, botaram pra arrebentar na "limpeza". Devem ter matado uns 25.

Passamos devagar por dentro do túnel, bem no meio de Virgem Candelária. Os processos sumários com indenizações baratas pagas na hora começavam a se desenrolar. A Polícia Militar havia terminado o processo de "limpeza", o grande Caminhão Freezer-Triturador, pintado de verde-amarelo, estava na Avenida Nossa Senhora da Candelária, barracas de churrasquinho, vendedores de cerveja e água mineral, famílias faziam fila ao lado do aparato judicial. Em uma semana, os familiares dos despersonalizados teriam prazo para reclamar os corpos armazenados na parte frigorífica do CFT e, nesse mesmo prazo, juízes e promotores arbitrariam uma indenização pela despersonalização do parente.

A conversa com Waldir me tirou um pouco da atenção para o bairro. Ele estava ali com seu ar desbotado, antigo, anos 1950 a preponderar. No coração da Candelária, na Avenida Central, os botecos pontilhavam a vista com cadeiras de plástico amarelas de marcas de cerveja populares. Os prédios altos tinham tido seu auge havia oitenta anos, hoje exalavam o mesmo charme de um senhor sabido, meio barrigudo, mas com história para contar, do alto de suas bermudas unicolores e camisa social meia-manga. Turistas branquinhos, quase vermelhos do sol, anunciavam a coragem internacional em ingressar naquilo que só nós, lisarbenses, e os criados em zonas de guerra tinham no DNA, a convivência com a normose da morte cotidiana. Hoje, a Candelária era crivada de igrejas evangélicas. Era possível ouvir o zunido da palavra dos pastores aos seus fiéis nas calçadas multicoloridas e calafetadas de chicletes endurecidos, entrecortados por turistas desavisados, meninos a serem as próximas vítimas do genocídio negro, frutos da mola excludente da sociedade. Uma mola que comprimia o indivíduo preto, pobre, puto mais e mais contra a parede branca do Estado. Esse mesmo indivíduo, após a última compressão da mola, voltava com força total em forma de bala, de assalto, de tráfico. A Candelária seguia em frente, nas esquinas, poucos metros depois da sequência de igrejas, padarias com seus donos bigodudos e mal-humorados no caixa protegido por grades, banhistas tentavam atravessar a rua, enquanto esses meninos visavam as suas carteiras. No ar, o cheiro de maresia e mofo dos bares e restaurantes de intelectuais fumando seus cigarros e tomando seus chopinhos amalgamava a confusão num bolo só, meio cinza, meio colorido, abençoado por Deus.

O carro dobra à esquerda e se dirige à Avenida Oceânica. Waldir me chama a atenção de que poderíamos topar com mais um protesto. Ele tinha um tique nervoso de ficar toda hora mexendo na máscara, subindo e descendo para baixo da boca para falar. Enquanto dirigia, tomava água mineral com gás:

— Doutor Alex, olha só, para chegar na Rua Caudilhos, precisamos passar pela Oceânica, mas talvez nós tenhamos algum problema. Os montanaristas marcaram para hoje uma manifestação. Parece que ele fará outro pronunciamento agora, às onze e meia.

Um mar revolto de predominância amarela faz suas primeiras ondas bater sobre o carro de Waldir. Buzinas, carros de som com militantes discursando rivalizavam com o som de panelas do alto dos prédios da Avenida Oceânica. Apenas uma pista estava aberta para que pudéssemos completar o trajeto. Lentamente, desvelando-se ao nosso lado esquerdo, uma mulher branca de meia-idade, com óculos de sol de famosa marca italiana, sandálias douradas e camisa com a bandeira de Lisarb dedilhava seu *allphone* e encaminhava vídeos ao vivo sobre o protesto. "Estamos com Montanaro, cem por cento, ninguém tira ele de lá", bradava um outro homem de meia-idade, com a camisa da seleção. De cima do caminhão de som, um dos líderes do protesto anunciava algo:

— Hoje estarão conosco, estão quase chegando. Pelas mensagens que mandaram, estão no túnel, uma caravana que vem do Sul do país. Acho que chegarão bem na hora da fala do Messias. São nossos patriotas mais raiz, mesmo depois de contraírem a nova doença, estarão conosco, mostrando sua motivação em livrar, de vez, nosso país do comunismo. Nossa bandeira jamais será vermelha.

O grito de guerra era esse, a novidade era a tal caravana de doentes. O engarrafamento trancava o trânsito, a multidão verde--amarela adensava-se com a parada de ônibus e caminhões ligados ao agronegócio do interior do país. O efeito visual ficava mais vivo em função da produção de minivídeos holográficos que sobrevoavam, se espalhavam entre as pessoas, com fôlderes virtuais que se replicavam à profusão. As peças de publicidade, todas com discursos de Montanaro, saíam de todos os cantos, mas havia fluxo mais denso originado de uma van preta, estacionada num local onde não havia tantos manifestantes, podendo ser observada uma constância maior das peças em direção à orla, mas também para os prédios e para as ruas transversais à Avenida Oceânica. Waldir estava calmo. Perguntei sobre o trânsito:

— Seu Waldir, quanto tempo está dando aí no aplicativo?

— Doutor, meia hora, por baixo. Essa tal caravana, que ele falou, está trancando a Avenida Nossa Senhora da Candelária.

— Estacione ali naquela vaga. Vamos aguardar um pouco.

Eu aproveitaria para observar melhor a manifestação. Mauro Pereira, mais racional, falava muito bem quando analisava o fenômeno. Não estávamos apenas diante de um grupo de idiotas, na acepção mais pura da palavra. Era algo denso, pesado, com objetivos claros. Sem meias palavras, os montanaristas não acreditavam em democracia, queriam um golpe de Estado por meio de seu líder, em quem os mais fanáticos acreditavam estar a representação do próprio Messias, não respeitavam nenhuma instituição e viam na função crítica da imprensa uma orquestração contra seu líder, esquecendo, de modo seletivo, o fato indiscutível dessa mesma imprensa ter sido essencial na derrubada do PEV, de Lucas. Por isso, criaram, com sucesso, diferentemente do pevo-luquismo, uma rede alternativa de informações, com fatos alternativos e versões abertamente falsas. Essa competência os governos anteriores não tiveram, não conseguiram observar nas mídias sociais o fator de quebra mais virulento. Os pevistas tentaram criar redes de televisão e rádios para impedir o que aconteceu ao final, mas erraram algo básico, deixaram de verificar que o tempo havia mudado, e as comunicações ingressavam por meio de *allphone*s, vídeos holográficos, fôlderes virtuais, redes sociais com informações de quinze segundos, tudo enfiado pela internet, com um poder viciante e mais insidioso que o da velha televisão. A grande diferença, ainda pouco ou nada percebida, era o fato de que um *allphone* pode ser carregado para qualquer lugar, para o banheiro, para a sala de espera do médico, para o elevador, perigosamente para o automóvel. Podemos até colocar a TV nesses locais, mas jamais ela irá se transformar numa parte do corpo humano como o *allphone*. Ela pode ser desligada, o *allphone* dorme com o indivíduo, sequestra com a aquiescência do usuário seus dados, infiltra-se na sua casa, observa seus hábitos, amolda-se ao seu gosto por meio da escuta literal de suas falas. Os algoritmos estavam a serviço das *fake news* da horda montanarista, eles captaram melhor o espírito do tempo na prática. Zombavam, eram irônicos e talvez fosse tarde para resgatar um dos pilares da civilização humana: a busca da verdade.

Há uma velha lição da vida que se aplica aqui, aquela do menino que mente que está se afogando várias vezes, e que acaba por se afogar mesmo, ao final. Como o grito do menino mentiroso na praia, a verdade foi surrada, mentida de modo infinito. Os destinatários da mensagem supostamente verdadeira cansaram, mas não se deitaram em suas camas cansados da política, fizeram amizade com o método, conheceram, aperfeiçoaram a farsa e a colocaram a serviço de seus interesses de forma sofisticada, digital, como se diria antigamente. O PEV, Lucas e todos os políticos tradicionais mentiam no analógico, Montanaro e os demais líderes da ultradireita mundial estavam alguns passos adiante, não apenas por usar dos meios tecnológicos para propagar suas crenças, mas por conter consigo a consciência de seus seguidores e algo imprescindível para dar passos adiante: a contemporaneidade. Era um pacto concreto, se não com todos aqueles que se encontravam na Avenida Oceânica, com uma grande parte, de quem não se esperavam mentiras sinceras, lhes interessava algo além, sua busca era por falsidades assassinas e sua vítima preferencial: os valores humanistas.

— Bora tomar uma água de coco, doutor?

O carro estava estacionado numa vaga insulada no canteiro central da Avenida Oceânica. Waldir desceu do ar-condicionado para trazer hidratação. De fato, era melhor parar. Era quase meio-dia. Havia me programado para iniciar a escrever as primeiras linhas do programa, mas eu acreditava num desafio muito maior. Cairo era um político muito experiente, mas o método de todos era analógico. Precisávamos de algo mais contundente.

— Coloca a máscara, seu Waldir.

— Será que precisa disso, mesmo?

— Olha só este monte de gente. Todos sem máscara. Posso te garantir uma coisa: amanhã vai ter milhares de pessoas infectadas. Você não prestou atenção? Tem vários ônibus cheios de doentes vindo para cá... Esse pessoal não entendeu direito o que está acontecendo.

— Doutor, talvez eles tenham entendido melhor que nós...

— Pode ser.

Estava muito quente para descer do carro, mas eu precisava esticar um pouco as pernas. Waldir, óculos escuros em estilo *ray-ban*, cabelo curto, quase sem barriga, com uma calça jeans escura, camiseta polo branca, com um porta-*allphone* em forma de pochete dependurada no cinto, conversava com o vendedor de coco, vestido de patriota. No meio da Oceânica, com o sol a pino, corredores e ciclistas na ciclovia, a maioria deles com máscaras. O vendedor também usava. Ônibus começavam a despontar. Buzinas altíssimas, simulando berrantes, fogos de artifícios, fumaça verde-amarela se espalhava por entre a multidão. Um grupo de senhoras idosas maquiadas, na faixa dos 70 e poucos, com joias aparentes nos pescoços e nos braços, eram guarnecidas por homens de preto, com fuzis à mostra. Uma delas gritava: "Vagabundo fica de fora". Os militantes adoecidos com a Rened-47 começavam a chegar. Estavam longe demais para que eu pudesse ver. Convidei Waldir a me acompanhar para mais perto da delegação. Caminhamos uns dois quarteirões embaixo do sol, o mar à nossa direita, havia algo de novo. Aproximadamente, uma dezena de veículos transportava os montanaristas do Sul, e caminhões atrás deles. Os motoristas com as janelas abertas fumando, motos com sirenes escoltavam, fazendo zigue-zague em torno dos ônibus, carros da Polícia Militar atrás do cortejo. As buzinas aumentavam seus volumes. De cima do carro de som principal, o líder, um velho conhecido da política nacional, Humberto Jackson, preparava-se para comandar a chegada triunfal dos patriotas do Sul. Humberto havia sido preso junto com pevistas após a declaração de inconstitucionalidade da Carta Cleptocrática. Não era, por assim dizer, do escalão principal do time nacional de políticos, mas vivia à primeira sombra sempre. Manipulando bastidores, buscando a cooptação de parlamentares inexpressivos, liderando um partido desvirtuado de sua raiz histórica, ligado sempre ao ideário mais conservador e reacionário. Pelo menos nos dois episódios de maior relevo na sua história, sua presença não era bom prenúncio. Jackson tinha sido aliado do PEV, mas rompera quando seus benefícios foram suprimidos, caindo no ostracismo. Saiu atirando, liderando a primeira tentativa de derrubada do sistema da Doutrina da Aceitação. Chacoalhando com força a quase unanimidade pevista, não teve como suplantar a força de Lucas, quer por sua própria condição de bandido declarado, quer pela força econômica de Lisarb. Antes disso, havia sido o último defensor do último governo autoritário em seus estertores. Ficou sozinho, mas ganhou o noticiário. Quando entrava no gramado, os refletores falhavam. Doente, velho, carcomido, mas um brilhante orador. Estava ladeado por quatro mulheres novas e loiras, que pareciam ser suas netas, e aguardava sua vez de falar. Enquanto isso, dezenas de pessoas se acotovelavam em cima do carro de som, envoltas em bandeiras de Lisarb, tirando *selfies*. O orador da vez anunciava em breves instantes a fala de Montanaro, a ser transmitida pela rede holográfica num espaço à frente do caminhão, cujas imagens transmitidas eram, naquele momento, de um rodeio, com cavaleiros aos pinotes tridimensionais, em cima de touros. Embaixo, a multidão aglomerada em pleno meio-dia, no asfalto fumegante, aguardava seu líder. A tela holográfica, depois de vários tombos, para de transmitir a imagem de outro país, talvez do Mexas.

Bandeiras com faixas horizontais azuis e brancas, à frente do carro, ainda, um pequeno grupo de encapuzados, as imagens começam a formar um enorme holograma com a bandeira de Lisarb. As luzes irrompem do mecanismo fazendo o furor da turba, gritos de "Mato", o apelido carinhoso de Montanaro, espalham-se pela avenida: "Mato, Mato, Mato, Mato, Mato", até não mais poder, urrava a plateia. Pombos são mortos com armas de chumbinho por meninos brancos com seus pais na frente de um restaurante à beira-mar, enquanto um casal de pássaros amarelos voa perto de mim e de Waldir, em direção ao mar. Mais um jorro de luzes multicoloridas irrompe, vindo do enorme canhão holográfico acompanhado de um som eletrônico, um zumbido forte, como se fosse uma microfonia. O jorro ia até a altura dos prédios de dez andares, a formar uma imensa coluna de luzes muito fortes, algo de grande potência, pois estávamos na pior hora, a hora em que não se vê a própria sombra. Logo depois, a coluna se transforma de novo em enorme bandeira de Lisarb. Aproximei-me um pouco mais, quase perigosamente, Waldir ficou para trás. Fiquei a poucos passos da aglomeração. Os fogos de artifício são renovados em nova salva. Misturados a eles, os seguranças das senhoras, e outros rajam o céu em direção oposta ao evento com seus fuzis. Receei ser advertido pela máscara, cuja proteção eu duplicara, com outra cirúrgica reserva que tirei do bolso de trás da calça. Os olhares para mim eram ameaçadores, como se eu estivesse cometendo uma falta grave em usar o acessório sanitário. "Esquerdopata", ouvi, ainda que em tom baixo, de um cabeça raspada. Como se num microinstante no qual o tempo se adensa, o apresentador fica só, olha para baixo, como se a buscar concentração para sua fala. Estava diferente dos demais, sua voz, antes eivada de ódio, se cala, e ele parece fazer uma oração interna. A algazarra era enorme. Jackson conversava com as loiras, três deputadas federais tiravam *selfies* com elas, enquanto o apresentador, de camisa polo azul, destoando dos demais, parecia em transe. Em seu rosto, uma cicatriz era nítida e visível no lado direito, uma deformidade incrustrada em tons mais escuros do que a pele. Logo abaixo do olho, uma perfuração. Era um homem de uns 40 e poucos, mais novo que eu. Tira do bolso um livro pequeno preto envolto num plástico, retira-o de dentro de um envelope plástico após extrair um adesivo, um lacre. Vai até Jackson, fala algo no seu ouvido, dá o livrinho para ele, lhe dá um abraço, volta ao seu lugar central, novos jogos de luzes saem do canhão, ele toma a palavra:

— Patriotas de toda Lisarb, eu quero ouvir vocês. Eu quero ouvir o grito forte de vocês. Um grito forte de liberdade, de quem nunca mais vai deixar nosso país ser saqueado, de quem nunca mais vai ver nossas famílias serem ridicularizadas por seres imorais. Nós amamos nosso país, nós temos a bênção de Deus. Patriotas de toda Lisarb, eu já falei que quero ouvir vocês... Vocês sabem quem falará para todos nós, agora. Eu quero ouvir.

A explosão:

— MATO, MATO, MATO...

— Pois, senhoras e senhores, patriotas de toda Lisarb. Eu quero dizer que nossa bandeira jamais...., jamais...

— NOSSA BANDEIRA JAMAIS SERÁ VERMELHA, NOSSA BANDEIRA JAMAIS SERÁ VERMELHA!

— Com vocês, Lair Montanaro, o nosso Mato, o nosso Messias.

A imagem de Lair Montanaro, no gramado do Palácio Residencial, cavalgando um cavalo branco, é formada. Ele vem em linha reta, em direção à câmera. Trotando, começa pequeno, vai ganhando corpo, no mesmo ritmo da insanidade da plateia, que urra, borrifando gotículas virulentas de ódio. A figura torna-se imensa, seu holograma equestre vai do carro de som até o alto do edifício atrás. O barulho das patas do animal contrasta com o rumor do público. Faz-se silêncio, é feito, apenas o som de um helicóptero no céu de Candelária, passando perto da figura de Montanaro, que avança em direção ao foco da câmera. Para, seu cavalo dá um pinote, e ele, como um caubói, toma a rédea, o domínio do animal. Veste um colete de couro preto sobre uma camisa de sarja verde, no qual há o emblema de uma cruz branca em cima de uma caveira. Inicia sua fala:

— Eu quero dizer uma coisa para vocês. Estamos falando para toda Lisarb. Estamos enfrentando um desafio internacional. Sob o pretexto de uma doença, querem fazer absurdos com vocês. Estão inflando dados, exigindo o uso de um acessório sem comprovação científica, que são essas máscaras, mas nós vamos resistir, não iremos deixar o nosso país, de novo, virar uma terra sem lei. Primeiro que não existe isso daí. Depois, não deixaremos fazer com vocês o que alguns querem, que é fechar vocês em casa. Não iremos compactuar com essa dominação, liquidando com os empregos. Nós amamos a liberdade, somos homens e mulheres de bem, cidadãos de bem. Não nos intimidaremos com essa doença, ao contrário, iremos deixar ela seguir o seu fluxo normal, afinal de contas, todos iremos morrer mesmo, uma hora ou outra dessas. A partir de amanhã, não existe mais Ministério da Saúde. Na verdade, tendo em vista a importância do tema, eu mesmo irei cuidar do assunto. A primeira medida é essa. O presidente da República, ele mesmo, vai tomar conta da questão do vírus.

A multidão:

— MATO, MATO, MATO...

Nesse momento, Montanaro desce do cavalo branco, faz um anúncio:

— Vou dizer mais; eu tenho ouvido especialistas a todo momento. Pessoas em quem confio. Já há uma prática médica milenar que, acreditam muitos cientistas, é a cura para essa doença. Na verdade, é uma prevenção, algo que pode ser tomado todos os dias e está ao alcance de uma mão. Vou mostrar a todos vocês o que devem fazer, de preferência pela manhã cedo, logo que acordarem, pois é o momento do dia em que há mais concentração de substâncias benéficas ao organismo.

Ele tira o capacete com a mão direita e vai para trás do cavalo branco. É possível, em conjunto com o quadrúpede, ver ombros, cabeça e pernas. O tronco fica coberto com a imagem do dorso do animal. Continua sem o capacete, que parece continuar na mão direita, pois a esquerda, agora, apalpa a cabeça do cavalo. Como está de perfil, é possível identificar uma cena familiar a todos. O microfone capta o som de um jorro líquido constante e forte sobre uma superfície lisa. Veem-se alguns respingos e a cara de alívio do presidente ao final. Ele tira a mão esquerda da cabeça do animal e a leva para baixo, ajeitando o corpo para cima, como denuncia o movimento dos ombros, que se arqueiam um pouco. Ele volta para o foco da câmera fixa, onde se encontrava. Agora o capacete, antes na cabeça, volta à mão direita. Ele segura com o mesmo cuidado de quem segura uma criança para não cair no chão, equilibra-se, olhar fixo para todos. A multidão na Avenida Oceânica aplaude entusiasmada. Montanaro pega o capacete com as duas mãos, leva-o para cima de sua cabeça como se fosse consagrar uma hóstia, e desce até a altura de seus lábios, bebendo o líquido que ali dentro estava contido em alguns segundos. O povo entra em êxtase, alguns choram, o grupo de senhoras escoltadas fala em aparição de um novo Messias. Montanaro volta ao discurso, após as palmas, urros, gritos de Mato e fogos de artifício:

— Esta é a prevenção. Dentro do próprio corpo está nossa salvação. Façam isto todas as manhãs que estarão livres do vírus.

O holograma se desfaz, imagens de crianças e mulheres brancas enroladas na bandeira de Lisarb, o som do hino nacional invade a Avenida Oceânica. Humberto Jackson, com longos cabelos brancos desgrenhados pelo vento, rosto vincado, dá um beijo teatral na cabeça das quatro jovens que estavam com ele, aproveita-se do êxtase da plateia, pega uma metralhadora e dá uma rajada para cima, em direção ao mar, no que é seguido por várias outras, espalhadas em meio à plateia. Pede a palavra.

— Chegou o momento mais esperado depois da fala de nosso Messias. Nós não sucumbiremos à ditadura que querem nos impor. Nós temos a força da família, da tradição cristã. Somos patriotas. Como prova disso, nossos colegas do Sul de Lisarb acabam de chegar. Estão vindo em nossa direção para se congraçarem.

Os zainos da PM amarrados na esquina próxima do carro de som relincham com o barulho das balas e do helicóptero. Aflitos, pinoteiam e esgarçam as rédeas, mas são contidos pelos policiais. Mais ao fundo, na esquina da Oceânica, o grupo de militantes contagiados com a Rened-47 caminha pelo asfalto. Ao final do discurso de Montanaro eles descem dos ônibus, perdem o discurso, pois houve uma demora na descida de alguns, com mais dificuldade de locomoção. Saio em direção a Waldir. Após o discurso de Montanaro, o trânsito parecia fluir melhor. O motorista está conversando, no canteiro central da avenida, com outro vendedor de coco. Chego mais próximo, Waldir me oferece mais uma água de coco. Não recuso. O vendedor parece feliz com as vendas.

— Só tem natural, doutor. Vendemos todos os gelados. Sem problemas.

Ele vai até um reboque cheio de cocos estacionado na via mais próxima do mar. O reboque é, na verdade, uma adaptação, uma charrete puxada por um cavalo preto, muito magro, com o pelo sofrido. Alcança-me o coco, com um canudinho de papel enfiado. A cena transcorre aberrantemente no meio do asfalto, com faixas com pedidos de intervenção militar, morte aos comunistas, além de outras que desacreditam a Rened-47 com frases do tipo: "Abaixo a fraudemia", "O vírus faz parte da vida", "Só a morte nos separa". O andar era trôpego dos militantes, o som produzido por seus pés no asfalto, com apenas dois grandes dedos ossificados, misturava-se, fundia-se àqueles vindos dos cascos dos cavalos baios da PM que escoltavam a passeata. As faixas por vezes caíam devido à falta de habilidade dos manifestantes, agora com apenas dois dedos. Aguardando em volta ao carro de som, os demais montanaristas gritavam palavras de solidariedade aos chegantes, em seu caminhar autômato de pernas de pau. Com trajes amassados da viagem, alguns deles com roupas sujas, cabelos sem cortar, barbas por fazer e caninos proeminentes, havia, ainda, um rumor, como se fosse o rosnar de cães, ou o rugido de alguma fera. Waldir não acreditava no que via, o vendedor de cocos colocou sua máscara, enquanto a procissão de zumbis, em plena luz do meio-dia, tomava conta da Avenida Oceânica. O cachorro que acompanhava o vendedor avançou num dos manifestantes, mordendo-lhe a panturrilha. Um dos policiais, de cima do cavalo baio, imediatamente, alvejou com um tiro na cabeça o cão. O vendedor reclamou, o PM apontou a arma para ele, dizendo para ele ficar quieto, senão ele seria o próximo. Um dos manifestantes pegou o corpo sangrando do animal, levantou-o com as duas mãos e o ergueu acima da cabeça. Um enorme e uníssono rosnado é ouvido, sobrepujando o ruído de fundo do trânsito e das pessoas próximas ao carro de som. Meninos negros em situação de rua, quase na esquina da Oceânica com a Príncipe Áureo, são abordados por um grupo que se desgarra. Um dos moleques saca um canivete, o montanarista é esfaqueado no braço. A lâmina fica encravada. O militante parece não sentir dor, os demais vão para cima dos meninos e os espancam até quase a morte, aos gritos de "vagabundos". São detidos por transeuntes. A PM segue nos cavalos baios, dando escolta ao grande grupo. Olho para Waldir, ele paga o coco e vamos para o carro, a dois quarteirões. No caminho, os primeiros doentes são recebidos pelos demais militantes, debaixo do carro de som. Não há ninguém de máscara. Ingressamos no carro e rumamos, naquele instante sem trânsito, para a Rua Caudilhos. No caminho, apenas resquícios da manifestação, pessoas voltando para suas rotinas, o mundo segue, maskeiros fumam pedras em latas de cerveja, deitados numa desolada calçada, a mesma que abriga os berros de um pastor neopentecostal, pregando a teologia da prosperidade sob os olhares atentos de mendigos, motociclistas e desempregados, no mesmo local que abrigou um cinema imponente nos tais anos dourados. Adiante, quase no destino, numa pequena ponte sobre o riacho fétido a desaguar as águas da lagoa sobre o mar, dois montanaristas estão de costas com suas camisas da seleção. As nuvens começam a turvar o horizonte, fazendo dobrar o tempo, contorcendo-se sobre a realidade a indicar, um pouco antes, uma mulher em desespero, com as duas mãos levadas ao rosto.

IX

O apartamento era antigo e pequeno, anos 1940, típico da Candelária. Na calçada, as tradicionais pedras portuguesas. "Segunda, nove da manhã, espero o senhor aqui na frente." Despedi-me de Waldir, cumprimentei o porteiro. O elevador pantográfico, as paredes grossas e escuras, o chão de ladrilhos hidráulicos grenás do saguão, um projeto de iluminação privilegiando a temperatura amena em detrimento da claridade, dava ao prédio Art Déco uma aura meio fúnebre. Era uma sexta-feira, eu passaria o fim de semana estudando o livro de Cairo Góes para desenvolver as linhas gerais do plano de governo. Não havia muito mistério. Mauro não parecia muito preocupado com as propostas, afinal de contas, plano de governo todos são iguais, como se dizia em Lisarb. A costura com o Centro, a relação com Lucas, as articulações para os palanques estaduais eram tarefas práticas prementes. Eu deveria participar desses debates, entregar minha percepção sobre o PEV e Lucas, mas precisávamos terminar o plano para ser entregue à Justiça Eleitoral. Com o pé-direito alto, o sistema de ambientação era antigo, sem comandos de voz, mas parecia funcionar bem em quatro modos: *week, tranquility, serenity* e *night*. O apartamento estava em ótimo estado. Tirei a roupa, liguei o ar e a TV holográfica, cujas imagens reproduziam os protestos do meio-dia. Estava com alguma fome. A geladeira continha mantimentos, mas optei por tomar uma cerveja enquanto via as imagens. Era um *loft* reformado com uma decoração industrial que contrastava com a idade do edifício. Na sala, sobre a TV, a velha foto dos operários almoçando no arranha-céu denunciava o lugar-comum e a impessoalidade. Um sofá vermelho bem confortável era convidativo. Abri a latinha e sentei. Sem dúvida, o melhor primeiro gole de qualquer bebida era o de uma cerveja gelada. Tinha a tarde toda para poder descansar e refletir. Chequei as centenas de mensagens no *allphone*. Uma era relevante, a de Cairo, pedindo para que eu entrasse em contato com Leandro Marçal, para marcar um encontro entre ele e Duarte Lato. Suzana enviava notícias da Rened-47, e, sobre isso, as imagens e reportagens na TV não cessavam. Os números de mortos em função das complicações respiratórias da doença somavam algumas centenas. Os epidemiologistas davam entrevistas explicando o caráter exponencial da transmissão, a necessidade de medidas de restrição de circulação e do uso de máscaras. Os Estados preparavam legislações para impedir a propagação do vírus, Montanaro dava entrevistas em sentido contrário. Abri outra latinha enquanto esquentava salsichas n'água quente. Havia uma varanda fechada com vidros blindex, onde fiquei algum tempo imaginando o futuro próximo. A campanha, o programa de governo, as relações pessoais, tudo mudaria dali em diante. Um novo rol de sintomas em função de uma variante do vírus fora detectado no Estado do Sul. Os doentes, em casos graves, com a pele avermelhada no início, desenvolviam uma pelagem fina sobre a derme transformada em couro em duas semanas. Alguns doentes desenvolviam os sintomas iniciais de irritabilidade, fala violenta e, nos casos moderados para grave, suas cordas vocais se enrijeciam, prejudicando a voz a ponto de deixá-la ininteligível. O doente passava a expelir sons mais próximos de mugidos. Em torno de metade dos doentes com a forma animalesca parava nessa etapa, e o tratamento era com anticonvulsivantes e benzodiazepínicos. A outra metade evoluía para quadros mais graves, com a mutação das extremidades e o desenvolvimento de cascos nos pés e nas mãos, caninos proeminentes, pelos, baba branca escorrendo e transformação da pele em couro. Ao final, a doença atacava a coluna, e o corpo curvava-se integralmente, forçando a pessoa a movimentar-se com os pés e as mãos a apoiar o peso do corpo. A rapidez da informação e das mudanças angustiava.

Não havia exemplo próximo. Tudo indicava pelo fechamento da sociedade. Entre a reunião do Pluna, a noite anterior e os protestos do meio-dia, cem anos transcorreram, eu precisava entender os acontecimentos. A campanha iria mudar, os cenários pareciam mais aprofundados e radicalizados. Comi as salsichas e adormeci um pouco. Ao fim da tarde, tomei um banho gelado para sair do estupor, coloquei bermudas, uma camisa polo e fui dar uma caminhada no bairro, precisava emagrecer, entrar numa rotina mais saudável. Para correr, o local mais adequado seria a Oceânica, mas começaria com um reconhecimento da área, também compraria pão e escova de dente nova.

Desci pelas escadas. O porteiro estava com um pequeno holograma projetado em cima da bancada em frente ao seu banco alto. Era um programa de debates. Eu o cumprimentei, mas não fui correspondido a contento, só ouvi um grunhido. Era um homem com a barba por fazer, cujos olhos não transmitiam a serenidade necessária aos porteiros. Perguntei-lhe se tinha uma padaria por perto. Ele se levantou, balbuciou alguma coisa e apontou para o lado esquerdo. Fez um movimento rápido com o pescoço, como se fosse um tique nervoso. Saí dali na direção indicada. A rua estava vazia, o boteco em frente, onde pensei em comprar água, estava fechando. Desci em direção à padaria, mesmo rumo da Oceânica. A padaria estava aberta, uma fila para o pão, com pessoas de máscara. Um grupo sem máscara, no entanto, discutia com o dono:

— Você não pode nos obrigar.

— Acabou de sair o decreto municipal.

— Enfia no cu o decreto desse ladrão.

Resolvi não ficar para ver o restante da discussão no momento em que o dono se exaltava, e uma arma era sacada contra ele. Saí sem o pão. Estava nas proximidades da Avenida Nossa Senhora da Candelária, deixaria para comprar depois. Começava a escurecer, um anúncio luminoso da Prefeitura obrigava o uso de máscaras e determinava o fechamento do comércio a partir da meia-noite. Coloquei no buscador do *allphone* o supermercado mais próximo. Chegando no recinto, uma multidão se aglomerava em busca de mantimentos.

Não entrei. Na esquina ao lado, a pouco mais de cinquenta metros, transgêneros são abordados por um grupo que sai de cima de uma caminhonete sem placa que acabara de estacionar. Eles descem com máscaras balaclavas negras. Um deles faz perguntas rápidas, com tom e voz altos. Uma das travestis se exalta e pergunta:

— O senhor é da polícia? Onde está sua identificação?

Sem responder, apenas levanta a mão direita. De dentro da parte fechada da *pick-up* saem dois homens altos, fortes, com balaclavas brancas, vestidos com roupas verde-escuras e portando duas metralhadoras. O líder abaixa a mão direita, os dois homens executam as travestis. Janelas se abrem nos dois lados da rua e se fecham rapidamente. Penso em entrar no supermercado, mas funcionários baixam as cortinas de ferro após ouvirem os estampidos. A aglomeração fica encerrada. Dou alguns passos lentos para não chamar a atenção. Há, ao lado do supermercado, um prédio residencial com o *hall* de entrada aberto. Penso em ficar por ali, mas não entro de imediato. Os encapuzados, como se nada temessem, ainda se demoram alguns instantes. Mais um sai de dentro do carro, do banco do carona. Está sem máscara, mas seu rosto é indecifrável. Barba cobrindo quase todo o crânio, misturando-se com o cabelo, caminha com dificuldade. Dá um grito alto ininteligível, os demais sobem na carroceria aberta. Somem por entre as ruas estreitas da Candelária. Alguns curiosos se aglomeram em torno dos cadáveres. Carros da Polícia Militar chegam, verificam os corpos e os recolhem. Não fazem perguntas. Eu continuo no *hall* do prédio. Mando mensagem para Tenório:

— Pode falar?

— Sim.

— Acabei de presenciar uma chacina, em plena Zona Sul.

— Onde?

— Perto do apartamento alugado pelo Pluna, na Rua Caudilhos.

— Volte para casa. Está tudo degringolando muito rápido. Não sei o que acontecerá. Amanhã estará tudo fechado. Você conseguiu fazer algumas compras?

— Não, muita gente no supermercado. Nem quis entrar.

— Olha só, faz o seguinte: a Letícia está neste momento comprando mantimentos. Vou pedir para ela reforçar. Volte para o apartamento. Amanhã vou aí e te deixo as compras.

Obedeci ao amigo. Sentia medo pela primeira vez em muitos anos. A noite de Litorânia, usualmente tensa, mas com seus bares, restaurantes, música, pessoas interessantes, multiculturas, livrarias, atletas, a preponderar, sempre me fez feliz, mas em *2047* o copo transbordou. O limite, coisa que nós, lisarbenses, prorrogávamos sempre ao extremo, foi rompido. O tecido puído se fez furado de vez, e a guerra surda explicitou-se de modo majoritário, sem meandros ou disfarces hipócritas inúteis. Estávamos de cuecas há muitas décadas, mas agora a nudez era crua. Consegui comprar uma escova de dentes nova e, na mesma farmácia, água mineral. Pouca gente na rua. Fôlderes virtuais reproduziam o toque de recolher do prefeito. Ao mesmo tempo, no alto de uma banca de revistas, um canhão holográfico reproduzia a fala de Montanaro do meio-dia. Um comboio de quatro caminhonetes com bandeiras de Lisarb no capô passa, em velocidade acima da regular, buzinando. Quase no apartamento, um homem em situação de rua, de costas para mim, urina dentro de uma garrafa.

Entrei no prédio do apartamento. O porteiro agora acompanhava pela TV normal o noticiário. Rugiu de raiva quando o apresentador pediu que as pessoas ficassem em casa. Subo os oito lances de escadas até o quarto andar. Minha incursão tinha sido malsucedida. Os tempos eram outros. Tenório manda mensagem, perguntando se podia ligar. Digo que sim. Coloco o *allphone* na mesa de centro da sala, vou até a geladeira, abro outra latinha de cerveja, sento no sofá vermelho e aguardo o holograma de Tenório. A ligação chega, ele tem um *slimbook* na mão, parece tenso:

— E aí?

— Fiz o que você falou. Tudo fechado aí fora. Voltei para casa, mas estou sem nada aqui...

— Me manda a localização do apartamento. Amanhã passaremos aí para te deixar umas coisas. Acabei de ter acesso a um relatório das Nações Unidas sobre a situação em Lisarb. É exclusivo e confidencial. Amanhã a *Folha* dará sua íntegra. Estou escrevendo a matéria. É o seguinte: o vírus está disseminado em todo o país. Esse foco no Sul já era. Lá, hoje, é a visão do nosso futuro. Os hospitais estão começando a receber os doentes com SRAG. A maioria que vai para a UTI, a tendência é morrer sufocado, mas na forma animalesca há uma desordem mental séria, com violência, e os doentes não morrem. Ainda não se sabe ao certo, mas há um estudo de uma universidade do Estado Americano indicando que, para desenvolver esses sintomas, é preciso ter uma predisposição. Não tem muito retorno, a pele vira couro, os dedos viram casco, o pescoço fica duro, o cara anda encurvado, é a visão do inferno. A curva de transmissão é exponencial. Tem que ficar em casa, usar máscara mesmo, isso tudo aí. Os Estados estão fechando, mas o Montanaro não tem interesse nisso. Ele quer continuar com os problemas ainda mais sérios, quer dividir o país ainda mais.

— Parece mentira...

— Nada, esse cara sempre apostou no caos. Existe outra situação. Não está apontada no relatório, mas tenho a informação. As armas que já estão nas ruas, nas mãos dos bandidos, milicianos e montanaristas, terão mais um acréscimo. Na segunda-feira, o Montanaro vai liberar uma linha de financiamento exclusiva, a fundo perdido, para familiares de militares adquirirem. Sacou?

— Sim, claro. Só compra quem está com ele.

— Vou te passar o relatório. Manda para o Cairo Góes, por favor, de modo reservado.

— Tenório... vai mudar tudo? Estou aqui começando a escrever o programa de governo, mas precisamos entender o que haverá.

— Sim, por isso, acho melhor, taticamente, você ainda não pedir meu ingresso na campanha. É melhor eu ficar por aqui.

— Ok. Concordo.

Um gato angorá pula no colo de Tenório. Letícia vai buscá-lo, Tenório pede para deixar a bichana por ali mesmo.

— Estamos terminando, Letícia. Pode deixar ela por aqui. Conhece a Miúda, Alex? Esta aqui é que é feliz. Acho que os gatos não pegam essa porra... Até amanhã. Olha só. Hoje pode beber um vinho.

— Estou tomando cerveja, mas acho que tem um vinho na geladeira. Vou ver se adianto um pouco a leitura.

O comportamento da ultradireita interditava o debate racional, dado seu caráter contraditório. Ao mesmo tempo que pregava o diálogo franco, descortês, como se isso fosse mais condizente com a verdade, sem o manto da hipocrisia ou do cinismo, vivia a espalhar mentiras descaradas. Após passar aquela breve hora nas imediações do apartamento, o resultado da observação, ao contrário do que pensara, tinha sido frutífero. Mandei mensagem para Cairo. Ele respondeu pedindo para que fizéssemos uma chamada de segurança. Fui à mala, busquei outro *chip* e enfiei no *allphone*. Cairo me ligou:

— Você viu minha mensagem?

— Sim, sobre o encontro com Duarte Lato?

— Exato. Consegue providenciar rápido? Eu poderia ligar, mas acho que é melhor você articular a aproximação.

— Sim, com certeza. Vou ligar para ele hoje ainda. Só não fiz ainda porque estava tentando comprar alguns mantimentos. A situação está fora de controle. Está havendo uma piora muito rápida da coisa. Assisti a um assassinato agora há menos de uma hora. Travestis foram mortos como fossem moscas.

— São os milicianos do Montanaro. Não há mais nenhum tipo de investigação, a criminalidade está desenfreada, saiu do controle, não há mais espaço para o diálogo com essa gente...

— Cairo, tenho dois temas para te falar, além do encontro com o governador do Estado do Sul, que vou providenciar. O primeiro é o relatório das Nações Unidas que vou te enviar agora. Recebi de um amigo jornalista. A *Folha* irá divulgar amanhã. Há uma desinformação geral sobre a Rened-47. O governo está escondendo os números. A doença está espalhada, é uma epidemia gravíssima e talvez não tenhamos mais retorno. Deixamos solto, não nos preocupamos direito, não observamos seu desenrolar e pode ser tarde demais. Os relatos são de que a forma animalesca está criando um novo grupo de sintomas, mais ferozes ainda do que os que conhecíamos. O outro é que, com essa dinâmica nova, precisaremos ajustar nossos planos. Em todos os sentidos. Há uma deterioração muito rápida do tecido social e institucional.

— Claro que há, meu caro, seja bem-vindo a Lisarb versão *2047*. Me mande o relatório. É duro ter de admitir, mas estamos voando no escuro. A palestra com o doutor Bráulio, ontem, foi muito boa, mas estou sem informações estratégicas. Faremos uma reavaliação de cenários, sim.

Não tinha cabeça para ler mais o livro de Cairo. Passei os olhos sobre o relatório. Os dados eram assustadores, assim como terrificantes eram os prognósticos. Além de doentes, mortos e deformados em escala fordista, ingressaríamos numa crise econômica cujo precedente mais próximo datava de 1930. A massa de inúteis aumentaria, e o papel do Estado, liberal, como queriam alguns dos teóricos a dar verniz ideológico ao Governo Montanaro, não mais tinha aplicação. Cemitério de doutrinas econômicas em desuso no resto do mundo, a epidemia de Rened-47 fazia Lisarb velar o Estado mínimo venerado por alguns dos mais célebres economistas governistas, como Saulo Jegues, o gênio econômico que confundiu New Deal com Plano Marshall. Uma massa de milhões de seres humanos lisarbenses estava fora do mercado e não mais voltaria a ele por uma razão muito simples ainda, não vista pelo líder financeiro de Montanaro: não existia mais mercado tal qual ele estudara. Em *2047*, a quinta revolução industrial fez a humanidade constatar na prática algo há muito propalado: o excesso de seres humanos no mundo traria, definitivamente, ao Estado uma função que os socialistas haviam tangenciado, mas que, naquele momento, paradoxalmente, era a salvação da própria economia de mercado. O número excedente de seres humanos, a massa de inúteis prevista por Harari estava consumada, e Jegues não conseguia perceber. O Estado deveria providenciar o sustento dos seus cidadãos, mas os dogmas liberais engessavam algumas mentes brilhantes, mesmo com evidências gritantes de que o consumo, mola mestra do capitalismo, estava definhando na base. Lucas sabia disso muito bem. Por isso, sua plataforma era o retorno às rendas mínimas financiadas pelo Estado. Era a única saída. O PGD de Duarte Lato já havia implementado, com as limitações de um estado-membro quebrado, a saída do Estado de setores não vitais. Meios de produção não seriam mais estatais, quaisquer que fossem. O Estado nu e cru ingressaria no básico da sociedade capitalista: a renda e, com isso, fomentaria a base real do consumo faltante naquele momento. As sociedades capitalistas mais avançadas haviam captado isso havia anos. Enquanto os fóruns econômicos internacionais propagavam a distribuição de renda, o teórico da economia montanarista não via o óbvio a ulular nos seus hologramas. O mercado clássico como ensinado, previsto, estudado, havia acabado. O ser humano fora, de fato, substituído pela inteligência artificial majoritariamente em tarefas e serviços típicos de humanos, como nas tomadas de decisões. Enquanto advogados virtuais se digladiavam diante de juízes e tribunais também virtuais, Lisarb patinava em discussões superadas havia vinte, trinta anos. O mergulho em Montanaro deveria ser encarado pelos historiadores como uma ressaca homérica de proporções galácticas. Era sem precedentes na nossa agastada história. Houve alguns governos amalucados, sim, mas por pouco tempo. Renunciaram, caíram, mas Montanaro tinha forte apoio, e esse seria nosso grande campeonato.

Impressionante como Lisarb estava atrasada. Enquanto o mundo ocidental discutia e criava colônias fora do planeta Terra para a ambientação à falta de oxigênio de Marte, estávamos sendo governados por uma pessoa que negava a ciência de modo taxativo. Na mesma medida em que experiências extracorpóreas estavam sendo praticadas, como a transferência da mente humana para o mundo virtual, o *upload* mental, o líder maior lisarbense negava a importância da máscara, numa transmissão de vírus por meio de perdigotos. De igual modo, no momento mesmo em que a civilização ocidental terminava a migração dos combustíveis fósseis para as energias renováveis, o Caronte dos trópicos ateava fogo no que restava das florestas da Região dos Grandes Rios e liderava um movimento armamentista da população com o propósito nítido de liquidar com o restante do tecido social ainda íntegro. Mas o movimento de volta às trevas não era um fenômeno local. O Estado Americano acabava de livrar-se de Ronald Lier, por meio democrático, no voto, nas urnas. Essa discussão logo deveríamos fazer na rodada de reavaliação, uma vez que a experiência de insurreição praticada no seio da democracia mais antiga do Ocidente era um fator a ser sopesado. Mais que isso, seria um dos números mais importantes na conta que precisávamos fazer. Se lá haviam feito, por qual razão aqui não fariam o mesmo? Os índices de Montanaro cairiam, o desemprego já estruturado, a massa de milhões de pessoas sem renda desguarnecidas de um auxílio estatal a proporcionar-lhes o básico, e as mortes iriam derrubá-lo até seu limite mínimo: os neofascistas, a ultradireita. Esse piso era forte e resistente e seria a base para a insurgência, assim eu acreditava, assim a maioria dos analistas previa.

Passei para o vinho, as latas de cerveja tinham acabado. O jeito era torcer para a Letícia ter consciência do meu quase alcoolismo. A TV holográfica passava imagens de doentes em UTIs, alternando com casos da forma animalesca. Olhei o *allphone*, dois minivídeos holográficos da Itália estavam armazenados. Um era a propaganda de um restaurante nos arredores do Panteão, muito frequentado por mim e Benigna, o outro era de uma professora de história da Universidade de Roma, pedindo para que eu falasse sobre a Rened-47 em Lisarb. Respondi com uma mensagem de áudio. Se eu pudesse falar por meio holográfico ou telepresencial, poderia dar a palestra. Suzana, em lista de transmissão, continuava a infestar meu *allphone* com fotos, vídeos, reportagens, fôlderes virtuais sobre a nova doença. Havia escrito um texto também:

"Vi uma foto sua nas redes sociais. Que pança... kkkk. Dei meganon no Swcht. Vai cair tua média."

Respondi a ela perguntando qual dia ela apareceria em Litorânia, se a viagem estava mantida. Ela me respondera que sim, viria na quarta-feira, tomaria cuidado, usaria uma roupa de TNT comprada na farmácia e, se pudesse, gostaria de ficar hospedada no meu apartamento. Sim, ela seria minha hóspede.

Pela primeira vez em oito anos eu estaria com Suzana. Independentemente da aparência, eu teria que fazer um esforço adicional para sair daquele peso. Até quarta, por óbvio, eu continuaria quinze quilos acima do meu peso normal. Havia a possibilidade de algumas sessões do controvertido *fast spa*, onde eu poderia eliminar, em duas semanas, dez quilos pela aplicação de nanobots queimadores com a implantação de uma nanopartícula dentro de células imunes, as mesmas responsáveis pelo combate a organismos estranhos no organismo. Uma vez inseridas, haveria a liberação de um medicamento com dupla função, estimular e enganar os macrófagos a sugar e comer as células de gordura, com se invasoras fossem. Dessa forma, em duas semanas de tratamento dentro de cápsulas similares às de bronzeamento artificial, eu atingiria meu objetivo. O problema: o mesmo de sempre; qual o sentido em fazer um tratamento caro, com efeitos colaterais potencialmente graves — pois os macrófagos também eliminavam células sadias — e manter os mesmos hábitos? Eu engordaria de novo. Então, eu encararia a vinda de Suzana e, depois, sempre depois, me alimentaria melhor e diminuiria o álcool.

As imagens holográficas de doentes dentro de casa eram de matar. Os canais só passavam notícias da epidemia. Consegui achar um noticiário diferente, mas era sobre política. Desde *2038*, a sociedade lisarbense vivia uma sobrecarga de política. Tenho um amigo, um colega de faculdade, Augusto Fontana. Ele me disse certa vez, quando eu ainda morava na Itália, no grupo de mensagens instantâneas dos amigos de infância, que sofríamos de excesso de política. "Porra, Alex, vamos ver se falamos de outra coisa, há um excesso. Desde *2038*, estamos debatendo com muita intensidade a política lisarbense, é pesado demais, ninguém aguenta tanto tempo." Augusto, um intelectual da área jurídica, era militante pevista e discordava com contundência dos meus escritos. Era da parcela do Partido, majoritária, que não admitia autocrítica. Eu o entendia, na verdade, como entendo essa parcela até hoje, mas nem por isso creio na correção desse comportamento, mesmo com a soltura de Lucas e a reviravolta promovida pela Suprema Corte. Mas a necessidade de a sociedade desligar-se dos assuntos políticos era inversamente proporcional à demanda. Não tinha como. Augusto, sempre magro, gostava de vinho, mas se cuidava, e, decerto escrevendo sobre política em seu *slimbook* em Porto Casal, ponderava: "Ok. Tá certo. A vida em Lisarb está pedindo, mas tem como a gente falar de outra coisa? Esportes, viagens, um churrasquinho. Eu ando de *bike* todo fim de semana". Éramos forçados a isso, na verdade. Uma crítica ao lisarbense médio, sempre feita, era a sua despolitização, sua cultura telenovelesca, sua falta de apetite para o debate. Não sei, desde que nasci, e acredito muito no que tenho visto, me parece uma falácia tão grande quanto a do tal homem cordial. O lisarbense sempre foi dado à política — a baixa política — é verdade, o rasteiro, a compra e venda de votos. "Doutor Alex, o senhor não tem um candidato a deputado por aí?", perguntou-me, no meio de uma campanha, em Lisarbia, Elisiane, a diarista que prestava serviço no meu *loft* na Zona Murada. "Não vejo nunca a senhora falar em política..." "É que estou doidinha para vender meu voto." Fontana, arguto, interpretava: "As mídias sociais aceleraram esse processo. É como se fosse um efeito colateral, isso que estão chamando de polarização". Com todo o processo desinformativo, *fake news*, debate racional interditado, no entanto, a discussão política parecia estar mais central.

Para sair da Rened-47 e seus doentes, troquei de canal. Era um debate sobre uma abordagem do CMC, o Caminhão Moral e Cívico, e a necessidade urgente de a Suprema Corte julgar pela inconstitucionalidade do decreto de Montanaro, cujo efeito era o de estender para a Leviata os crimes de afronta à ética do cidadão de bem. O crime, previsto em lei, fora aprovado no auge da popularidade de Servius Mórus, submetido, no momento, ao isolamento e ostracismo político, sem popularidade, execrado por pevistas e montanaristas, uma raríssima unanimidade. O decreto determinava o julgamento sumário, por meio do CMC, especialmente de militantes esquerdistas em geral, e pevistas em específico, por suas manifestações. Defender o aborto, a descriminalização de drogas, a laicidade do Estado, os direitos de minorias, lutar contra a instauração do fascismo, pautas feministas e antirracistas eram, no mais das vezes, considerados por alguns juízes como crime de afronta à ética do cidadão de bem. Embora Montanaro jamais tivesse formado uma coalizão sólida no Parlamento e visasse ao golpe de Estado, esse crime ele conseguira emplacar. Com o enfraquecimento gradual de sua inserção institucional, a imprensa cobrava a declaração de inconstitucionalidade:

— Veja bem, Geraldo, não tem como admitir que a pessoa possa, por sua opinião, ser declarada uma criminosa. Não se trata de apologia do crime, como tem acontecido com os montanaristas, que pregam a destruição de várias instituições. São pautas históricas. É diferente de você pedir um golpe de Estado.

— Sim, com certeza, Carnarolli. Excelente análise.

— É preciso que a Suprema Corte julgue de uma vez essa matéria.

As imagens do julgamento sumário de militantes pevistas, conduzido por um sistema jurídico chamado de Leviata, e os comentários sobre essa situação eram mais amenos. A profusão de cores do sistema holográfico, com altíssima resolução em PHD (*perfect high definition*), trazia o debate para dentro da sala do apartamento. A depender do tamanho programado, era uma cena real acontecendo. A análise do jornalista era sobre o poder de Montanaro e o aparente paradoxo do seu exercício:

— Veja bem, Geraldo. Na mesma medida em que míngua seu *status* institucional, seu diálogo com o Parlamento e com a Suprema Corte, ele atravessa regras tradicionais, governa por decreto e tenta se aliar, diretamente, com a população, com o apoio das Forças Armadas.

— Até que ponto, Carnarolli, há esse apoio?

— Há uma clara divisão no alto oficialato, mas, nas patentes menores, há um apoio muito grande.

A transgressão era e sempre fora a normose lisarbense mais praticada. Assim como na maior parte do tempo histórico, a regra era a guerra, o conflito. O Direito, o espaço ocupado pelo cumprimento das regras do jogo, em Lisarb dependia do consumidor, do cliente do Judiciário, ou da Administração. O tão buscado princípio da impessoalidade era muito relativo e, aos governantes, aí mesmo é que não se aplicava. As corrupções supostamente menores, de fundo de quintal, de Montanaro eram relativizadas por seus militantes, mas a principal transgressão era a busca da linha direta com os militares na tentativa de um golpe. Uma vez, a verve de Tenório me jogou água fria num extenso raciocínio que fazia sobre corrupção, instrumentalização. Falávamos sobre a manipulação do Judiciário e como um advogado sem influência no pior dos sentidos, ou seja, sem o aditivo diferenciador da corrupção, ficava em desvantagem perante os grandes corruptores. Enquanto eu, da mesma forma que Fontana, fazia um ensaio sobre a origem da corrupção, "Donos do Poder etc.", ele fazia um paralelo maravilhoso entre um atleta dopado e um advogado corruptor:

— Alex, você sempre foi muito ingênuo, as regras foram feitas para serem transgredidas. Qual a razão de os países ricos terem mais medalhas olímpicas? Seria só o preparo físico? Lembra da Alemanha Oriental no século passado? Da Rússia, agora há pouco? Como eles competem entre si? Todos eles têm um superpreparo, de fato, mas existem segredinhos, tem regrinha de ocasião. Meu *brother*, ganha quem tem mais *dopping*, quem fura mais o esquema, quem toma mais remédio e sabe os prazos para não sair na urina, no sangue... sacou, meu nego? Os chineses entenderam isso há séculos. Não existe igualdade entre concorrentes. Não há como ir adiante sem superpoderes. É uma utopia. Isso é real, não tem como vencer sem passar a perna em alguém. Melhor, na verdade, o jogo foi feito para ser fraudado. Quem faz as regras, quem está mais perto delas irá fraudá-las sempre, é natural.

Verificando um futuro nebuloso, no qual a transgressão, ao que parecia, não se daria somente no campo da corrupção e dos velhos vícios lisarbenses, acabei adormecendo no sofá da sala. Por volta das duas da manhã, acordei com sede. A cama não estava feita, peguei apenas um cobertor. No outro dia, começaria a colocar rumo nas coisas.

X

Nove da manhã, o interfone toca. Abro a janela, o céu está escuro, mas diferente de um temporal. Saio do quarto, única peça, junto com o banheiro, separada do grande ambiente, e atendo o interfone. Tenório está no térreo com as compras:

— Vou deixar com o porteiro. Vai cair um toró, não vai dar tempo de subir. Ok?

— Sim, vou colocar uma roupa e descer. Deixa aí. Me manda um número de conta para eu transferir o valor.

— Outra coisa, o tempo está muito estranho, acho que é mais uma daquelas chuvas negras que vem vindo.

— Agradece à Letícia, por favor.

— Abraço.

Tomei uma ducha fria. Abri a pequena janela do banheiro para visualizar o tempo. A abertura dava para a rua transversal à Caudilhos, normalmente mais movimentada. Não havia um só carro. Uma família de moradores de rua começava a se proteger do temporal com caixas de papelão em frente a um prédio comercial com placas de "aluga-se". Um vendedor de pipoca passa correndo com seu carrinho, de máscara e luvas, está particularmente preocupado em segurar o chapéu para não voar com a ventania. O asfalto cinzento recebe os primeiros pingos pretos, pintando-se, entrecortadamente com os trovões, em *petit pois*. A família se acomoda, o pipoqueiro some do meu campo de visão, dobrando a esquina para dentro da Caudilhos. Logo, tudo ficou à espera, o sábado estava mais para domingo e, como tal, mais triste. Pela janela também ingressou um cheiro de fuligem, lembrando-me das primeiras vezes em que visitei a região dos Grandes Rios e percebi, pela primeira vez, o cheiro das queimadas. Dois mil quilômetros ao norte do país, o núcleo central da floresta estava terminando de ser devastado com o incentivo estatal. Vista do espaço, as fotos aéreas de Lisarb eram um enorme tapete verde da soja pontilhado de laranja do fogo das queimadas. O resultado era sentido em Litorânia e Metropolitana, as duas megalópoles lisarbenses com a alteração do regime de chuvas. Chovia menos e mais forte, em grandes eventos a matar duzentas, trezentas pessoas por ano nas encostas. As secas provocadas pela diminuição dos chamados rios aéreos provenientes do norte provocavam crise hídrica nos reservatórios, e o fenômeno da chuva negra havia se intensificado, se normalizado.

A agenda ambiental, tocada diretamente por um antiministro do Meio Ambiente, Eduardo Males, era acabar com os entraves aos madeireiros, garimpeiros, grileiros, plantadores de soja e criadores de gado, terminar de liquidar com os índios e com suas reservas, agora destinadas à exploração de garimpos e à expansão da malha viária. Sob o pretexto de serem utilizadas pelo Exército, o Estado Lisarbense retomava as terras indígenas demarcadas nos governos pevistas.

Uma falsa polêmica era alimentada por Montanaro. Segundo o processo desinformativo em ascensão, enviado pelas linhas de transmissão de vídeos holográficos, Lisarb deveria alimentar o mundo. Para isso, seria preciso desmatar a região dos Grandes Rios. Todos os países do mundo haviam derrubado suas florestas no passado, por que pagaríamos o preço da preservação, em detrimento do nosso desenvolvimento econômico? Essa pauta era abraçada pelo piso de seus eleitores, e Eduardo Males liderava o desmate. Sob pressão internacional vigorosa, surgiram embargos internacionais à compra de alimentos lisarbenses.

Como chegáramos a tal nível de loucura? A experiência montanarista haveria de nos levar ao encontro do último nível do fundo do poço? Terminei o banho, coloquei uma bermuda, chinelos, uma camiseta branca bem limpinha, tirada do fundo da mala, agora desfeita, e desci as escadas. No *hall*, na pequena peça em forma de guarita onde ficava o porteiro, fui recebido por voz mais amistosa:

— Doutor Alex, deixaram essas compras para o senhor.

Era um outro porteiro. Estava de máscara, bem mais jovem. Tinha um vocabulário de quem era instruído. Logo notei um romance grosso na mesma bancada onde o antigo porteiro colocava a minitevê holográfica. Era incomum. Folga, certamente, do outro, pensei. Animei-me a perguntar algo sobre a leitura dele:

— Eu faço boxe, doutor Alex. Lá na academia o dono colocou umas fotos em preto e branco de um velho barbudo lutando boxe. Achei curioso, interessante, fui atrás para ver quem era.

— Conseguiu saber quem era?

— Sim, aí busquei um de seus clássicos. Gosto de ler ainda no papel. Este aqui comprei num sebo virtual. Mandaram-me no mesmo dia.

— Que bom, está gostando no livro?

— É enorme, mas a leitura é tão fácil, leve, basicamente são diálogos rápidos. As suas compras...

— Obrigado. O outro porteiro, você está cobrindo a folga dele?

— Não, doutor, ele adoeceu. A família dele avisou de madrugada. Me chamaram de última hora.

— Qual doença?

— A família não explicou direito, mas parece que ele estava ficando muito agressivo, sem paciência. Acho que foi algo mental. Vou lhe contar algo, fica por aqui... ele descobriu que o filho estava morando com o namorado e bateu muito nele. O engraçado é que ele sabia do namoro do rapaz há muito tempo, foi uma surpresa para a família.

— E por que concluíram que era uma doença?

— Não sei, doutor. Fechou o tempo.

O que tornava tudo difícil é quando se dava importância ao que poderia acontecer. O resto é fácil, já se dissera. Dizem que o ser humano, com a domesticação do trigo, na revolução agrícola, teria dado um passo à frente, dominando a natureza ao fabricar seu alimento mais sagrado. Há corrente contrária, no sentido de que, depois disso, inventamos o futuro, e, com ele, a preocupação se vai chover o suficiente e, daí em diante, os cálculos matemáticos de safra, até chegar ao atual mercado de futuros e derivativos agropecuários. Ali, naquela fase, contratamos a encrenca na qual até hoje estamos enfiados. Até onde iríamos? A chuva negra lá fora, resultado das queimadas e da poluição, estava produzindo uma enxurrada nas sarjetas, e a boca de lobo em frente ao *hall* de entrada do prédio fazia um chafariz volumoso. O porteiro de modos cordatos e linguajar correto, como a se desculpar, mostrou preocupação:

— O síndico me mandou uma mensagem há pouco sobre o tema, dizendo ter de encaminhar e-mail para a Prefeitura consertar este esgoto. Aliás, isso é um problema crônico aqui na região. Ele vai descer aqui e gravar um holograma para mandar para a Prefeitura. Toda vez é isso, por aqui.

— Vou subir. Muito prazer, qual seu nome mesmo?

— Odacir.

— Parabéns pela leitura. Ninguém lê mais nada.

O que é crônico não é urgente, a sujeira se acumulava no subterrâneo há décadas, a novidade era a profusão de chafarizes a tirar de dentro do fétido esgoto o cheiro putrefato do chorume. Mauro Pereira havia encaminhado nova mensagem, antecipando a reunião para domingo. Seria virtual, por sala holográfica, com a transmissão simultânea das imagens. Eu teria o sábado para aprofundar o estudo sobre o PGD e entrelaçá-lo com as ideias de Cairo, uma tarefa aparentemente paradoxal, um casamento entre o nacionalismo e a redução do Estado. O aspecto econômico já estava escrito pelo próprio Cairo, o PGD vinha da experiência de Duarte Lato. Aumentar a soberania com menos Estado é perfeitamente possível com regulação e incentivo à iniciativa privada, às empresas lisarbenses, que, em *2047*, estavam circunscritas ao agronegócio, a serviços e ao mercado financeiro. Décadas atrás, Lisarb promoveu, de início pela apreciação do câmbio, a desindustrialização, e, com isso, a dependência econômica. Era perfeitamente possível conciliar um núcleo decisório estatal a comandar e induzir as políticas da iniciativa privada. Estado mais mercado, não um contra o outro. Acabar com o populismo, uma das nossas doenças mais crônicas, era o desafio, pois o Estado grande também é necessário para comprar o Parlamento. Montanaro, cuja inclinação inicial era adotar uma agenda totalmente entreguista com o Pacto de Assunção, aproximara-se novamente dos militares e da fisiologia, sabia disso. O preço pago: parte do eleitorado que o elegera com base no discurso anticleptocrático o abandonava gradualmente com a queda da última de suas máscaras.

Deixei as compras na cozinha. Separei o cartão do supermercado e o coloquei na tela do *allphone*. Letícia não tinha comprado vinho. O leitor de códigos trouxe o menu virtual em três dimensões. Os vinhos apareceram. Pedi meia dúzia de tintos alentejanos, deveriam chegar no final da tarde. Iniciaria o texto, e, depois, se o tempo melhorasse, iria até a Oceânica para dar uma caminhada e sair da letargia. Era preciso escapar daquela ressaca de separação. O primeiro passo é sempre o mais difícil. E é mesmo. Iniciar o plano do Cairo, começar a correr para baixar de peso, diminuir o álcool, eu iniciaria tudo de novo. A vantagem era o teto chegando, não teria mais tempo para procrastinar.

Em 2037, Lisa estava na Espanha. Logo depois de ter assumido meu cargo na Presidência da República, eu tinha terminado um tratamento psicoterápico, sem muita paciência. Evolução lenta. Aí recorri a terapias alternativas, perto de Lisarbia, na região Montanhosa Central. Era uma localidade mística, *hippie*, com um clima frio à noite, um apelo à memória afetiva. As ruas pouco iluminadas, fogueiras, aqueles montinhos de adolescentes bebendo vinho barato, fumando seus baseadinhos e cantarolando MPL. De dia, araras, tucanos, as cachoeiras, os cristais, o povo simples, logo ali, duas horas da Capital, para espantar a política do corpo. O fato é que não se sabe muita coisa. A gente vai tateando a existência, apalpando seus contornos, medindo a temperatura, tirando a febre, como se dizia. É por sinais de fumaça, vem pelo bico da cegonha o berço das respostas. Tudo incipiente, fraquinho, um pouco quimérico. Algumas coisas deciframos rápido, entender outras é mais custoso. É meio circular esse negócio, acontece várias vezes, mas mesmo as de sabença tranquila é preciso o agarre sagaz da verdade fugidia. Exemplo: mais ou menos nessa época, um pouco antes de subir para as Montanhas Centrais, eu estava precisando pagar algumas contas altas. Dinheiro na rua, gente devendo, não entrava recurso. *La plata* é cabulosa, densa, atrai. No mesmo período, eu deveria ter repassado um valor de um negócio para um sócio. Estava com o dinheiro havia duas semanas e não avisara o colega. "Dona Sandra, a gente está em dívida. Pague logo o Misael, tira da aplicação, não dá mais para ficar segurando, isso é ruim." Naquele instante do pagamento, coisa de segundos, dois devedores acertaram as contas comigo. Outra vez, o castigo veio duro. Um troco a maior, já com Benigna num *pub* em Nápoles. Uns cem euros de prejuízo para o garçom. Dei-me por conta no hotel e não voltei para devolver. Estávamos de trem, no inverno italiano. Sairíamos no dia seguinte de volta para Roma, bem cedo. Na estação, os dedos dos pés congelavam, a atenção voltada só para entrar rápido no trem. Minha carteira foi levada, e eu nem vi. Menos dois mil euros. Volta rápido o trem. É preciso aprender, mas há as mais dificultosas, nelas a precisão é de perfuratriz. Aí entram as tais terapias alternativas, tudo experimental, sem apoio científico, mas a gente busca coisa rápida, para tirar com a mão o problema. O Pietroboni, meio careca, com umas bermudas de cores chamativas em nada a combinar com a camisa, em outro tom, também a esgrimir com luva de boxe, do alto da segunda garrafa de um português muito caro que tomávamos noutros tempos em sua casa perto de Porto Casal, dizia: "Solução mágica, meu caro". Eu inticava: "Mas tu não duvida da constelação?". Tomando mais um gole, metendo o narigão dentro da taça e tascando um queijo que vinha derretendo da lareira onde assávamos um *entrecôte*, assumia a ignorância: "É a tal história de não crer nas bruxas, nos sonhos da vã filosofia, uma mistura do José Hernandez com o Bardo". Eu não desdigo e gosto de experimentar, vim mais pela tentativa e deu certo naquela época. Engrenei uma sequência de bom estado espiritual, mental, físico. Algumas coisas, pelo menos até ali, se aquietaram no vespeiro da minha cachola. De tudo, a grande cura para a depressão era fazer, implementar, mas o círculo era vicioso, e mexer-se não é só o externo, está mais para enfiar uma colher de pau num grande cozido de si mesmo. Fui bem, mas depois veio o episódio de Lisa e toda a encrespação do resto. Agora, ali na Candelária, a chuva negra havia acabado, o tempo se amainara, fazia um fresquinho bom.

Tinha trabalhado bem, terminado umas boas páginas, a ideia do índice todo, o projeto bem delineado. Descongelei uma lasanha e toquei mais um pouco depois do almoço. Sozinho em casa, sem a aporrinhação, explicação constante. Fiz um café, terminei de ler um artigo sobre o PGD e, com essa lembrança, mandei uma mensagem para Leandro Marçal. Interessante como uma ética nova, muito paradoxal, havia se instalado. Antigamente, uma ligação comum ou mesmo holográfica era direta, feita sem pedir licença. Com o tempo e os aplicativos de mensagens instantâneas se difundindo à profusão, as ligações eram precedidas de mensagens. Encaminhei:

— LM, quanto tempo! Estou de volta a Lisarb, tem alguns dias. Posso te ligar?

Ele não demorou muito tempo para responder. Enviou um micro-meme holográfico amistoso que saiu do celular com sua imagem dando um abraço, junto com a mensagem que logo embaixo respondi:

— Claro, chefe, a hora que quiser.

— Salve, vamos fazer uma holográfica, pode ser?

— Sim, com certeza, estou tomando um mate aqui. Começou a bater um friozinho. Pode ligar agora.

Fazia muito tempo que não conversava com meu ex-assessor. Especialmente ao final, ele tinha exercido um papel muito importante. Sempre compenetrado, ágil e eficiente, Leandro Marçal era um Alex Tedesco sem suas idiossincrasias, pelo menos eu, por fora, assim o via. Currículo magnífico, somente tinha saído da Presidência da República pelas circunstâncias do golpe judiciário. Duarte Lato, pelo que soube, o havia resgatado numa prefeitura pevista secundária, no interior do Estado do Sul. Desde então, era o grande artífice do PGD. Jovem, ainda magro, conservava os mesmos óculos

redondinhos, camisa e cabelos bem cortados. Estava num apartamento alto, com a paisagem clássica do Mar de Dentro ao fundo
em Porto Casal, tomava um chimarrão com o sol batendo enviesado
pela sua direita, formando a imagem da luz do sol bem nítida,
espessa, caindo sobre um livro físico. Na frente do livro, um
slimbook finíssimo com anotações e um *laptop* dobrável:

— Salve, chefe, quanto tempo... — *workaholic*, devia estar trabalhando em algum texto quando iniciamos a ligação, pois deu
um comando de voz, e o laptop começou a dobrar-se até formar um
pequeno rolo. — Chegou quando em Lisarb? As últimas notícias
que tive do senhor era de que estava muito bem na Itália, dando
palestras, casado com uma mulher muito influente na alta roda.
Surpresa em vê-lo por aqui...

— Leandro, na verdade eu meio que rompi com essa lógica aí —
eu tinha certa confiança nele, era um garoto bom, trabalhador, abriria
um pouco —, precisava voltar para cá, resgatar algumas coisas. Tive
intercorrências pessoais, também, me separei da última mulher...

— Muita surpresa para mim, chefe. Acompanho o senhor pelas
redes, pareciam formar um casal perfeito. Ela, uma morena, o
senhor me desculpe, muito...

— Nada, pode falar, era bonita mesmo — atravessei a fala do
sempre cauteloso LM.

— Sim, eu ia dizer isso, além de parecer muito empoderada.

Não aguentei:

— Até tu, Leandro, com essa de empoderamento. — Eu
não gostava da expressão vinda do inglês, mas reconhecia a sua
assertividade.

— É, tá na moda por aqui.

— Mas você esqueceu uma lição do Romeu José — provoquei.

— Qual?

— Não tem dica para quem é inteligente. São só sete os princípios da Doutrina da Aceitação e um deles que têm a ver com esta
tua fala sobre a minha ex-mulher.

Leandro olhou para cima, coçou a cabeça, tomou um gole do
chimarrão bem profundo, fazendo roncar a bomba. Tinha uma

criança chorando ao fundo, e consegui ver uma mulher nova de relance no holograma. Ele tentou ganhar tempo na provocação e alguma pista mais.

— Sim, são sete os princípios, deixe-me pensar — serviu um mate. — Sim, deve ser o quinto: "Não importa o fato, mas a versão".

— Bingo. Outra coisa, a vida por lá é boa, mas é uma merda; por aqui é uma merda, mas é boa; não era assim que se dizia?

— Dizia o velho maestro... — Leandro gargalhou um pouco de minha citação do velho Tom Jobim quando voltara do Estado Americano.

A conversa vai para dentro do interesse, das coisas concretas. Eu precisava que ele me ajudasse com o Duarte Lato. Eu estava no meio do *loft*, sentado na frente da TV holográfica, tomava um café bem fresquinho, desses saídos agora da cafeteira, cujo cheiro é até melhor que o gosto:

— Hum, acabei de passar este café aqui, se você estivesse aqui, iria te oferecer.

— Estou no chimas, muita cafeína pro final da tarde.

— Me desacostumei a tomar chimarrão, traz muita ansiedade — busco entrar de vez, meio brusco. — Leandro, estou trabalhando com o Cairo Góes...

— Na campanha?

— Sim, uma parte da coordenação da campanha.

— Mas, chefe, o Cairo não tem chance... — Leandro, pela primeira vez, emitia um posicionamento frontal, mexera-se na cadeira, tirou rapidamente o som do holograma depois de falar, gritou alguma coisa para a mulher e voltou o som. — Eu acho que ele não ganha. Desse pessoal do passado, o único que tem chance é o Lucas, porque ele representa mais chances de ganhar do Montanaro e emparedar esse maluco.

— Sim — fiz o "sim" mais daquele jeito para deixar o interlocutor falar do que propriamente uma concordância, e ele continuou.

— Então, acho que a melhor saída para ele seria aderir ao Lucas ou então apoiar, algo que não acredito, a tentativa do meu novo chefe, aqui, o Duarte Lato.

— Pois é... — dei trela.

— O Duarte Lato é o novo, é o *nem nem*, mas ainda precisa ficar mais conhecido.

— Pois é, acho que tem uma chance, mas eu preciso falar contigo sobre uma aproximação entre os dois. Eu acho também que ele perde a prévia interna.

— Sinceramente, está tudo muito fluido ainda, mas ele tem chance de ganhar a prévia e tentar ser a terceira via. Ele se dá bem com o Cairo...

— Sim, mas o Cairo pediu para que eu falasse contigo para a gente fazer um encontro deles. Tem que ser meio rápido, tem essa doença aí.

— Estou no gabinete de crise, a forma animalesca está com novos sintomas. Você acredita que ali na Avenida Schiller tem um pessoal que quase não caminha mais, está praticamente de quatro apoios, gritando o nome de Montanaro? Deve ter uns trinta, quarenta, passei ali hoje cedo.

— Enquanto isso, muita gente morrendo nos hospitais. Bom... — Fazendo aquela senha finalizadora que alivia os dois lados da conversa, encaminhei o fim, até porque eu tinha ligado, então, eu deveria finalizar. — Fala com o Duarte, diga a ele que o Cairo quer encontrar rapidamente, uma conversa.

— Ok, chefe, te mando uma mensagem. Vou fazer um assado aqui mais tarde. Se tu tivesse aqui, eu te convidava para um vinhozinho; estou com um bebê novinho, é uma guriazinha, Míriam.

— Acho que ouvi um chorinho mesmo, parabéns.

— Se cuida por aí, usa máscara.

— Abraço ao amigo, pode deixar que estou me cuidando, sim.

A aproximação tinha se dado. Eu não levava muita fé também de que o chefe de Leandro iria apoiar o Pluna, mas era importante os dois terem assessores com confiança mútua, que alimentassem a concórdia, as pontes abertas.

Terminei mais uma xícara de café e resolvi colocar, de vez, as bermudas, um boné velho e, com uma máscara cirúrgica, dar uma corrida na praia. Viveria as ruas de uma Candelária escorregadia.

Pus calções e uma camiseta *extra dry fit* tão fina, uma película praticamente, como se estivesse sem. Olhei para meus pés, antes de calçar o par de tênis azuis, as pequenas varizes no tornozelo branco, os dedões amarelados que tinham enfrentado várias unhas encravadas. Eu tinha abandonado — ou nunca tinha tido, desde a infância — a consciência corporal, e a solitude daquele ambiente, a paz verdadeiramente sentida quando acusamos um sorriso espontâneo, eu percebia achegar-se devagar para começar um papo. Desci. O porteiro entretinha-se com o clássico, apenas acenou sorrindo. As gotículas finais da chuva negra borravam um pouco a camiseta, que logo absorvia e mandava de volta para o ambiente a umidade. O asfalto lavado, a rua vazia, galhos caídos, o temporal tinha passado. Desci a Caudilhos. Seguiria caminhando até a Oceânica, respirando aquele final de tarde em ardósia, prestando atenção para não aglomerar. O toque de recolher começava às dez e meia da noite. A ideia era chegar na Oceânica e dobrar à direita, para o lado da Fortaleza da Candelária, subir pela Dom Otaviano e rumar pela orla da Panemia. Ida e volta, até o canal de Ali Babá, seriam uns sete quilômetros. Não dava para correr esse tanto. Misturaria caminhada e trote sem forçar o motor. Com o progresso, seria a meta seguinte correr até lá. Comecei com passos firmes e ritmados, iniciando uma pegada para baixar peso mesmo, para avançar. Com o tempo, fui verificando que a paciência é a melhor amiga da corrida. A ansiedade compromete o resultado final; o destino chega sempre, a preocupação atrapalha, a ânsia mata antes do tempo certo. A camiseta fazia uma curva alta na altura do abdômen, estava apertada. Tudo bem, um dia de cada vez. Deixei-me flutuar pela orla, percebendo a importância de pensamentos novinhos, observando os demais, deixando passar. Tinha pouca gente na Oceânica, nem parecia o local da grande aglomeração montanarista, mas eles estavam lá, furiosos, a discutir com um pequeno grupo de franceses, soltando fogos de artifício pelas ventas, olhos vermelhos de ódio, babas brancas escorrendo.

Logo depois do Forte, na calçada, vários carros estacionados com a bandeira de Lisarb no capô e reboques engatados. Uma fila de uns vinte carros com reboques vazios. Fui em direção à Panemia. Na altura do Parque Menina, comecei o trote, passando pelas árvores úmidas, cheiro forte de urina e cocô de cachorro, saí do outro lado, em Panemia. A praia estava quase vazia, as pessoas amedrontadas pela chegada da Rened-47. Minha máscara cirúrgica começava a ficar ensopada das gotículas de suor, mas a ideia era só cumprir com a função ética e sanitária do acessório; os estudos que havia lido à tarde mostravam a pouca ou quase impossibilidade de pegar o vírus ao ar livre. Trotando pela orla, os joelhos estavam ok, sem dores, a panturrilha eu sentia, porque, obviamente, sem paciência, não tinha feito alongamento. O fôlego começava a dar sinais de falta, segui com a corrida sobre os blocos de pedras portuguesas calcetadas a formar o desenho menos famoso. O calor na cabeça me fez tirar o boné; na hora, olhei para a frente, uma senhora de máscara caminhava em minha direção, cinco metros, e percebi, pelo arqueamento das sobrancelhas, pelo vigor sereno e doce do olhar, o sorriso por debaixo da máscara, como se tivera visto um gesto nobre de um cavalheiro. Parei de correr, foi o limite, não tinha mais ar.

Pela minha barba escorria suor. Os prédios à beira-mar valendo milhões, sem ninguém dentro, especulação imobiliária. Seguiria, iria até o canal caminhando; uma linda morena vi, estava me paquerando. Seria mesmo? Autoestima baixa, piscava o relógio ligado ao *allphone* deixado no apartamento. Havia reativado o Sensor Aguçado de Sentimentos — SAS, dentro do pacote de mudanças. A volta foi mais caminhando do que correndo, mas eu estava satisfeito. Já de volta à Oceânica, quase na esquina com a Caudilhos, parei para descansar e comer algo. Entrei num daqueles restaurantes turísticos. Havia um pessoal do Partido Verde-Louro comemorando sei lá o quê. Três militantes na mesa. Pensei em sair, mas era o único restaurante aberto. Um dos montanaristas — homem forte, cabelos raspados, parecia do interior, sulista — pediu a conta. O garçom, negro, a trouxe. O militante olhou o papel atentamente, meu SAS piscou tensão.

— Tá me roubando? Levantou-se e gritou Chama o gerente. O gerente veio, esbaforido, detrás do balcão:

— O que houve, meu senhor?

— Vocês colocaram um valor maior aqui.

— Deixa eu ver — o gerente passou um leitor de códigos e, rapidamente, tirou a conclusão. — Meu senhor, é o valor do *couvert* artístico, da música ao vivo.

— Não vou pagar.

— Mas é obrigatório

Nisso, os montanaristas começaram a espumar, o gerente fez um gesto de reforço à máscara e mencionou chamar a polícia.

— Pode chamar — os três brutamontes, sem máscaras, vociferavam, gritavam que a bandeira nunca mais seria vermelha.

Um homem de branco chamou o gerente para dentro do restaurante com um gesto apenas. Ele foi. Parecia ser o dono do estabelecimento. Pelo jeito, mandara perdoar a conta. Eu estava sentado longe da encrenca, no lado contrário, encostado com um cercado que dividia o espaço da calçada com outro restaurante, que estava fechado. Ao lado, quase na esquina, uma caminhonete enorme, com aquelas rodas gigantes, bandeira de Lisarb, ligou os faróis, colocou no volume vinte o Hino Nacional, e os três militantes entraram no carro.

Depois, as coisas serenaram e pude ficar com a paz. O garçom olhava para o chão, o dono falava algo no ouvido da cantora, tinha sido a melhor decisão. Perder, recuar, a gente vai aprendendo, a vida é larga e comporta, tem espaço para manobrar, ser bambu e flexionar-se diante do delírio coletivo que se instaurara. Eu observava a garçonete de longe, ela veio ao meu encontro, sorriu e dedilhou algum código no *allphone* dela que fez abrir o cardápio virtual:

— Você pode escolher, já volto.

O jovem sempre dá muito valor à beleza. Seguro, oscilando sobre o piso escorregadio de cervejas derramadas na pista, observa altivo a dança, fumando seu cigarro por entre os narizes e bocas *blasés*. Eu já estava me sentindo bem melhor, e isso fazia toda a diferença. Claro que a comida seria cara e ruim, mas eu estava mais era para dar um tempo depois daquela corrida, tomar uma água de coco gelada e pedir uma salada. Havia deixado a barba crescer bastante, o cabelo estava comprido, a barriga eu faria começar a ruir, aos poucos, mas eu conseguiria. A menina veio até mim, eu estava velho. Sorriso por debaixo da máscara, dava para ver, dentro da menina. Era um sorriso que veio da cozinha até a minha mesa. Tem também o caminhar, algo invisível que se vê fácil. Sincero, sacana, claro que sim, tinha atravessado quase 50:

— Só um coco, isso mesmo?

— Só, por enquanto.

— E depois?

— Depois eu vou ver.

— Tá certo...

Aí saiu. Não precisa de SAS, o que está dentro, bom ou ruim, todo mundo vê, quando se está bem. Quando é bom, a menina dança, se é ruim há desatração. Sempre foi assim. Não tem muito como sair disso. A surpresa: veio uma ventilação ao lado, a brisa, o barulho das ondas, e os carros fulminaram minha viagem.

— O que vai comer?

— Uma salada.

— Posso encerrar o pedido, nada mais mesmo?

— Não. Pode encerrar.

Eu tinha experimentando dor e delícia à profusão. O melhor a fazer, como deu exemplo o dono, era saber a hora de refrear. Comi só minha salada, paguei a conta com o *couvert* e subi a Caudilhos. Dormiria depois de um banho quente, com um sentimento meio novo que vem pelo velho.

Acordar sem ressaca, dormir bem, tomar um bom banho pela manhã, aparar um pouco da barba com a máquina, passando a lâmina só embaixo da mandíbula para tirar os pelos novos, passar o próprio café, comer uma fruta, fazer a torrada, não precisar colocar ansiolíticos nem ibuprofeno no SIO. Pequenos reaprenderes de uma rotina que se iniciava. Fui ao computador central e programei o apartamento para o modo *serenity*. Mozart baixinho, aromas de jasmim, com leve toque de dama-da-noite, vidros foscos. Às dez da manhã a reunião se iniciaria. Uma dádiva ter lido a íntegra do livro, ter o projeto pronto e a conversa com Duarte Lato encaminhada, mas o melhor mesmo era ter compreendido um pouco da insanidade geral da nação.

Eu estava sóbrio e equilibrando-me, sem ingressar numa reunião tendo lido tudo às pressas, apagando incêndios, ansioso e com medo de alguma desaprovação. Uma escrivaninha que ficava atrás do sofá vermelho seria o meu ponto na sala holográfica. As chamadas, dessa forma, permitiam a visualização múltipla dos interlocutores a partir de um *link* gerado pelo *allphone* do criador da reunião. Assim, partiria do aparelho de Mauro Pereira a reunião e, por isso, minha Cápsula de Visão Momentânea — CVM, nome para o ambiente de onde seriam transmitidas minhas imagens, seria inserida artificialmente no local onde estava o anfitrião. As reuniões em salas holográficas geravam situações esdrúxulas muitas vezes, e era necessário seguir o padrão de local de onde a sua transmissão partiria e o *dress code* pedido pelo anfitrião. Com uma escrivaninha e um traje neutro, eu nem tinha lido o *link* do Mauro; não teria muito erro. Seriam apenas Cairo, Mauro, Campana e eu. Comandei, por voz, o *notebook*, que se desenrolou e abriu-se já nas notícias do dia, às 10h cliquei no *link* e apareceram dois hologramas, os de Campana e Mauro, os dois inseridos no ambiente do segundo, uma biblioteca antiga, móveis em estilo inglês, contrastando com as bermudas e camiseta florida de Campana, numa varanda de frente ao mar, mas que, por ser publicitário, tinha licença poética. Cairo iria atrasar quinze minutos, avisava Mauro:

— Bom dia, pessoal. A título de informe inicial, o Cairo ingressa às dez e quinze. Ok? — Fez aquele "ok" interrogativo que, de verdade, era muito mais um aviso do que uma pergunta e seguiu, depois, dando informes. — A coisa tá degringolando muito rapidamente, tem alguns fatos que a gente precisa refletir e, de hoje, já colocar amanhã na rua alguma coisa, viu Campana?— Sim, Mauro. — José Campana, compenetrado, apenas assentiu e seguiu ouvindo Mauro Pereira.

— Para a gente não perder muito tempo, hoje é domingo, tem a doença e esta virada que deu o Montanaro, trazendo para ele a responsabilidade pela condução das questões da Saúde, abandonando o Pacto de Assunção, buscando maior ligação com os militares de novo. Tem também o afastamento que ele faz do Servius Mórus e o crescimento do Lucas. É muita coisa...

— O país está fora do eixo, mais uma vez, Mauro — iniciei a fala, tentando emplacar uma boa entrada, no que fui interceptado por Mauro Pereira, com uma cabeleira branca contrastando com os conhecidos aros pretos grossos dos óculos e sua velha ironia.

— E esteve alguma vez no eixo, querido Alex?

— Sempre vivemos o que eu chamo de normose institucional — falei rapidamente. — Hoje é comum falar em normalização da violência, da miséria, da corrupção. Logo ali na frente nós vamos ver a normalização das mortes com essa doença. — Eu percebia Mauro atento no meio de sua biblioteca, e Campana também. — Normose é a patologia da normalidade, mas sempre fomos tolerantes uns com os outros. — Campana interrompe, remexendo-se na cadeira da varanda.

— Só na casca, Alex, só na casca. A senzala sempre ficou debaixo do pé do patrão.

— Sim, este é o ponto. Rompemos a casca. — Mauro pediu para prosseguir, parecia curioso para saber o final do raciocínio, ou, como bom parlamentar e advogado, para dar um xeque-mate.

— Prossiga.

— O que se vê por aí é o rompimento da hipocrisia social que sempre nos manteve, mais ou menos, numa liga. Saímos do eixo da hipocrisia, e o tecido social se rompeu. Uma parte se rompeu com a reação à normalização da corrupção. Mas o interessante é que esse rompimento veio da casa-grande, veio de cima, esse pessoal que está urrando de raiva por aí não é o que se chamava antigamente de oprimido, é o opressor. — Mauro tirou os óculos, coçou a barriga, fez uma intervenção rápida.

— Sim, é uma forma de olhar. E, veja, os avanços sempre foram tímidos, mesmo nos governos pevistas — interrompi.

— É que mesmo essa distribuição de renda a muito custo, o consumo caro da era Lucas, os poucos avanços na educação, isso tudo, para essa gente, já tinha sido demasiado. A senzala sempre se adaptou ao jogo da desigualdade, vivendo do jeito que dava, mas quando ameaçou entrar mais para dentro da casa-grande, chegou nos arredores, o senhor de engenho gritou "alto lá". — Campana ajustou um olhar como a assentar mais fixação e organização mental, do mesmo jeito que a jararaca recua para pegar pressão na mola de seu corpo, ajeitou a cabeleira e a barba enorme que vinha cultivando nos últimos anos, deixou escapar meio sorriso no canto esquerdo da boca e deu o bote:

— Muito bem, Alex, assumiu o discurso pevista de vez. Nós lemos o que você escreveu no verão passado... — Mauro Pereira apenas olhou para o relógio, virou-se para o meu lado como a querer minha resposta.

Ajeitei-me na cadeira, peguei o bule de café, servi-me, cheirei bem o perfume que subia quente da xícara e, como boxeador que dá dois passos para trás depois de tomar o golpe, levanta a guarda, assimila e vai para cima do oponente, respondi:

— Um pedaço, Campana, um pedaço. Deixe-me ver aqui no *laptop*, o La Rochefoucauld. — Fiz rapidamente a pesquisa no Google e soltei — "As discussões nunca se prolongam por muito tempo se a falta de razão estiver só de um lado." Então é isso. Na verdade, o discurso pevista de que houve uma reação da direita à distribuição de renda é verdadeiro, mas falta uma parte nessa verdade, que é a falta de noção da esquerda, não só daqui, mas de todos os lugares do mundo, de que o método político se esgarçou, ninguém mais acredita nisto daqui, a corrupção não é só a entrega de propina, o sistema democrático todo se corrompeu, desde um processo administrativo disciplinar, sentenças vendidas, projetos de lei por encomenda de grupos econômicos que depois irrigam as campanhas, Ministério Público orientando para foder por foder, advogados com esquemas com ministros. Você conhece muito bem isso, Campana, melhor que eu, camarada, e esse é o ponto que eles capturaram e que o pevismo ainda não compreendeu direito, que confere uma aura de legitimidade para eles.

Mauro excitou-se e atravessou:

— Eu sempre disse isso. Tem um fundo, tem uma base nesse angu de caroço, que ele soube preparar bem, o Montanaro.

— Ele faz sinal que o Cairo entrará na reunião, o presidenciável ingressa num holograma ensolarado, estava também numa varanda, com uma camisa social azul, de calças, com o mar ao fundo também. Entra na reunião e toma, por ser seu mesmo, o controle da reunião e, montado na discurseira de quem devia estar cedo noutro debate, entra de sola:

— Bom dia, pessoal. Estou impressionado como este filho de uma puta do Montanaro consegue bagunçar ainda mais a coisa. Estávamos fodidos, com uma puta crise, a nossa indústria, que chegou a ser uma das dez mais importantes do mundo, está quase no vigésimo lugar, uma legião de gente sem ter absolutamente nada o que fazer, agora este bandido, porque o que ele é mesmo é bandido, ensaia um jardim messiânico em plena Lisarb, uma coisa de fanatismo, de seita. O cara mija num capacete e diz que é remédio. Vão morrer igual mosca nos hospitais daqui a pouco, pouquinho tempo, os números logo eu passo, e o vagabundo mandando beber mijo... — Parou a fala, tomou um copo d'água que ele quase tinha derrubado na gesticulação, e passou para a objetividade.

— Bom, pessoal, o cenário não está claro. Tem um espaço de centro que precisa ser ocupado, tem o Douro, prefeito de Metropolitana, tem o Duarte Lato, e uma penca de gente sem voto querendo. A gente tá na frente deles, mas tem que subir, abocanhar mais este pessoal que odeia o Lucas e o Montanaro. — Mauro se levanta, vira-se de costas, pega um livro logo na segunda prateleira da biblioteca, atravessa a fala de Cairo.

— Sim, e tem mais essa doença...

Cairo continua:

— Sim, tem que ver como as pessoas irão se comportar politicamente com isso, a maioria dos governadores está restringindo a circulação das pessoas, mas o lunático, ao que parece, não acredita nisso. Como será uma campanha com essas limitações?

Campana intervém:

— Olha, por enquanto, quem está dominando o digital é o Montanaro. Estamos dois passos atrás dele. É impressionante como se apoderou, e dormimos no ponto. Com isso, com as restrições, não teremos a rua, será uma campanha digital. Não dá para saber ainda direito, mas temos que fazer apostas. Tem outro problema ainda, mais importante, é a composição do discurso.

Cairo entra com sua conhecida verve.

— Eu acho que dá para bater nos dois e subir.

Mauro interrompe, com uma mão numa caneca e outra segurando o livro:

— Acho que não, Cairo. Nós vamos ter que optar e não dinamitar, eu não queria dizer isto agora, mas é preciso que se mantenha um diálogo, digamos, vou tentar achar a melhor palavra, um diálogo menos ruidoso, acho que é isso, com o centro e, principalmente, com o Lucas. Veja que ele vem subindo muito desde que voltou para a cena.

Cairo para, pensa, olha para o meu lado e me pergunta:

— Alex, você falou com o pessoal do Duarte Lato?

— Falei ontem à tarde com o Leandro Marçal.

— E aí, o que acertaram?

— Uma conversa de vocês dois nos próximos dias. Ele acha que ganha a prévia do Douro e parece que quer mesmo se lançar.

— Ninguém sabe quem é esse guri...

— É a fragilidade dele...

Mauro interrompe a minha fala, senta, entra no seu *notebook*:

— Tem uma passagem que gosto muito, vou ler aqui para vocês — e cita uma passagem famosa de Coríntios: "Por isso, por amor de Cristo, regozijo-me nas fraquezas, nos insultos, nas necessidades, nas perseguições, nas angústias. Pois, quando sou fraco é que sou forte". — Esse guri vai tentar tirar daí a força dele, desse desconhecimento, dessa fraqueza ele pode fazer uma fortaleza...

Cairo, pragmático, interrompe:

— Não vai dar tempo e, repito, não ganha do Douro nas prévias dos Araras — diz e olha mais uma vez para mim:

— Marca, então, precisamos conversar rapidamente, vamos tentar trazê-lo.

— Pode deixar, ele vai falar comigo amanhã.

A reunião transcorre para pontos mais objetivos, como a aproximação com o centro político, a análise da progressão geométrica da curva de contágio da Rened-47, a criação das plataformas digitais. Entrego para todos o índice do programa de governo, Cairo aprova o que lê e pede para aprofundar o tema da desindustrialização. Por fim, Mauro entra no assunto mais sensível:

— Cairo, tem ainda a questão do Lucas. Nós vamos ter de rever, eu acho, mas é você quem decide isso, a intensidade do embate.

Cairo faz de novo o gesto de olhar para baixo, volta-se para os interlocutores como a ter ganhado fôlego, com um pensamento que eu acho que era para espicaçar o tema, os olhos denotam raiva, dura pouco o sentimento, ele balbucia algo, a serenidade parece voltar, e segue:

— Insisto que temos que bater na roubalheira e na insanidade ao mesmo tempo; tem espaço.

Mauro respira, olha para Campana, como a pedir que ele fale algo; Campana percebe e diz:

— Um dos maiores erros na política é a vacilação da estratégia. É que nem no trânsito. As pessoas percebem. Dá insegurança quando o motorista passa para o carro sua indecisão, se dobra à direita, se segue em frente, se vai para a esquerda. Então é o seguinte: ou a gente segue batendo no Lucas, segue batendo nos dois, ou escolhe arrefecer ali adiante. O que não dá é para ficar na punheta.

Cairo concorda e, pragmaticamente, olha para mim, como se a pedir aprovação:

— Tudo bem, vamos dar um prazo para essa estratégia. Reconheço que pode enviar sinal trocado, mas, porra, o Lucas está com ódio maior que o do Montanaro, ele foi preso, não vamos esquecer disso. Teve uma doença braba, quase morreu, perdeu gente, não sei se ele vai fazer igual ao Trujillo, no Estado Celeste, e pacificar. Acho que não. É que ele é muito mais inteligente do que este boçal imundo e não está destilando publicamente, mas concordo que devemos unificar o discurso. Alex, mesma coisa que com o Duarte Lato, por favor. Já estive no governo Lucas, conheço bem, mas eu sei que você tem uma ligação com um dos assessores que ele mais respeita, o Antônio Paulo, que é teu amigo pessoal. Vamos tratar pelo lado pessoal isso aí.

Terminamos a reunião, e o que não faltaria pela frente seriam mais reuniões. Com o centro, com Lucas, com Duarte Lato. Eu fiquei de terminar o programa e buscar duas delas, as peças de campana seriam mais dedicadas a bater no eleitorado desiludido de Montanaro e diminuiriam, sem ainda cessar, as críticas a Lucas. Mauro buscaria a reunião com todos os líderes do centro e assim a banda tocaria, com o que se pode perceber, pois a política é uma geleia, um meter a mão num líquido escuro para procurar algo dentro dele, sem enxergar muito. O velho Lucas sabia disso, era o que mais sabia e não aparecia publicamente, não dava muitas entrevistas, evitava o ringue e articulava uma aliança muito forte. Enquanto isso, a doença subia, se alastrava, matava, e Montanaro, com ela. A partir dela, iniciara a escrever um capítulo único, surreal, na absurda e cruel história de Lisarb.

PARTE FINAL

PART FINALE

XI

DECRETO PRESIDENCIAL

O PRESIDENTE DA REPÚBLICA, de acordo com a verdade subjetiva de seus seguidores, sendo a Constituição e apoiado por Deus, decreta:

Artigo 1º. A minha Constituição da República Federativa de Lisarb deve ser lida e interpretada de acordo com os seguintes princípios:

I — A dignidade da pessoa humana é assegurada a todos, desde que dignos de serem considerados pessoas humanas.

II — A saúde pública não se sobrepõe ao direito individual de cada um.

III — Considerando-se que todos vão morrer um dia, o direito à vida e à saúde deve ser interpretado em consonância com os valores do livre mercado e da necessidade de crescimento econômico.

IV — As instituições devem manter o seu funcionamento de acordo com a ética do cidadão de bem.

V — A opinião é livre e pode se contrapor ao fato científico em mesmo pé de igualdade, considerando-se como verdade o fruto da interpretação interna de cada indivíduo.

VI — É livre a manifestação do pensamento, desde que preservados os valores do cidadão de bem.

VII — Os cidadãos de bem são livres para a utilização

dos meios de comunicação social e digital para propagar seus entendimentos pessoais e políticos, independentemente de decoro, urbanidade, civilidade, polidez e compromisso com a verdade considerada científica.

VIII — É assegurado o avanço das culturas agrícolas para o progresso econômico, mesmo que, para tanto, seja necessária a utilização de áreas de preservação ambiental e reservas indígenas, observada a lei.

IX — O tipo penal do crime de corrupção ou de quaisquer crimes contra a Administração Pública não se aplica à divisão de verbas de gabinetes parlamentares.

X — As Forças Armadas detêm a última palavra nos eventuais conflitos entre os poderes constitucionais.

§1º — Aplica-se, no que couber, o princípio contido no inciso I para indígenas, os de gênero não binário, meliantes contumazes, indivíduos de cor que praticam o vitimismo racial, religiosos de matriz africana, ambientalistas, feministas e artistas em geral.

§2º — Para fins de aplicação da ética do cidadão de bem prevista no inciso IV, serão considerados inimigos do Estado todos os defensores de valores e princípios identificados com movimentos considerados socialistas, comunistas e sociais-democratas.

— Eu te falei que não precisa vir me pegar.

— Tem certeza?

— Claro, eu chego, pego um táxi, ou um daqueles negócios, aquele trem que voa, como é mesmo o nome aí em Lisarb?

— VAL, Veículo Aéreo Leve.

— Isso, esse negócio. Me manda só o endereço. Quanto menos a gente se expõe, melhor. Estou usando aquela roupa de TNT, uma beleza, não quero nem que você me veja com isso.

— Tá bom. Vou te esperar por aqui.

— Em duas horas estou aí, só me manda a localização.

— Beleza.

Suzana me mandara mensagem de Porto Casal. O voo não era direto, tinha uma conexão na capital do Estado do Sul. Havia saído bem cedo do Estado Celeste e chegaria para o almoço em Litorânea. Foi bom ela não pedir para ir buscá-la, mesmo porque eu estava sem carro e não mudaria nada, a não ser o fato carinhoso de ir buscar alguém no aeroporto, hábito que vinha se perdendo havia anos. Naquela retomada, estava me impondo o hábito de fazer minha própria refeição. A doença e o isolamento eram reforços para isso. Um estrogonofe bem-feito, arrozinho branco e uma salada. Suzana era simples. De resto, a tarefa sempre desafiante de rever, após longo período de afastamento. Apesar de uma troca de mensagens aqui e ali durante a fase de Benigna, a gente não se via havia mais de oito anos. O término tinha sido sem traumas. Ela tinha acabado o curso de história da arte em Paris, eu, já com a cabeça na outra, ela percebeu, porque é da situação, toda mulher sabe, pode até não externar, não querer se enfiar na meleira, mas aí é outra coisa; e, eu acho, ela estava de saco cheio da minha prostração. Eu havia perdido Lisa, isso era ruim, atrapalhava. Mesmo separado dela, tinha sido uma execução, um crime traumático, a saída às pressas, todo o estresse e a correria. Ela foi apostando num Alex que não mais existia, tinha tirado férias. Aí foi meio consensual, ela era prática, tinha seus objetivos próprios, uma boa grana no banco, não queria mais saber muito daquela muzamba toda, fez o que estava a fim. Eu até achei muito bom. Mesmo depois de ela descobrir a história da Itália, não deu muita importância e tocou em frente a vida. Bola que segue, natural. Acompanhava ela pelas redes, estava bem no Estado Celeste, alugou uns imóveis que tinha comprado com a grana da rescisão do contrato de trabalho com a empresa, era organizada com o dinheiro e trabalhava como consultora de mercado, sem vínculo, assessorando empresas de automóveis. Trabalhava pesado quando queria. Fui em frente com a comida, começando por picar a carne, separar o arroz, os molhos que vão para dentro, tudo isso de forma prazerosa, me distraindo um pouco da tensão de revê-la.

Quando deu meio-dia ela mandou mensagem dizendo que viria de táxi. Dava uns 45 minutos mais ou menos do aeroporto até o apartamento. Eu estava com tudo pronto, tinha colocado um vinho para resfriar, o apartamento em *tranquility*, o *blues* dela, aprontando tudo na forma certa, no figurino, como se dizia. Tomei um banho, a barba estava domada com um bálsamo fixador, e, por volta da hora certa, desci para ajudá-la a subir com as bagagens. Odacir me cumprimentou, perguntei pela leitura, ele fez um sinal positivo com o polegar direito e apontou para o *allphone*, não podia falar.

Estava chovendo de novo, mas era normal; prevenido faz diferença sempre, desci com um guarda-chuvas. Parei em frente da pesada porta de ferro com vidro. Era daquelas com o metal escuro, velho, potente, forte, entremeada de placas retangulares e quadradinhos de vidro nas cores primárias, buscando um efeito Mondrian. Alguns deles se tinham ido e deformavam a tentativa, não obedecendo a lógica plástica, outros, bem poucos, os de baixo especialmente, ainda eram originais do prédio, e, por eles, pude perceber a intenção do jogo de cores. Por entre os novos, nem tão novos, brancos a desdentar a peça, empoeirados, pus-me a aguardar Suzana, igual a um guri esperando o final da aula, cão ansiando carinho. Demorava, os táxis amarelos de sempre passavam jogando água das poças, um deles parou em frente à calçada. Enquadrei meu rosto num dos retângulos, apertei bem os olhos para ver melhor, o motorista desceu, foi até o porta-malas enquanto ela abria a porta de trás. Estava com uma calça preta. O pé branquinho dentro da sandália, a panturrilha apertada, a coxa fornida. Fiz o sinal para Odacir abrir a porta de ferro com um controle que faz aquele "tchac" bem alto e seco, dei dois passos, os pingos estavam fortes, o barulho do vento, abri o guarda-chuvas e, sem falar com ela, naquela pressa da chuva, apenas a acolhi com os braços para debaixo da proteção, e a levei até o *hall*. Nos abraçamos rapidamente, voltei para pegar as malas, eram poucas, apenas duas, leves. Paguei a corrida e voltei para dentro do prédio, onde ela estava, senhora de si sempre, uma perna na frente da outra, com uma pequena flexão no joelho. Aquele sorriso debochado, quase gargalhando, desarmou toda a pantomima:

— Que barrigão da porra...

Nos abraçamos de novo, agora em meio às risadas, deixando de lado os protocolos da merda da doença, e a sensação era meio parecida como a de transar sem camisinha. Ela, com um perfume suave, a pele macia do rosto bonito, as unhas pintadas com uma cor mais próxima do vermelho, mas que eu não me aventuro jamais a tentar escrever o nome certo, porque cor de esmalte de mulher tem nome de tudo, menos de cor; ela continuava linda, acho que até mais bonita, mas também não disse a ela que os anos lhe tinham feito bem, porque aí eu queimaria a largada de forma muito mequetrefe.

— Você não viu nada, já estive pior — falei sobre meu aspecto físico, barriga, inchaço mesmo.

— Então estava morto e não sabia — e veio mais aquela risada sensacional.

— Pior — assenti, meio sem saber direito, inseguro, se iríamos de escada ou elevador — Olha só, eu... eu tenho evitado o elevador por causa da doença.

— Então você sobe as escadas com as malas, aproveita para baixar esta pança, porque eu vou subir por aqui... — disse, fazendo troça, me trolando, como hoje se diz, sempre com as ironias da menina esperta.

Apertei o botão, abri a velha porta pantográfica dourada e subimos.

— E você está tão bem — foi aquele bem com sinceridade d'alma, como diziam os velhos livros, sem grande pretensão subjacente, era para expressar um sentimento límpido.

— Obrigada, tenho me esforçado mesmo, mas vou te dizer, o meio ajuda muito. Você tem que ir lá me visitar. Aliás, você vai ter que ir lá... Vida tranquila no Estado Celeste, as pessoas não têm esse nervosismo daqui, essa dor, *essa febre que não passa*.

— Você está na capital ou em Ponta?

— No meio, entre as duas, mais perto de Ponta, em Penápolis, o balneário.

— Tá certo... — pronunciei aquele "tá certo" para ganhar uns dois, três segundos — ...e você fica até quando?

— Até amanhã mesmo, final do dia pego o avião de volta.

— Pouco tempo.

— Sim, vim só para uma reunião amanhã de tarde com uma montadora de carros elétricos. O Estado Celeste tem até o final do ano para implantar toda a legislação ambiental. Vamos eliminar a gasolina ano que vem. Enquanto aqui...

— Enquanto aqui terminam de queimar o que ainda resta... preparei um almoço para nós. — Busquei assunto mais ameno, para não entrar em questões depressivas. — Coloquei um vinho branco para tomarmos. Vou colocar tuas malas aqui, quer tomar um banho, descansar um pouco?

— Sim, seria ótimo.

Coloquei as malas dela no meu quarto. Depois de tanto tempo sem vê-la, vacilei um pouco. Enquanto ela terminava de chegar, eu finalizaria o almoço. Abri o vinho branco, ela fechou a porta do quarto. Com comandos de voz, ajustei a *playlist* para sincronizá-la com o meu SAS, harmonizando a ansiedade com música mais calma, melancolia com ritmos mais alegres, os caribenhos, de preferência, felicidade com MPL, anos 1970. Pus a mesa, tomei uma taça. Ela não demorou muito, saiu com uma roupa mais leve, o perfume do banho quente, a penugem do rosto claro.

— Saudades de quando acrescentar você comida para nós em Paris. Éramos chiques...

— Arroubo juvenil aquela de morar na França, mas não tinha muita saída naquele momento, a grana era boa, tínhamos projeto... tem uma saladinha que preparei... — Levantei-me da mesa, passei por detrás de suas costas, observando bem o decote do vestido de seda, aquele trilho de pelinhos louros iniciando na cervical, e servi uma taça de vinho branco.

— Isto sim é chique, salada, um almocinho em casa, uma taça de vinho. Quer saber, Alex, a gente vai recuando, podando a árvore. Tem fases tão cheias de complicação. Você mesmo queria fazer tudo.

— É, quando se poda, se dá direção, objetividade. Tá bom o molho?

— Tá. É estrogonofe o que você vai servir depois?

— Sim.

Para chegar no fundo, tem que entrar de lado, ou fazer como o carro que atravessa o quebra-molas, de viés, para não bater embaixo. Lembro, ainda no início de minha carreira, quando precisei fazer uma negociação em nome de uma cliente. Eu ainda não havia optado pelo jornalismo. Tive uns dois ou três clientes na advocacia, mas não era para mim, larguei cedo. No dia, eu representava uma ex-mulher buscando sua participação num imóvel sonegado na partilha do divórcio. A outra parte era um renomado diplomata. Entrei em seu gabinete, praticamente imberbe, e, sem ter acabado o cafezinho, audaz, ingressei no tema central, sem dar espaço para nenhum assunto lateral antes. Hoje percebo melhor o valor da hipocrisia, do modelo chinês e da paciência. O jogo amoroso é uma negociação em que a moeda não é nunca mostrada. Suzana falava do Estado Celeste, de sua vida em Penápolis, de como estava feliz e realizada em ter menos estresse. Eu tentava não falar de minha relação com Benigna, mas era impossível, o abalo do sistema tinha sido grande, e, compassiva, ela escutava ativamente.

— Saí de um pesadelo, Suzana. O pior não é ter entendido o jogo da manipulação, é saber o quanto me desgarrei e fui o maior canalha de mim mesmo. Benigna foi uma parasita, mas eu dei espaço.

— Alex, me serve mais uma taça, por favor — era a senha para trocar de assunto, pensei.

— Agora vamos em frente. Ontem mesmo dei uma corrida, tivemos uma reunião muito boa com o Pluna.

— Sim, tem este novo desafio aí, mas teu candidato não tem muita chance.

— A saída, ainda não falei isso, mas talvez ele tenha que se reaproximar do Lucas. — Vi o olhar de Suzana, pela primeira vez, se fixar, assertivo.

— Alex, você esqueceu que foi o PEV, aquela loucura toda no final de *2038*, foi..., foram eles que mataram a Lisa? Você reclama de vergonha por ter se vendido, ter ingressado numa vida pilantra, com uma vigarista. Por favor...

Ela se levanta da mesa, vai até a cozinha, pega a panela do estrogonofe, em silêncio. Derrama o conteúdo numa travessa, espalhando os aromas. Faz o mesmo com o arroz:

— Me ajuda aqui.

Vou até ela. As costas da bela, sempre empertigadas. A suavidade do caminho de trigo era o mesmo, deveria estar mais doce, mas eu tinha mudado; fiquei na dúvida, houve um ou dois segundos, e pude perceber, por alguma pausa, por alguma aura, por alguma ruptura, o quanto estava mal. Vacilei feio entre pegar a travessa de arroz a insinuar meu nariz naquele espaço entre seu cabelo e a orelha. Precisava de um vinho.

— Não vai pegar o arroz?

Virou-se do jeito antigo, olhou fixo, primeiro no meu peito, depois subiu até meu rosto, eu estava pegando o arroz, e deixou sair a expiração de onde brotam as sinceridades de todas as falas. Observei o intangível dentro e quando comecei a iniciar algo, a tigresa irrompe:

— Vamos almoçar.

— É, não tem como superar isso — digo, pensando noutro lance.

— É a doença — comenta, com a travessa de estrogonofe, indo para a mesa.

— A Rened-47?

— Não, Alex, você esqueceu da sua própria voz; a contradição, a ambiguidade, este trilho torto cobra o preço. Você vai continuar neste caminho?

— Mas eu precisava voltar para cá. Tinha que trabalhar, fazer dinheiro de novo, em algo que sei. Lembro que meu pai, que nunca foi de dizer nada contra e, muito menos, de falar palavrão, falou: "Meu filho, tua vida está uma merda". Foi aí que o fim veio forte. Mas essa postura tem a ver com a minha própria arrogância, as pessoas ficavam com medo de mim, de me contrariar. Sei lá, era uma coisa brilhante e falsa demais. É essa vida de hoje, tudo superficial, mas afasta, porque quem está de fora olha aquilo e diz: "Porra, o cara está bem pra caralho"; e aí se assusta em dizer algo real, que dê no meio do rim, da fuça. Eu vou te dizer algo, Suzana, o único psicólogo que respeito é aquele que te fala na lata, mas reconheço que era difícil.

— Claro que era difícil. Eu não iria falar contigo, óbvio. Mas não faltou gente a me procurar, amigos dizendo que você estava louco. Eu mesma, logo que você chegou aqui, ouvi tudo da tua própria boca, você nem sabe disto. Um dia, um colega seu, alguém bem conhecido que eu não vou falar o nome, me disse: "O que esse rapaz faz com ela?". Ele não entendia, ninguém entendia. Foi tempo demais que você perdeu. — Suzana toma um gole de vinho, aninha uma porção elegante do estrogonofe no garfo, junto do arroz, leva à boca o conjunto, faz cara satisfeita, mastiga e passa adiante. — Olha só, deu deste assunto. Eu não me queixo, não vamos mais nos amarrar em frustração.

O vinho pela metade, passamos harmonicamente para as melhores lembranças, os tempos, os hotéis, e, de perto, fomos, naquela cápsula de tarde, quase nada. A coisa é de dois sempre, e vale o intento até saber-se de algo entendido. Eu não queria desperdiçar nenhum *blues*, e talvez tenha faltado impulso, vida. Ela tinha ficado para trás. Falar demais, quando é do corpo só, não da mente. Querer o que a cabeça pensa, não ver que a alma não mais deseja, mas seguimos, pacientes e perseverantes, como alquimistas a criar o ouro de alguma fórmula hermética, ou a quadratura do círculo. Na procura do "graal", terminamos aquele almoço, o vinho percorreu sua sina e fizemos a espiral buscada para tentar atingir o alvo: o sofá da sala. Ela foi coerente com o histórico, não se afligiu, nem atrasada, nem aflita, tomou a rédea da negociação e, se pensar é estar doente dos olhos, Suzana só fez o olhar, sem mais buscar a ponte das pontes, e tratamos de cumprir os protocolos de uma verificação langorosa; as têmporas pulsando a embriaguez, sempre boa só no início, as mãos se entrelaçam vez primeira, e tem o silêncio que se ouve quieto. A mão felina é rápida e calorosa, enquanto cumpro com o pensado na cozinha e busco na nuca de Suzana o enlevo que ela sempre me trouxe. Os lábios dela, amolfadados, carmesim acetinado, submergem e vasculham o mapa da cidade da anatomia do meu corpo; o sangue esquenta, mas não ferve, e adiante, como remadores, cumprimos, enquanto o trânsito contornava nossa cama, a tarefa. Repousamos juntos, vinculados em mãos e braços estendidos, um em cada extremidade da cama, até a tardinha.

Por volta das seis ela levanta aturdida. Era o barulho de um alarme no meu *allphone*, corpo não agia, eu tenho preguiça, opto por fazer que estou dormindo. Acabei desenvolvendo isso, preocupado, com uma incomodação latente no peito, olhando para trás, um resgate de oito anos, talvez o vinho tivesse derrubado minha serotonina, secado a dopamina, e o efeito depressivo tinha dado um rebote grande. Ela vai até a cozinha, pega o *allphone* e traz para o quarto, olha para mim, o SAS está piscando vermelho, e o SIO pede uma reposição urgente de ansiolíticos:

— DEPRESSÃO — ANSIEDADE

— DEPRESSÃO — ANSIEDADE

Ela pede que eu desligue o alarme:

— Não acredito que você está usando esse troço. O SAS é só para quem está na última lona, esquizofrenia, bipolares graves. Alex, o que você virou... aquela mulher te fez muito mal.

— Eu só coloquei no final do casamento. Médico receitou. Eu não conseguia sair da manipulação, precisava de auxílio, estava sozinho. Quando vim para cá desliguei, mas agora estou precisando entrar numa rotina, perder peso, diminuir ou parar de beber, engrenar um caminho. Acho que vai ser útil de novo.

— Olha só. Eu tenho algo mais para te falar. — Ela me entrega o *allphone*, eu desligo o alarme depois de o leitor de odores e temperatura verificar minha identidade. Ela senta no pé da cama, a luz do dia vai desmaiando, ela ainda está nua. Há um canto de joão-de-barro, uma borboleta pequena, mariposa, entra no quarto, ela observa, coloca as duas mãos em concha, esfrega-as, leva-as ao cabelo.

— Alex, eu, na verdade, nem precisava vir até Litorânia. Podia fazer por reunião holográfica, não tem propina envolvida, esse pessoal não se mete em rolo; tem mais essa doença. Mas eles mandaram passagens, e eu quero te falar algo que estou para te dizer há uns dois anos.

Eu permaneço deitado, ela pega a minha camisa e põe. Levanto as costas um pouco, ajeito o travesseiro contra a parede, me cubro com o lençol, aguardo que ela prossiga, sem imaginar direito, mas, quando é assim, as primeiras coisas que vêm à cabeça são doença, morte, sei lá, pelo menos quando estamos mal. Mas não acredito em ninguém, mesmo bem da cabeça, que seja otimista numa antessala dessas. Ela prossegue:

— Em 2045, em março ou abril, não lembro direito; foi logo depois da Páscoa, eu recebi um vídeo holográfico no *allphone* de um número desconhecido da Europa. Achei que era seu, ou alguém ligado a você, dessa piranha social que você arrumou. Resolvi nem ver. Uns dois dias depois, abri um vinho na minha varanda, liguei um som, era um fim de tarde de sol, o mar à frente. Era um dia lindo, aquela luz maravilhosa do outono, nessa época já faz um friozinho por lá. O vídeo era este. O lisarbês é bom, tem sotaque castelhano, da Espanha. Eu vou te mostrar.

Ela vai até a sala e pega o aparelho dela, mira-o no centro da cama, à minha esquerda, o feixe de luz fino sai do *allphone* e faz um ponto central com forte luminosidade, o holograma se abre, a imagem tridimensional de uma garota de cabelos castanhos claros, pele bem branca, magra, parece ser alta. É bonita, classicamente. Estava com uma camisa verde, uma garrafa de água de metal na mão, sentada num quarto em frente a um *laptop* de última geração. Estava só, muitos livros em volta. Atrás dela, uma pintura de uma mulher, um poema em espanhol e um quadro branco em cima de uma prateleira com fórmulas matemáticas complexas. A garota fala, é um vídeo curto:

— Dona Suzana, a senhora não me conhece. Meu nome é Isabel. Moro em Salamanca. Neste vídeo que a senhora está vendo, falo do lugar onde moro, que é um pequeno apartamento da Universidade de Salamanca. Estudo Engenharia Biotecnológica e Computacional.

A menina levanta, vai até perto do quadro branco, pega algo que está numa prateleira. Ela é objetiva, tem um pensamento articulado, início-meio-e-fim do discurso, ao mesmo tempo, um fundo melancólico faz a fala do lisarbês com sotaque castelhano ter uma melodia. Ela busca uma foto e prossegue:

— O que me faz mandar este vídeo para a senhora é que sou filha de Lisa Carbonari, que foi companheira por muito tempo de Alex Tedesco. Meu nome completo é Isabel Carbonari. Tenho uma foto de minha mãe aqui, está vendo? Posso enviar meu documento de nascimento também, depois, se for necessário. Ela me registrou em Madri, em 2026, mas só no nome dela. Quando ela morreu, em *2038*, eu tinha 12 anos, e só fiquei sabendo tempos depois. Esses detalhes eu posso lhe dar pessoalmente também. Eu acompanho o Alex Tedesco nas redes, sei que é um jornalista conhecido em Lisarb, que mora na Itália, é meio envolvido com política, mas não tive coragem de procurá-lo. Eu pesquisei a senhora, pois vi que tinha sido mulher dele, e me identifiquei com suas postagens, no sul da América Latina. Você é *muy guapa* e querida. Eu sou sua seguidora há uns três anos.

A menina se levanta novamente, sua imagem volta ao quadro branco, ela devolve a foto de Lisa a um envelope e retorna para a Cápsula de Visão Momentânea, em frente ao *laptop*. Termina a fala:

— Desculpe o importuno, mas gostaria muito de fazer uma chamada holográfica com a senhora, assim que fosse possível, pois tenho algumas ideias e as intento em comparti-las. Muito obrigado, vou terminando por aqui. Espero muito, muito mesmo, que a gente possa se conhecer.

O holograma se desfaz, Suzana me olha fixamente para extrair minha reação. Eu não sabia o que dizer. Tentei buscar na lembrança, 21 anos para trás. Era fato que Lisa vivia entre a Espanha e Lisarb naquela época. Mas eu estava em paz, até feliz, para dizer a verdade. Suzana seguiu:

— Eu fiz a chamada holográfica no outro dia. Ela me contou a história toda.

Como reflexo, eu me levantei da cama, me vesti novamente, fui até a cozinha, peguei minha garrafa d'água. A sensação era de culpa, mas culpa de quê? O SAS não parava de piscar, sem alarme. Desliguei o programa.

— Deve ter sido quando a Lisa foi pela primeira vez para a Espanha. Ela ficou quase dois anos por lá. Mas não estou entendendo. Não é possível. Será que é minha filha mesmo? Suzana, meu sentimento é até de alegria, mas é uma história muito maluca esta.

— Ela me explicou tudo. Mas ela quer conversar pessoalmente contigo. Tem mais... Ano passado ela terminou a faculdade, foi direto para o doutorado, uma "gênia" aclamada internacionalmente, e veio me visitar. Alex, claro que você tem direito de fazer um exame de DNA. Ela é desencanada com isso, me confessou, pediu até que eu falasse isso para você, mas eu te conheço, ela é igualzinha a você.

— O que ela fala da Lisa?

— Eu não quero te adiantar muito sobre isso. Ela me pediu para que você fosse nos visitar.

— Como assim, nos visitar?

— É que... eu não te contei, você atravessou minha fala. É o seguinte: nós conversamos muito depois deste vídeo aí, e, no ano passado, ela foi lá para me visitar. Ela desceu na Capital e depois foi até Penápolis. Passou uma semana comigo. Eu sentia você lá, Alex, você mesmo, na essência, algo mais próximo deste reencontro que você está fazendo agora, do velho Tedesco. Ela é uma idealista, incapaz de ser indelicada com ninguém. E, depois, essa menina é extraordinária. Uma vida sofrida, sem pai, nem mãe. Veja, ela está fazendo doutorado direto, e trabalha numa empresa do Vale do Silício, com estudos sobre inteligência artificial. Ela está passando uma temporada comigo, no Estado Celeste.

— Tá certo... qual o sentimento dela para comigo, como ela sabe que eu sou mesmo o pai dela?

— Alex, a questão dela é com a Lisa. É só isso que eu quero te adiantar. Ela tem certeza de que você é o pai, e ela vai te explicar o porquê, mas eu te adianto uma coisa importante: ela gosta de você, ela te conhece, te acompanha. É mais importante para você do que para ela esse encontro. Eu vou te passar o endereço das redes.

Suzana continuou falando sobre Isabel, mostrando fotos das duas em Ponta, em lugares lindos, como o Farol de São Loyola, em entardecer azul-marinho, no meio das gaivotas e da luz tênue do Cone Sul, cuja energia mansa desmaia os tons das cores com as quais o frio se encaixa, encarregando-se o vento de informar uma melancolia voluntária, uma dor infinita das suas ruas. Isabel tinha a mesma beleza de Lisa, quando a conheci. Eu não a achava parecida comigo, pelas fotos, pelos demais vídeos mostrados por Suzana e pelas páginas de internet. Havia, contudo, um olhar e um silêncio perscrutador, um submovimento reflexivo, pouco perceptível pelo olhar, mas observável sem muita dificuldade, mesmo de longe, pela conjugação dos demais sentidos, e isso me chamava a atenção.

Pela manhã do outro dia, o corpo não agia, Suzana foi cedo, despediu-se com um beijo e deixou um recado escrito, na porta, colado com durex:

Alex, minha reunião é cedo e o voo no meio da tarde. Vou te esperar no Estado Celeste. Lá você tem dois resgates a fazer. O primeiro, conhecer tua filha. O segundo, você sabe bem...

XII

Mesmo na agitação as flores nascem, o campo mantém-se verde com seus animais, e há gente morando lá, calmamente, mesmo com toda a agitação.

É melhor aprender o quanto antes a não negligenciar nem o nascer, nem o pôr do sol e, assim como a noite matreira tem suas sabenças, acordar cedo e saber-se vivo eram valores muito altos naquele tempo. É no percorrer dos dias a completude da formação, do caminho do indivíduo. Por que haveria de um deles ser escolhido o reinante em detrimento dos demais? Trocar um, dois que sejam, ou trinta, com muita sorte, por outros trezentos e tantos? Não sei se é negócio. No meio do caos da tempestade brotou um botão de rosa. O tempo nunca é perdido. Parece, a princípio, um consolo, um discurso motivacional qualquer, desses vendidos na internet, mas são bastantes os instantes, muito mais do que as leis, e neles o tumulto é escrito na pele de pedra do vivente castigado, sem ter pelo menos enganado os deuses, a empurrar todo santo dia seus fardos ladeira acima. Rotinizado, coisificado, tendo que acordar e caminhar de novo, o ser vai em frente sem perceber, na maioria das vezes, que há um grande aprendizado no simplesmente possível. É do almoçar, do deitar, do caminhar e do olhar que se extrai a maior parte do que mais interessa, é onde nos tornamos vivos verdadeiramente. É claro, há o momento pico, o Everest dos sentimentos, mas a vida ordinária parece ser a regra, e é na planície pampeana ou nas lentas e elastecidas chapadas do cerrado que repousam mais conteúdos. Até aqui viemos, e o mundo nos mostra, vez por outra, o tal cavalo que passa, em poucos segundos. Aliás, não é preciso muito mais do que dois, três deles, para tudo mudar. Sim, e aí veio o perfume exalado de um sofrimento muito parceiro, à semelhança pela orfandade que sempre carreguei por andar sozinho entre os *experts* das jogadas. Veio no meio da tarde esmaecida, sem vigor.

A sessão tinha se iniciado, e quem tinha entrado entrou. Era a hora de jogar fora todos os dogmas de insegurança, medos, problemas inventados e vestir a camisa de certezas e soluções, pois, se eu não as tinha encontrado até ali, devia ser mais um mal de olhar do que de pensamento. Os desafios estavam dobrados. Cruzar aquele momento doloroso da nossa história, verificar o passar do tempo através do espelho de uma filha e seguir adiante, jogando tudo numa sacola e, em vez de reclamar do peso, compreender melhor o significado do equívoco, ter a dor como companheira, respeitá-la, aprender com ela, saber transformar o que vem dela. Pensava que a mesma coisa deveria ser feita com a experiência surreal e mortífera de Montanaro. Haveríamos, eu pensava (ou queria), de sair melhor daquilo tudo, criado de modo exclusivo por nós. A responsabilidade pelo deserto da racionalidade era nossa, e, assim como se resgata uma nota promissória velha, suada, sofrida, injusta, nosso saldo devedor estava quitado, ficando o dever de salvar o que restava, buscando consensos mínimos e juntar a sociedade num tecido único de pequenos sins, mas fortes o suficiente para suplantar a treva. Assim como simplificar a vida é um aprendizado de igual monta, necessário como a verificação do passar do dia, concentrar-se em menos trabalhos, fazê-los bem-feitos, enfrentando os atrasos sempre existentes nas listas de pendências, glorificar o trabalho cada vez mais escasso, em vez de observá-lo com sofrimento. É preciso ficar mais pobre para enriquecer, é o risco dos investimentos. Cada momento depois dos 40 vale ouro, e não havia mais caminho a se perder, as veredas bifurcadas encontravam-se.

Leandro Marçal ainda não tinha me retornado sobre a reunião, Suzana me mandara mensagem dizendo que havia chegado bem e cobrava uma previsão para a ida ao Estado Celeste. Dediquei-me naqueles dias, após a revelação, a terminar o programa de governo, conversar com Cairo e

Mauro sobre o início da formação de um núcleo de conversação com atores fora da polarização Lucas/Montanaro, enquanto a Rened-47 seguia seu ciclo com um apoiador direto, o governo.

Os números avançavam, criavam corpos nos hospitais e monstros nas ruas. A epidemia do Red Neck 47 galopava, enquanto a maioria das pessoas se isolava. Formava-se consenso no meio científico de que para o desenvolvimento da forma animalesca era preciso predisposição. De outro lado, na forma de Síndrome Respiratória Aguda Grave, bastava ser infectado pelo vírus para desenvolvê-la, de forma fraca, moderada ou grave. Os casos graves começavam a lotar os hospitais, os números de mortos pela doença chegavam aos milhares por dia, e a forma animalesca atingia, em média, de quinze a vinte por cento dos casos. Paradoxalmente, os casos de Rened-47 nesses grupos não produziam mortos, mas deformações perenes às quais os pacientes não pareciam mostrar resistência. Iniciada no interior dos Estados do Sul, a epidemia em Lisarb, na forma grotesca, expandia-se alarmantemente para as maiores cidades e delas para os grandes centros urbanos. Setores específicos eram mais atingidos. As universidades estrangeiras estudavam as razões pelas quais o vírus se espalhava mais rapidamente na forma grotesca entre policiais e evangélicos, não atingindo de forma importante estudantes universitários, artistas e a população LGBTQIA+. Os problemas eram muitos, mas, em especial, chamava a atenção o fato de que não existia adesão ao tratamento entre os atingidos pelas deformações. Era, de modo particular, triste evidenciar que a doença se instalava no núcleo familiar e transformava, aos poucos, o lar em ambiente semisselvagem, onde as equipes médicas eram impedidas de ingressar para ministrar o tratamento e, em alguns casos, alvejadas por tiros.

Montanaro, baleado mortalmente por uma gravíssima crise econômica a abalar sua popularidade, sem apoio dos setores que o identificavam com o fim da cleptocracia, buscou, coerente com sua trajetória, uma oportunidade de ouro para incentivar o divisionismo e reagiu à doença, não contra a infecção e sua propagação em escala geométrica, ao contrário disso, estimulando na população uma revolta contra os métodos científicos utilizados para o seu combate. Cavalgando a ignorância e a estupidez coletiva, o presidente da República fez da morte sua maior aliada. As ruas começavam a ficar vazias de bom senso, sendo invadidas por figuras tétricas. À medida que o isolamento social impunha à maioria da população o seu regime de solidão, uma horda putrefata ganhava as ruas.

Ao término daquela semana, após concluir a primeira versão do programa de governo de Cairo e conseguir a reunião para a segunda-feira próxima com Duarte Lato, as minhas atenções estariam voltadas para o início de uma nova série de manifestações montanaristas em todo o território lisarbense. Na principal delas, em Lisarbia, a presença de Montanaro seria o ponto alto. A passeata era anunciada na Avenida Líder Maior, rebatizada de Avenida Cidadão de Bem, e violava os protocolos de prevenção da propagação da doença.

Mantendo a rotina de esforços diários, eu conseguira, durante os dias seguintes à visita de Suzana, acordar pela manhã e correr na orla, cada vez mais vazia de pessoas. Também conseguira deslocar para aquele fim de semana o consumo de vinho. Eram pequenos avanços. Havia comprado uma balança e, com isso, vigiava o peso, em queda lenta, mas permanente. Após a crítica de Suzana, desliguei o SAS mais uma vez. Conversava em ambiente virtual com Rogério e seguia em frente. A parte civilizada da população estava atônita com a possibilidade de contrair o vírus e obedecia às regras de isolamento, as reuniões de coordenação foram mantidas em três vezes por semana, ordinárias, nos hologramas e, extraordinariamente, com distanciamento. Adotamos o apartamento de Mauro Pereira, na Avenida Oceânica, para reuniões da coordenação. Combinamos assistir às manifestações em Lisarbia dali, no domingo pela manhã.

Na sexta à noite, fiz compras virtuais para me reabastecer. Mensagens de Suzana cobravam a data da viagem, mas um novo empecilho surgia. A chegada de voos lisarbenses em Vista dos Montes, capital celeste, havia sido suspensa e restaria somente, com sorte, a entrada pela fronteira. A ideia de ir de carro até o Estado Celeste me seduzia. Avisei a ela das restrições e disse que planejava uma "descida" de carro dentro dos próximos trinta dias. As coisas estavam pegando fogo e eu precisava concluir algumas etapas para poder ter paz no encontro com Isabel, o que era uma verdade. Pedi notícias dela, e Suzana me informou que estava trabalhando numa equipe especial em um projeto em neuroengenharia, a relação entre as sinapses, os supercomputadores e o mapeamento das conexões cerebrais. Trabalhava em ambiente virtual com uma empresa no Estado Americano, em reuniões holográficas em tempo integral, de modo real, como se estivesse no local da empresa. Os hologramas de Isabel, contava Suzana, eram superiores ao PHD (*perfect high definition*) e traziam para dentro da casa dela em Penápolis as mais avançadas inovações tecnológicas em tempo real. Isabel estava paciente, segundo Suzana. Fiquei em dúvida se faria uma ligação, mas seria melhor o encontro presencial. Esperaríamos um pouco mais.

Na manhã do sábado, acordei com o *allphone* enviando uma mensagem de chegada de vídeo holográfico da Itália. Eu havia esquecido completamente do convite e sequer tinha visto a resposta da professora da Universidade de Roma sobre a possibilidade de fazer a palestra por meio virtual. Chequei o vídeo. Era um ambiente simples, de dentro de uma biblioteca, com a professora, uma morena de óculos de aros fininhos, aparentando sono, sentada em meio a uma papelada, tomando um café. Parecia estar fazendo uma sequência de vídeos para os palestrantes, pois tinha uma lista em que meu nome aparecia em terceiro lugar, e os de cima haviam sido ticados.

— Professor Alex, bom dia. Tudo certo para nossa palestra na semana que vem, na terça? O senhor será o terceiro a falar. Serão trinta minutos, depois abriremos para as perguntas. Antes do senhor, falará alguém do Estado Platino e, antes dele, um representante do Estado Chacal. Encaminhamos para a sua residência o escopo do seminário, e hoje à tarde seus honorários serão encaminhados para a conta indicada por sua esposa.

O vídeo terminava de modo inesperado, com uma pessoa entrando na sala. Sem saber que a professora estava gravando, um colega dela entra perguntando se ela aceitava o convite para tomar um vinho à noite. Ela faz sinal de que está gravando, aquela cara quando o queixo se retrai bruscamente, e os músculos do pescoço se exaltam, os olhos miram enviesados para a câmera do *allphone,* e a pessoa estranha e desavisada suspende a fala de inopino, olhando também para a tela. De imediato, faço uma ligação convencional para o número, que é atendida prontamente, com um barulho de carros e buzinas como ruído de fundo.

— Professora?

— Sim, quem fala?

— Sou Alex Tedesco, jornalista.

— Ah, sim, o senhor dará a palestra na terça.

— Pois é, gostaria de falar sobre isso.

Nesse momento a professora grita um "*cazzo*", ouvem-se várias buzinas, ela pede perdão.

— Desculpe, estou no trânsito, está em viva-voz.

— Sem problemas, é que eu gostaria de saber se a senhora verificou minha resposta ao primeiro contato, quando falei que deveria ser virtual.

— Sim, com certeza, respondemos que poderia. Troquei mensagens com o senhor, no início da semana.

— Olha, pode ter ocorrido um engano, alguma falha de comunicação. A senhora pode me mandar novamente por aqui os *prints* neste número? Outra coisa, os honorários, por favor, peça para não pagarem ainda.

— Certo, vou encaminhar as mensagens, mas há algum problema sobre a palestra na terça?

— Não, a princípio não. Só não pague ainda, não sei se lhe enviei os dados da conta correta.

— Certo.

— Muito obrigado, posso entrar em contato mais tarde?

— Sim, fique à vontade.

De pronto as mensagens são enviadas. É uma tratativa longa, em que os honorários são negociados, há pedido de aumento e nenhum comentário sobre o conteúdo da palestra, que logo chega, integral, após os *prints*. A conversa estava direcionada para um número que eu mantinha na Itália, há muito tempo desativado, mas que deveria constar no cadastro da Universidade. A conta corrente indicada era de Benigna Alphonsus. Torno a ligar para a professora.

— Está tudo correto. Só, por favor, peça para fazerem o depósito na outra conta que vou mandar por mensagem.

— Sim, professor, vou pedir para retificarem.

— Outra coisa, por que a senhora ligou neste número hoje?

— Tenho salvos os dois contatos aqui.

O fantasma da presença de Maria Lígia Gnatalli voltava em forma de fraude infantil. Descartei uma interceptação ou invasão do meu aparelho e guardei os *prints* de tela para usar mais adiante. Dei uma olhada no tema da palestra, era sobre a crise da Rened-47 em Lisarb, talvez o assunto que eu mais tivesse condições de falar naquele momento. Vou até o banheiro, a adrenalina da situação rapidamente resolvida; no entanto, me traz ansiedade. Entro no banheiro, espelho a mostrar a figura de um Alex cansado, de barba grande. Seguindo naquela linha de mudança, o corte do cabelo, deixar a barba mais rala seria uma opção. Faço um café expresso, como um pão com manteiga aquecido na chapa de um *grill*, termino de me vestir com uma calça jeans, uma camisa polo e saio um pouco do apartamento. Odacir estava adiantado no romance:

— E aí, já dinamitaram a ponte?

— Ainda não, doutor Alex.

Coloco a máscara e tento achar nos milhares de aplicativos uma barbearia aberta. O comércio estaria fechado no domingo, e cortar cabelos logo seria considerada uma atividade não essencial. O medo de pegar o vírus ainda não tinha feito em mim morada, e a verdade franco-argelina de que 100 milhões de mortos não são nada, são números, dado que um morto só tem significado quando o vemos morrer, era tão evidente como os passos que dava naquela calçada úmida em busca de um corte de cabelo. O aplicativo apontava para a direção oposta à Oceânica, indo para dentro do bairro de Panemia, ingressando nas ruas arborizadas. Os ciclistas, a elegante exuberância das garotas ensolaradas, os turistas vermelhos de tão brancos estavam sendo substituídos, aos poucos, por grupos nas esquinas, nos quais a camiseta amarela da seleção despontava. Alguns exibiam as deformações, começava a ficar comum. Observei pelo menos três adoentados, com os cascos nas mãos e nos pés, conversando ou expelindo sons com montanaristas sem máscara. O primeiro grupo avistei na saída de casa, na Milhões de Carvalho. Duas *pick-ups*, uma delas com um reboque, estacionadas na esquina com a Gomes Bezerra, três homens aparentemente sadios, fortes, cabelo curto, um deles com uma espingarda, dialogavam com dois doentes na forma animalesca. Os doentes gesticulavam de modo repetido, automático, como se quisessem dizer algo não compreendido. O outro, com a intenção, ao que parecia, de ajudar, tirou de dentro da *pick-up* uma bandeira vermelha e a rasgou com os dentes. Passei pelo outro lado da calçada e segui em frente e, em Panemia, encontrei o destino. Observei, antes de entrar, o número de pessoas por trás de uma vidraça grande, lisa, apenas com um letreiro branco: Barbearia Menina de Panemia. Era um imóvel estreito, mas com uma boa profundidade, de tal forma que comportava umas dez cadeiras enfileiradas em frente a um longo espelho. O dono parecia ter tido a intenção de conferir ao lugar uma atmosfera retrô, com fotos de mulheres em posições sensuais, dos quatro grandes times de futebol de Litorânia e carrões de última geração e antigos, do início do século. Estava quase vazio, as cadeiras não estavam ocupadas. Apenas um cabeleireiro forte, aparentando uns cinquenta anos, de porte médio, vestido com uma calça branca de tecido fino e um guarda pó preto. Mais dois homens sentados num sofá no fundo conversavam com ele, de cabelos curtos, braços fortes apertados em camisetas justas. Não pareciam ser clientes, mas amigos ou conhecidos do barbeiro, cuja aura assertiva, marcando as palavras com gesticulação ampla e sinais de cabeça de sim e de não, andando devagar de um lado para o outro em frente ao sofá, com ar indignado, denotava ser ele o dono ou gerente do lugar. Havia bastante espaço, uns quinze metros de segurança sanitária entre o fundo da barbearia, onde estavam os dois, sem máscara, e a cadeira mais próxima da rua, à qual apontava o barbeiro para eu me sentar. Ele colocou a máscara quando entrei. Trocamos os bons-dias tradicionais:

— Como o senhor quer o corte? — perguntou educadamente perto do limite transbordante, quando se pode verificar a incongruência entre o pensamento cru e o ensinado como bons modos. Também o tratei como senhor.

— O senhor consegue ver como foi feito o corte anterior? Falei suave para não trazer tração, ele poderia vir com alguma resposta do tipo "trabalho como cabelereiro há trinta anos e sei ver os cortes feitos por quem cortou antes".

— Consigo, sim. E a barba, vamos aparar, quer cortar? — Foi seco, mais uma vez dentro das quatro linhas.

— Sim, pode usar a máquina um.

Ele pegou a tesoura, o pente, iniciou pelo cabelo. Tinha experiência e era seguro, este último atributo talvez o mais importante para esses profissionais. De seus dedos, disfarçado por entre algum creme e odor de sabonete, rescendia um leve cheio de nicotina, de cigarro, forte o suficiente para perceber, mesmo com máscara. Fazia seu trabalho de modo correto, sem conversar. Um dos homens no fundo levantou-se e foi ao banheiro, o outro pegou um café e dirigiu-se ao barbeiro, puxando assunto a partir das fotos femininas:

— Boas as fotos, hein?

— Sim, década de 1980, do século passado. Já me incomodei muito por conta disso.

— Como assim?

— Um grupo feminista me denunciou no Ministério Público. Tive que entrar com uma ação para poder manter, gastei com advogado, tudo por conta deste ridículo do politicamente correto.

— Não tá dando para aguentar mais isso.

— Sim, qual o problema? Agora é só essa viadagem, não pode nem olhar mais pra bunda de mulher que tu toma uma chamada. Tem que pedir licença para ser hétero, hoje.

— E vou te dizer mais, certo mesmo é o Montanaro. Não tem papas na língua, diz o que ele pensa, se tiver que mandar um preto vitimista tomar no cu ele manda, se tiver de dizer para uma louca *feminazi* calar a boca, ele manda — o homem de cabelo curto se exalta, começa um discurso, mas há um início de constrangimento, pois o cabeleireiro não dá conversa e é salvo pelo outro, que sai do banheiro e o chama para um café.

Termina o corte e passa para a barba, faz um comentário:

— Não sei qual é sua opinião, mas está demais. Não se pode falar mais nada. Daqui a pouco não se pode nem comer carne mais, porque os animais, porque isso, porque aquilo e mimimi. Outra coisa, como disse aí o meu amigo, na política a gente tem que dizer a verdade, doa a quem doer. Por isso eu, me desculpe se o senhor tem posição contrária, defendo o Montanaro. Estou fechado com ele até a morte.

— Olha só, eu não discuto política — não espichei a conversa, de nada adiantava.

Paguei a conta. Estava com cabelo e barba alinhados, um passo a mais.

No domingo pela manhã, me dirigi ao apartamento de Mauro, na Oceânica. Desceria a pé, eram poucas quadras. O porteiro estava de folga, e um outro rapaz, de fones de ouvido, bem jovem, com um *piercing* no nariz, abriu a porta de ferro para mim. A Candelária estava vazia. Os protestos a favor de Montanaro se dariam no centro, dessa vez, mas os carros com bandeiras de Lisarb passavam buzinando na Avenida Nossa Senhora da Candelária em direção à parte central da cidade. O prédio de Mauro era antigo, com identificação por leitura facial na entrada. Dentro da entrada, sem porteiro, uma funcionária negra, de máscara, varria a areia da praia, e marido e mulher, ele loiro, ela ruiva, meia-idade, em trajes de banho, esperavam o elevador. Eu os deixei ir e aguardei. O apartamento ficava no quinto andar, de frente para o mar, e o elevador parava numa entrada com sofás, dois quadros decorativos e fotos de Litorânia antiga. Devia ser um por andar. Mauro me aguardava na porta, com duas máscaras. Nos cumprimentamos com os cotovelos.

— E aí, Alex... o mundo ainda é um bom lugar para se viver?

— Sim, Mauro, acho que vale a pena lutar por ele.

— Tem que valer muito mesmo. Acho que você não tem ainda a informação que vem de Lisarbia. — Mauro ingressava por entre as paredes grossas do apartamento, ricamente decorado com esculturas e pinturas de vários artistas lisarbenses, o piso de madeira corrida, típico dos anos 60 do século XX. — Eles estão guardando uma surpresa hoje, além de pedir o fechamento do Parlamento e da Suprema Corte.

— Que surpresa?

— Eles trouxeram doentes de Rened-47 de todas as partes de Lisarb para participarem da manifestação. — Mauro aponta duas cadeiras na varanda, distanciadas. Outras duas estavam vazias, aguardavam Campana e Cairo.

— Como fizeram aqui, na Oceânica.

— Sim, mas eu me pergunto, com qual intenção senão a histrionice, a demência, a loucura?

— O Montanaro, como você diz e eu concordo, não é um idiota no sentido mais popular do termo. É um ser político. Cavernoso, cruel, mas pensa e vive a política de forma intestina.

Cairo e Campana chegam juntos. Mauro os recebe, eu aguardo na varanda. Cairo chega agitado:

— Oi, Alex. Ainda bem que vamos fazer a reunião com o Duarte na segunda. Tem uma articulação forte, acho que não há mais saída para que ele volte atrás. Ainda tem a prévia, mas o centro e a direita vão colocar a força toda nele. Aquele comentário que o Mauro fez sobre a fraqueza dele ser sua força é uma grande verdade. As pesquisas estão mostrando este espaço que ele pode ocupar. — Cairo, de máscara, cumprimenta de longe, senta na varanda, limpa o suor da testa e da calva com um lenço, toma um gole d'água, e prossegue. — Temos que agir urgentemente para atrair os demais partidos de centro--esquerda. O Lucas já começa a reinar, cooptar, emparedar. É uma covardia o que ele está fazendo com alguns, inflando os socialistas para tentar nos tirar.

— Está encurtando o espaço de articulação, ficando apertado com o ingresso do Lucas de novo. — Campana, com uma máscara a apertar a barba desgrenhada, analisava friamente. — O problema é que se for o Lato, ou mesmo o Douro, o candidato de centro, centro-direita, ele pode nos tirar o espaço dentro desse eleitorado.

— Tá, mas isso a gente já sabe, Campana. Eu quero saber como saímos desta sinuca... — Cairo, impaciente e incomodado com as articulações do centro, provoca Campana, que, já sentado na varanda, rebate.

— Campanha positiva. Mostrando que você é o mais capaz, o que entende mais. Ao mesmo tempo, nós vamos ter de, em algum momento, bater no Lato, pois o espaço que ele quer ocupar é o nosso. Outra coisa: temos que trabalhar para que ele não ganhe a prévia interna, mas o Douro, apesar de dominar a máquina do partido, sofre com rejeição alta.

— Mas ele ainda parece ter mais votos e, mais importante, muito mais grana pra distribuir que o Lato e adoçar a boca dos delegados — disse Mauro.

— Pessoal, vão iniciar as imagens.

Mauro nos convida a observar, dentro do apartamento, a TV holográfica, cujas imagens saem de um cilindro metálico baixo, sobre uma mesa de centro em mármore, na sala auxiliar à sala de jantar. Ele, com comando de voz, escurece os vidros da varanda, e os feixes de luz das figuras holográficas mostram, por visão aérea, os prédios dos Ministérios da Avenida Cidadão de Bem, o Palácio do Povo, atrás, o prédio da Suprema Corte, isolado por barreiras. As duas grandes vias não estavam lotadas, longe disso, mas o efeito dos carros enfileirados adensava a aglomeração que se dividia, como um desfile paramilitar, em cinco partes distintas. A primeira, com pedestres sem máscara, portando cartazes e faixas, pedia para Montanaro decretar um golpe de Estado, intervenção no Parlamento e fechamento da Suprema Corte. Viam-se faixas contra a inclusão racial. Uma senhora muito bem-vestida, de uns 70 anos, loira, com óculos de sol de uma famosa grife italiana, portava um cartaz que dizia: "Racismo Estrutural uma Mentira". Outras faixas pediam a decretação de um Estado de Defesa, outras de Sítio, outras, desconectadas do tempo histórico, apenas embaladas por um discurso antigo, mas que sempre colava para uma boa manipulação, pregavam a morte dos comunistas. Uma segunda fileira era paramilitar, com milicianos a empunhar armas de grosso calibre, espingardas, fuzis e metralhadoras. Levavam à frente uma forca de onde pendia, com o pescoço quebrado, um boneco de camisa vermelha. Todos gritavam: MATO, MATO, MATO, em cadência com as passadas, simulando uma marcha militar. As figuras desfilavam sobre a mesa de mármore de Mauro Pereira, cuja atenção estava voltada para o relógio, como se estivesse a aguardar a hora de abrir um vinho branco que repousava num balde de gelo misturado com as figuras holográficas provenientes de Lisarbia. Cairo Góes balançava a cabeça e dizia "loucura", "insanidade", "demência coletiva". Atrás dos milicianos, a terceira ala, com camisetas verde-amarelas, dedicava-se à religião. Homens e mulheres brancos, predominantemente entre os 30 e os 60 anos, poucos jovens, com olhares a sair raios das órbitas e punhos estendidos, portavam faixas: MONTANARO, NOSSO MESSIAS, ou MONTANARO, NOVO MESSIAS. Uma parte dos manifestantes vestia longas túnicas negras, com capuzes, pareciam de alguma ordem religiosa específica. Era um grupo grande, adensado, andava menos ritmado em desfile a chegar próximo de Montanaro, que aguardava em frente ao Palácio Presidencial. Em todos os grupos, inclusive no de milicianos, algumas pessoas exaltavam copos plásticos com urina e protestavam contra as mentiras da fraudemia: "Montanaro tem Razão, Fraudemia é Ilusão". Alguns protestavam contra a vacina. Atrás dos religiosos, o penúltimo grupo vinha motorizado em grandes *pick-ups*. Eram os mais exaltados, revoltados e agressivos. Uma grande maioria formada por homens brancos, alguns com esposas, namoradas, companheiras no banco do carona, enormes bandeiras lisarbenses em carros caros, buzinas, tudo ao som de um narrador de rodeios que estimulava com gritos de guerra. Por fim, a cena inédita, a qual Mauro Pereira havia relatado. Após um intervalo de uns cem metros para as *pick-ups*, o *grand finale* da manifestação, com uma pausa de alguns minutos, ingressava na grande via. Caminhões boiadeiros, caminhonetes e carros traziam reboques com longos panos a cobrir seus interiores. Fogos de artifício e salvas de tiros dos milicianos, urros de todas as alas anteriores e a narração efusiva do radialista de rodeios:

— Se eles pensam que vão fazer o que querem com a gente; esta gente suada, sofrida, cidadãos de bem que querem trabalhar livremente, que pagam seus impostos, não serão impedidos de fazer o que querem, não tirarão deles as suas liberdades.

Os caminhões e reboques cobertos atravessam a avenida, os demais manifestantes se encontram na frente do Palácio Presidencial. Eles descem os últimos duzentos metros de aproximação com Montanaro. É possível ouvir os sons guturais por debaixo dos panos verdes, um líquido viscoso escorre da parte traseira, cavaleiros escoltam, aves de rapina do cerrado acompanham muito próximas em sobrevoo e fazem rasantes sobre os caminhões e os carros com seus reboques. São cerca de cinquenta veículos. Campana observa, Mauro encontra-se embasbacado, e Cairo segue xingando baixinho no momento em que os veículos começam a estacionar nas imediações do Palácio. Do grupo dos religiosos, o narrador desce do carro de som e destaca os manifestantes com as túnicas negras. Eles seguem em fila indiana até os caminhões, o narrador segue gritando palavras de ordem e refere-se ao grupo como mensageiros da luz e patriotas. Eles aproximam-se dos líderes dos caminhoneiros, cumprimentam-se; o motorista entrega um bastão de metal com uma ponta em meia-lua para o encapuzado que, com ele, o enfia numa argola no alto da carroceria do caminhão boiadeiro e descerra o grande pano verde. Logo aparecem os doentes de Rened-47 apoiados por mãos e pés com as colunas envergadas, couros finos, a urrarem com olhos saltando das órbitas vermelho-sangue. Uns por cima dos outros, seus rostos parecem ter uma paralisia próxima da doença de Parkinson, os únicos gestos faciais se restringem à movimentação dos olhos e a um mastigar incessante. Muitos deles exibem equimoses roxas no rosto e, nos que se encontram de bermudas, é possível vê-las nas pernas, algumas na cor verde. As roupas são farrapos que restaram de ternos, camisas sociais, uniformes. O gesto de descerramento dos panos verdes é repetido em todos os demais veículos pelos encapuzados. Dos caminhões, rampas são projetadas e os manifestantes começam a descer, em meio a urina e fezes. De suas bocas cai um fio fino de um líquido denso, viscoso; eles descem e seguem o caminho em direção ao palanque montado em frente ao Palácio. São escoltados pelos cavaleiros, que os conduzem de modo a não se dispersarem. O barulho de seus cascos se confunde com o som emitido pelos cavalos no asfalto. Os militantes que ainda não ingressaram na fase final da doença, ainda marchando sobre os pés em casco, discutem com os cavaleiros, e alguns brigam com os manifestantes quadrúpedes, formando pequena confusão, logo dispersada por um dos cavaleiros que usa um açoite. A linha de militantes doentes livres em suas vontades forma um grande cordão, à guisa de um funesto desfile de carnaval. Não obstante, os demais aplaudem efusivamente os patriotas que vêm prestar homenagem e solidariedade ao Novo Messias. É possível ver emoção e lágrimas em várias pessoas, de modo mais acentuado nos religiosos, dali brota a fé numa nova etapa de Lisarb. A aglomeração se acomoda em frente ao Palácio. Montanaro desponta na parte de cima do Palácio. Acena a todos e vira-se de costas, pede para que um auxiliar lhe entregue um copo. Ele urina dentro do copo, levanta-o acima da testa, repete o gesto de sacralização da hóstia e bebe o líquido. A multidão entra em êxtase, e ele desce a rampa sorrindo para encontrá-la, beijando crianças, cumprimentando, fazendo pose para fotos com os indicadores a formar uma canhestra pistola. Quando o frenesi começa a acalmar, ele pega o microfone do narrador, sobe no palanque e profere seu discurso:

Olha só que beleza, minha gente, vejam como é importante a democracia. Aqui nós temos a representação das pessoas que se preocupam mesmo com a nossa querida Lisarb. Aqui estão os representantes da melhor parte da nossa população. É com ela que nós governamos até agora e com ela iremos até o final do nosso mandato. E nós vamos renová-lo, se Deus quiser. Eu estou muito feliz, mais ainda no dia de hoje, porque estou vendo a nossa militância que, mesmo acometida desta doença, veio até aqui para expressar seu desejo de democracia. Não se curvaram para autoridades estaduais e municipais que queriam que eles ficassem trancados em casa. Vieram de longe, de caminhão. São patriotas. Eu quero pedir, de novo, que todos aqui aplaudamos os nossos companheiros, que estão enfrentando de peito aberto esta doença.

Há uma pausa em que novamente são ouvidos salvas de fogos de artifício, tiros e aplausos. Os doentes se agitam com o barulho e, em bloco, começam a forçar o cordão formado pelos cavaleiros que os contêm, alguns, com açoites. Montanaro continua:

Assustaram-se um pouco com o barulho dos tiros os nossos patriotas. Mas eles são cidadãos de bem, sabem que as armas são o único caminho para nos defender da bandidagem e, agora, dos comunistas. Antes de terminar queria fazer um pedido para vocês e um alerta. O primeiro é o pedido. Saiam de casa, não tenham medo da doença, vocês são homens e mulheres ou são uns bostas? Essa propaganda toda negativa que a imprensa faz, que a esquerda faz. Isso não é verdade, porra. Nossos estudos apontam que bebendo todo dia pela manhã a própria urina, o corpo se nutre de defesas suficientes para combater de modo preventivo o vírus. Então, este é o pedido que eu faço. Agora, eu queria fazer dois alertas. Nós estamos sabendo que tentarão nos roubar a eleição. Se não mudarem o sistema de votação, nós não reconheceremos o resultado. Estou avisando cedo. Então, invadam as redes sociais, divulguem isso, porque não é essa doença que vai nos impedir e nem a fraude que querem fazer.

Cairo, antes de Montanaro terminar, olha para Mauro e, irritadíssimo, faz um pedido ao anfitrião:

— Desliga essa merda, Mauro, pelo amor de Deus.

Os demais, inclusive eu, concordam com Cairo. Mauro Pereira dá um comando de voz, desliga a TV holográfica, as imagens desaparecem, ele pega a garrafa de vinho, serve quatro taças. Cairo, indignado, pergunta:

— Meu querido Mauro Pereira, você é um *gentleman*. Estou doidinho para dar um gole deste Chardonnay do Estado Platino, mas vamos brindar a quê? Olha o que virou isto aqui.

Mauro nos entrega as taças e ergue um brinde:

— *Lutei durante toda minha vida pelo que acredito*. Se vencermos esta luta, venceremos para sempre este mal. Meu brinde é à nossa luta. Seja como for, da forma que der, devemos derrotar esses facínoras. À luta.

XIII

Terminamos a manhã, iniciando a semana. Cairo estava ansioso para a conversa com Lato. Mandei a eles o programa de governo, primeira versão, pronto. Avisei que naquela semana buscaria encontrar meu amigo Antônio Paulo para irmos até Lucas. Mauro articulava a reunião com o centro político, e Campana tentava amainar a verve de nosso candidato.

Leandro Marçal havia criado o *link* para a reunião e me encaminhara por mensagem. Transmiti para Cairo. Seria às 14 horas. O anfitrião especificava traje esporte fino. A reunião se daria no Palácio Canguçu, sede do governo do Estado do Sul, numa sala informal. Duarte Lato ingressara em definitivo no cenário nacional após um debate cruento com Montanaro em defesa dos direitos da população LGBTQIA+. Sua postura firme e sóbria nas manifestações, sempre mantendo a compostura, era a antítese retórica de Cairo, debatedor sanguíneo, também firme e assertivo, porém mais pontiagudo. Os dois tinham visões econômicas próximas, mesmo que, aparentemente, um fosse nacional-desenvolvimentista, e o outro, liberal progressista. Essa diferença não existia na prática. Duarte Lato, filho de um grande jurista do Estado do Sul, sempre fora ligado à centro-esquerda e havia implantado o PGD, pauta criada pelo Pluna, com sucesso, arrumando as contas do seu estado após sete décadas de atraso e abrindo a possibilidade de retorno ao investimento. Cairo e eu começaríamos a tentativa de sensibilização de Duarte para que compuséssemos, coisa que todos os políticos sempre queriam, desde que estivessem à frente da composição.

Cairo tinha a seu favor um eleitorado cativo, fruto das três eleições disputadas, um percentual entre seis e doze por cento das intenções de voto nas pesquisas. Lato, como disse Mauro, tinha na fraqueza a sua grande força. Não era conhecido em toda Lisarb, mas era esse seu grande capital e poderia ser a opção que o centro democrático e a centro-direita buscavam. Havia também o fato de Duarte Lato ter votado em Montanaro na eleição passada, algo que ele deveria explicar. Contra Cairo pesava algo parecido, pois também não havia apoiado o candidato mais forte que chegara ao segundo turno contra o atual presidente. Para mantermos o distanciamento social, Cairo falaria do centro de Litorânia, eu do apartamento na Candelária. Às 14h em ponto liguei meu aparelho, e minhas imagens chegaram ao Estado do Sul simultaneamente às dos demais participantes, cujos hologramas eram projetados na minha mesa de centro, entre a TV holográfica e o sofá vermelho. Duarte era muito jovem, 35 anos, vestia-se com uma sofisticação simples, tomava chimarrão, como bom sulista, com a barba sempre mantida na máquina um. Sempre sério, objetivo, com um discurso moderado e austero, pouco dado a adjetivações, tinha um bom humor fino, e, quando fazia uma piada ou ironia, o interlocutor, com quem ele não mantinha proximidade ou intimidade, demorava a compreender a sua intenção. Leandro Marçal estava com ele na sala, mas sua imagem vinha de outro holograma. Ele começou o diálogo:

— Boa tarde, pessoal, Cairo Góes, Alex Tedesco. Que bom que conseguimos hoje nos encontrar. Ainda estamos sob o impacto das imagens de ontem em Lisarbia. A estupidez e o horror tomaram conta. Abaixo a inteligência, viva a morte, é o que estamos assistindo e, como não se vence uma guerra lutando sozinho, entendo importante e oportuna a reunião. Todos se conhecem aqui, somos velhos amigos.

Leandro Marçal olha em minha direção. Eu preferiria que o anfitrião falasse, mas a deixa era para mim, em função de eu ter sido, junto com ele, o artífice da reunião. Fiz uma pequena introdução.

— Sim, Leandro, tenho certeza de que não podemos mais perder tempo, o adoecimento pela Rened-47 e o clima de tensão que este país está vivendo nos dão muita responsabilidade. Eu tenho um grande amigo, ele é daí, mas está no exterior, o Rogério Mesquita, faz tempo que não falo com ele, mas me mandou uma mensagem estes dias dizendo que o mundo está se esfacelando e que cabe aos homens darem um destino para seus desamparos. É isso, não temos garantia na vida, mas são nossos atos de liberdade que gerem o enfrentamento dos obstáculos que sempre surgirão, mas, sem dúvida, estamos diante de um monstro muito grande.

Cairo sugere, percebo pelo seu movimento, que quer falar, mas antes dele, Duarte Lato ingressa, de modo a suavizar a reunião, até por ser mais novo que Cairo, que também foi governador.

— Que satisfação estarmos aqui hoje. Cairo, meu amigo, estamos há tempos em contato em função do que vem acontecendo neste país, mas agora temos mais um ponto importante de contato, que são Leandro Marçal e Alex Tedesco. Isso é muito importante para que possamos estreitar ainda mais este encontro.

Cairo, na pausa feita por Lato, faz sua fala.

— Duarte, jovem prodígio da melhor política, já foi dito que nenhum homem é uma ilha, todo em si; todo homem é uma parte do continente, uma parte da terra. E, aqui, parafraseio o poeta para dizer, em homenagem às tradições sulistas, que se um torrão de terra é levado pelo mar, o Estado do Sul é diminuído, tanto se fosse uma duna das Praias do Bingo ou de Terras, como também se fosse uma casa de teus amigos ou a tua própria; a morte de todo homem nos diminui, porque somos parte na humanidade.

O momento, apesar de pragmático (iríamos tratar da velha política de alianças) fazia os interlocutores irem ao emocional. O ano nos forçava àquilo. Duarte pede a palavra:

— Sim, Cairo, nós vamos ter de explodir a passagem deste ser monstruoso para ainda mais dentro da nossa república. Não tem como aguentar essa demência coletiva. O que a gente viu ontem em Lisarbia é o início de um tempo perverso, é o início da agenda da morte.

— Na verdade é o meio, Duarte, o meio — Cairo faz intervenção importante —, pois esta escalada começou há tempos. Veja que ele começou com uma singela, mas mortal, liberalização de infratores de trânsito com o aumento do número de pontos para a cassação da carteira, retirou os radares das rodovias, depois liberou a venda de armas, está terminando com as florestas da Região dos Grandes Rios.

Duarte Lato enche a cuia de chimarrão, ajeita-se na cadeira e pontua:

— Promove o incentivo ao extermínio indígena...

— Bem colocado — prossegue Cairo. — *É* um sujeito fascinado pela morte. É uma coisa psicológica, *é gozo bruto*, Freud explica. Mas vou te falar algo, na verdade há uma inteligência por trás disso, e para usar, mais uma vez, de citações, *o fascismo é fascinante, deixa gente ignorante fascinada*. Isso diz tudo. Além da agenda da morte, que é a pior, sem sombra de qualquer dúvida, nós temos a implementação da agenda da estupidez.

Duarte Lato concorda com a cabeça, toma um mate, Leandro Marçal faz pequena intervenção para passarmos de fase:

— Volto ao início da minha fala, não conseguiremos, dispersos, vencer o inimigo. Cairo Góes está com candidatura na rua, Duarte Lato disputará as eleições internas do partido. O Lucas está na dianteira com o Montanaro derretendo, como é que a gente se entende?

Eu ingresso na discussão:

— Juntando o centro democrático, porque o que vai acontecer, se deixar do jeito que está, é o Lucas e o Montanaro no segundo turno da eleição. Então, o que eu acho, devemos ter uma candidatura robusta de centro, centro-esquerda, centro-direita, passando até mesmo pela direita democrática, desmontanarizada. Não adianta pulverizar os candidatos. Nós precisamos juntar, formar uma equipe para dinamitá-lo, e não será com dispersão que o faremos.

Esse era o ponto principal, o mais difícil, mas precisei fazê-lo para não deixar a tarefa para Cairo, que logo emendou:

— Duarte, teu partido vai lançar mesmo? Corremos o risco de ter novamente o Lucas e o Montanaro se a gente não se juntar.

Duarte, pensativo, com muita habilidade, faz intervenção suave:

— Cairo, a política é como um rio, ela vai seguindo seu curso. É muito difícil você mexer na dinâmica do rio, é algo natural, vai de acordo com uma série de fatores que a gente não tem controle. Chuva, seca, não tem como saber a hora exata. Dá para prever mais ou menos. Por exemplo, o Lucas. Desde que ele voltou para o cenário, é o mais forte, não temos dúvida de que ele deverá estar no segundo turno. Isso dá para prever, mas alguém previa que a Suprema Corte daria aquele cavalo de pau tão rápido? Tem um ex-aluno do meu pai, um advogado de Lisarbia, que eu ouvi ele falar que isso iria acontecer, mas não era algo tão simples. Então, acho que a gente tem que se juntar mais na frente.

Cairo, que, por óbvio, sabia que aquela reunião não iria desfechar nada, mas era apenas o início de uma conversa, emenda:

— Sim, com a mais absoluta certeza, vou torcer para você ganhar as prévias do Douro, mas depois, ainda no primeiro turno, eu quero contar com teu apoio.

Lato fez um sorriso camarada, sem perder o centro de seu raciocínio interno. Leandro Marçal, incisivo, faz uma pontuação:

— Eu acho que a gente tem que estabelecer um parâmetro. O parâmetro mais objetivo possível, e não é tão objetivo assim, pois retrata um momento, é a pesquisa. Outra coisa, temos os outros atores...

Eu entro no tema:

— Na verdade, eu acho que vai ficar só o Cairo, o Lucas, o Montanaro e o candidato dos Araras, salvo algum arroubo da direita, mas acho que não vai ter mais ninguém representativo. Claro, ainda há nomes. Estamos, como vocês, conversando com todo mundo, exceto com o histriônico.

A reunião ingressa numa fase mais amena, com trocas de recordações mútuas. Cairo lembra da fase em que era filiado aos Araras, quando conheceu o pai de Lato, numa visita à cidade de Bolotas, terra de Duarte Lato. Leandro Marçal comenta o final do último presidente pevista, quando trabalhávamos juntos, faz comentários sobre a crise de *2038*, às grandes manifestações plunistas, mas percebo que ele se esquiva do assunto, como se estivesse falando algo desnecessário. Duarte precisa terminar, Cairo também tem agenda, e encerramos a reunião. Do Palácio Canguçu, onde Duarte Lato toma um último chimarrão, é possível ouvir o dobrar dos sinos da Catedral de São Pedro.

270 — 2047: A Revolução dos Dementes

Ao término da reunião, recebo mensagem de texto de Cairo com duas palavras: "Mosca azul".

Todos faziam a mesma conta de Cairo de que seria mais difícil ingressar no segundo turno, pois, se nele estivessem, seria mais simples derrotar Lucas, dada sua rejeição alta. Após passar um café, liguei para Tenório para que pudéssemos nos encontrar. Eu precisava conversar com alguém sobre a minha nova situação, aconselhar-me com o amigo. Mandei mensagem também para Antônio Paulo. Falaria com ele sobre Isabel também, mas meu objetivo era promover a aproximação de Lucas e Cairo. Fiz uma ligação convencional, por comando de voz, com Tenório, mas queria encontrá-lo pessoalmente. Ele estava em isolamento, pois tinha asma e, se contraísse a Rened-47, poderia ser fatal. Não quis adiantar o tema, mas, como falei que era algo pessoal muito importante, ele abriu uma exceção e me receberia no apartamento dele, na varanda, com distanciamento. Antônio Paulo me respondera com outra mensagem. Ele também estava isolado, e marcamos uma chamada holográfica para o final da manhã do dia seguinte. Era o jeito. Pela forma como se encaminhavam as coisas, inaugurava-se uma sociedade sem abraços, desconfiada de si própria, com afetos distantes, escondida atrás de máscaras, protegendo-se, distanciando-se e, no outro polo, arrebentando-se com incautos promotores da loucura, soltos a transmitir vírus. Tenório morava num outro extremo da cidade, numa Zona Murada. Era preciso atravessar o túnel do Comunidade do Trevinho para chegar até ele. Liguei para Waldir, em modo convencional, e combinamos de ele me pegar às 18h.

Como ficcionistas de um roteiro fantasmagórico, a horda de Montanaro promovia a escritura coletiva de uma farsa. Aquilo que na política antes era sutil tornou-se aberrante. Amigos de infância do Estado do Sul, com quem não mais mantinha relações pessoais, mergulhados no enredo, encaminhavam-me por meio de listas de transmissão as propriedades milagrosas da urina matinal na prevenção à Rened-47, outros desafiavam as regras sanitárias e diziam-se favoráveis a contrair o vírus de modo voluntário, pregação montanarista que começava a ganhar corpo. Alguns começavam a hostilizar a vacina, mesmo antes de ela existir. Por meio dela, microchips seriam implantados para o controle mental dos vacinados. Teorias conspiratórias fazem parte da história da humanidade, são nossa faceta ficcional e inventiva misturada com a política, mas havia duas diferenças substanciais no fenômeno. Em *2047*, o texto era escrito em grupo e existia dose boa de consciência no aceitar a estratégia mentirosa. As ideias principais eram criadas a partir de um núcleo central instalado no Palácio do Governo, mas eram propagadas por demais autores nas redes sociais de modo consciente. A manipulação, assim, era aceita como se verdade fosse, mas o embuste era, por grande parte dos consumidores das farsas, sabidamente falso, num primeiro momento. Dessa forma, mesmo que contivesse um centro propagador, este não tinha pudor em elaborar as mais escabrosas mentiras escrevendo um roteiro descarado, falso, e o conjunto de seguidores, aliados na propagação, deixava de ser manobrado para também manobrar uma rede enorme de manipulação. Eram cúmplices da mentira. Isso era novo. No entanto, como naquele sono maldormido, entremeado com a vigília, a instrumentalização da ultradireita produzia um receptor cúmplice na sabotagem do real, acreditando estar fazendo parte de um plano para a criação de uma realidade nova. O receptor e autor coletivo dessa nova realidade mergulhava num mundo paralelo. Nesse caso, um degrau havia sido galgado na escada da loucura humana, pois do pesadelo ainda podemos acordar, da farsa pós-verdadeira há cumplicidade e consciência, e, como toda mentira precisa de outra para se sustentar, e assim até o infinito, a espiral farsesca alimentava-se da consciência coletiva dos fascistas para a indução ao erro dos incautos. Estes últimos, porém, ainda podiam acordar.

Waldir me esperava na frente do prédio, me avisava Odacir. Desci pelas escadas e encontrei o porteiro.

— Estou quase terminando o livro, doutor Alex. É impressionante como a leitura é rápida, fluida.

— E o centro do romance, achou?

— Sim, ainda bem que não estamos em guerra aqui em Lisarb.

Muito triste viver uma sociedade dividida, irmão contra irmão. Vou abrir a porta para o senhor.

O velho Waldir me recebe bem. Amistoso, faz questão de abrir a porta do carro. Está vestido da mesma forma, alinhado, roupas justas mostrando um homem de 60 anos em forma, pele morena brilhosa, braços fortes. Entro no carro, ele pega a rua transversal à Rua Caudilhos e faz o mesmo caminho que fiz a pé até a barbearia. Ambulâncias com sirenes por todos os lados da via, indo e vindo, carros funerários começam a aparecer. Ele está desapontado com o fato de não poder trabalhar mais de forma presencial:

— E aí, doutor, que coisa esta doença... o Partido colocou todo mundo em *home office*, não vi mais o senhor.

— É, mas é necessário. Vocês estão se cuidando?

— Sim. Tenho uma irmã internada em estado grave, e perdi um amigo na semana passada.

— Conhece alguém com a forma animalesca?

— Graças a Deus, não tenho visto esse quadro do inferno ainda. Só pela televisão e naquele dia na Oceânica, com o senhor, mas ainda não estava tão grave.

Mudo de assunto e resolvo perguntar sobre uma possível viagem até o Estado Celeste.

— Waldir, como estão as estradas para o Sul?

— Quase não saio daqui de Litorânia, mas daqui até Metropolitana está boa a rodovia. Acho que até o Estado do Sul está tudo duplicado há tempos. Por quê?

— Estou pensando em passar o feriado da Páscoa por lá, rever os amigos, mas estou sem carro. Vou ter de locar um.

— Por que não vai de avião?

— Essa doença, não estou seguro ainda com isso. Local fechado durante muito tempo.

Lembro de abrir a janela, Waldir abre a dele também, e o vento com a maresia da orla entra no carro. Ele entra no tema da vacina.

— E essas vacinas que estão produzindo no exterior, o que o senhor acha?

— Acho que talvez seja a única saída.

— Eu não sei se vou tomar... dizem que há um sistema dentro dela que controla a nossa mente.

É irritante. Tento ser assertivo, mas sem perder a linha de confiança terna.

— Waldir, você é um homem instruído, pelo amor de Deus. Isso aí é uma mentira, a nossa única chance é a vacinação em massa. Você não foi vacinado contra o sarampo, a febre amarela? Não lembra disso?

— Sim, campanhas enormes quando eu era garoto ainda.

— Pois é, você morreu, foi controlado mentalmente?

Chegávamos no túnel da Comunidade do Trevinho. Ele pede para que eu feche o vidro. Não havia muitos carros, o movimento era pouco. Só ambulâncias e carros funerários zunindo, de um lado para outro no Túnel dos Anjos. Havia pouco movimento da Comunidade, e passamos com tranquilidade. A Zona Murada era próxima dali. Waldir olhava o relógio:

— Eu posso esperar o senhor até as onze.

— Acho que saio antes disso.

Paramos na identificação do carro. O porteiro pediu-me para enviar via bluetooth um código que Tenório me encaminhara e ingressamos no condomínio de altos muros blindados. Helicópteros sobrevoam, há cães e viaturas da segurança interna fazendo a ronda, com sinais luminosos. Paramos em frente ao apartamento dele. Sons de tiros na parede metálica da Zona Murada tilintavam enquanto eu descia do carro. Peço para Waldir me aguardar. Estamos seguros. O apartamento de Tenório fica no quarto andar de um excelente prédio de classe média alta dentro da Zona Murada. Um prédio moderno. Passo pelo detector de metais da entrada. Os leitores faciais me reconhecem. A porta que dá para as escadas está trancada. Vou de elevador até Tenório, que me recebe no *hall*. Ele está de bermudas, à vontade, com a barba por fazer e o cabelo comprido. Sorrindo, me recebe sem abraço, de longe, fazendo namastê:

— Salve, Alex. Veio de carro?

— Sim, com o motorista que o Pluna me colocou à disposição.

A esposa dele, Letícia, me cumprimenta de longe.

— Oi, Letícia, você me salvou semana passada.

Tenório me aponta a varanda. Ele usa duas máscaras, como eu. A varanda está adaptada, a gata está num pequeno sofá. A vista dá para o alto da Comunidade do Trevinho. Além da muralha, os superbiombos protegem o condomínio dos tiroteios. Ele aponta o sofá com a gata.

— Senta ali, a Miúda vem pro meu colo. Vou ficar nesta cadeira.

Com a minha chegada no sofá, ela me olha com a profundeza dos felinos, eu tento acariciá-la, ela não aceita e dá um salto em direção ao colo de Tenório. Ele me oferece um vinho.

— Estou sem beber durante a semana.

— Pois é, notei algo mesmo. Tinha achado que era só o corte de cabelo e a barba, mas você deu uma desinchada mesmo. E aí, como estão as coisas?

— Hoje tivemos uma reunião com o Duarte Lato. Ele está firme, acha que vence as prévias.

— Cresceu muito. Pessoal dele andou me sondando, mas duvido que o Douro largue de mão. O Lato pode até fazer mais votos numa eventual eleição, mas o Douro dá um jeito de ganhar as prévias antes.

— Vais desistir de seguir comigo e com o Cairo?

— Não é isso. É que eu acho que esta eleição não vai dar em boa coisa. Tudo muito tenso. O Montanaro não vai querer largar o osso. Você não acha mais interessante eu me manter próximo ao Duarte? No segundo turno eles se unem.

Tenório acaricia a gatinha. Ela é branquinha, com umas pintas pretas, pelo curto, não cessa o olhar profundo para mim.

— Não sei. Acho que, desse jeito, o Cairo está espremido. Ele não consegue o eleitorado dissidente do Montanaro, esses incautos são mais à direita. Ele não é confiável à direita, enquanto o Duarte tem essa boa aparência, tem experiência, é jovem, mas acho que o engomadinho do Douro leva as prévias.

Tenório pontua:

— Mas eu acho que eles acabam dividindo o centro político, e ambos perdem força. Eu considero o Montanaro no segundo turno. Ele tem uma base forte de apoiadores. Com o crescimento do Lucas, as pessoas não vão ter paciência para uma decolagem do Duarte, do Douro, ou mesmo do Mórus. Aí vão votar no Montanaro, menos que da última, mas será um número de votos suficiente para levá-lo. Não sei, mas me parece a lógica. Agora, deixa eu te perguntar, você não veio aqui para falar de política. Vamos deixar mais alguns dias para tomar posição, para ficar mais claro o cenário. Mas me conte o que houve. Quer um chá? — Eu me ajeito no sofá, aceito o chá, ele faz um pedido para a esposa:

— Letícia, faz aquele chazinho para nós.

— Cara, é o seguinte. Uma história maluca. A Suzana esteve aqui na semana passada, ficou lá em casa.

— *Revival...*

— É, foi meio sem graça, mas não é isso. É que ela me trouxe uma novidade.

— Gravidez é que não é...

— É, mas é quase isso. Tenho tentado conviver com essa história, mas...

Tenório levanta, tira a máscara, diz que vai buscar o chá. A gata pula e vem em minha direção. Ele demora uns cinco minutos, a gata se enrosca na minha canela, dois helicópteros passam por cima do condomínio, ele chega com duas canecas fumegantes, a gata volta para o lado dele.

— Desembucha. — E me entrega a caneca de chá.

— A Lisa teve uma filha na Espanha, em 2026. Chama-se Isabel. Ela registrou só no nome dela.

— É tua?

— Ela diz que sim, a Suzana tem outras informações, mas não quis me adiantar, quer que eu vá até lá, visite elas.

— Como assim, elas?

— A mesma reação que tive. Ela está morando com a Suzana no Estado Celeste. Ela mora entre Ponta e Vista dos Montes, num balneário chamado Penápolis.

— Que viagem.

— É grande mesmo.

— Não, digo a física.

— Ah, sim, sem dúvida. Mas, aproveitando a deixa... eu estava pensando aqui. A Suzana quer que eu vá lá.

Tenório toma um gole do chá, a gata sai da varanda. Vai em direção à Letícia, que passa.

— Olha, Alex, eu nunca tive grande contato com a Lisa. Vocês viviam em crise, atando e reatando. Quando a gente se reaproximou, em *2038*, foi quando eu tive mais notícias dela. Mas chegamos a conviver um pouco, no início. Vocês formavam um casal bacana. Ela, idealista, você era um grande pevista. Me lembro de ela fazer um curso na Espanha, mestrado, neste início de vocês.

— É, foi nessa época.

— Outra coisa. Para essa menina — que idade tem? — estar morando com a Suzana, é porque deve ser algo verossímil. Suzana te conhece bem, não iria te trazer uma notícia dessas assim, sem mais nem menos. Claro que você vai se certificar

— Sim, a Suzana falou que ela entende correto o exame de DNA. A gente faz o DNA pelo aplicativo do *allphone* mesmo, mas o que me deixou mais confortável foi a segurança da Suzana. Estou pensando em visitá-las no Estado Celeste.

— Não está fechada a fronteira?

— Iria de carro.

— Muito longe, levaria uns três dias. Você pode pegar um avião até Porto Casal e, de lá, alugar um carro. Pouparia bastante tempo.

— É uma alternativa, mas estou com medo de avião. Fiz essa viagem antes, quando morava em Lisarbia. O que acha?

— Olha, meu amigo — a gata salta novamente no colo de Tenório —, você já tem quase 50 anos, o que eu posso te dizer..., eu tenho duas filhas, você viveu este tempo todo muito no aspecto profissional, depois essa fase aí da Europa, meio megalômana. Nunca é tempo perdido, mas foi meio maluquice esta tua vida, e encontrar uma filha agora, eu acredito que a consciência, a razão, o cartesianismo, essa parafernália racional toda que inventaram, não comporta todas as questões da existência, não nos resumem, e essa notícia... — Tenório levanta da cadeira, vai até o parapeito da varanda. Ele sempre é irônico, mas agora parece verificar minha preocupação e tem um tom de voz sereno, toma o último gole do chá — ...nessa altura da tua vida, tem tudo a ver com este teu reencontro contigo mesmo, esta tua retomada.

— Eu vou alugar um carro e desço até lá. Vou aproveitar o feriado da Páscoa. Estamos trabalhando no virtual mesmo.

— Sim, faça isso. Vai ser muito bom para você. Se fosse no início da vida, minha nossa, a gente se escabela com um filho lá na largada, mas agora você já está calejado. Agora, só tem uma coisa, aluga um carro grande, seguro, é uma jornada. Sempre tive vontade de fazer essa viagem também. Não fosse por conta desta porra desta doença, eu me convidaria para ir junto, poderíamos encontrar o Rogério.

Terminamos a conversa. Despedi-me de Letícia e dele. Waldir me aguardava na saída do apartamento. Eu me sentia confortável com a palavra de Tenório. Já era tarde quando chegamos à Candelária. Era uma transição, eu pensava, entrar num apartamento vazio, sem mulher e filhos, beirando os 50, a aproximação da idade, o corpo não respondendo da mesma forma. Eu teria que recomeçar. Estava indo bem, com paciência, passo a passo, reconstruiria, enfrentaria todos os problemas. Ainda era respeitado no mercado, minha vida pessoal estava começando a se regularizar, participava da grande discussão nacional. A solidão daqueles dias se aprofundava com as sirenes das ambulâncias, as mortes anunciadas à proporção de mais de 2 mil por dia. Seguindo o propósito, deitei cedo, liguei numa estação de rádio do Estado do Sul que passava conversas sobre futebol, uma forma de desligar. Na manhã do dia seguinte, após tomar o café, descongelando os últimos pães comprados por Letícia, corri na orla. Estava começando a adquirir o hábito e, o mais importante, a sentir o efeito benéfico da endorfina, os pensamentos mais claros, o sistema se recuperando, a diminuição da ansiedade que só voltava quando exagerava no café. Às onze da manhã, Antônio Paulo já dava ok por mensagem para iniciarmos nossa reunião. Por meio holográfico, meu velho amigo, sentado num sítio próximo de Lisarbia, me recebia. Cercado por livros, bebericava um vinho e parecia recuperado em sua saúde. Estava corado, um pouco mais gordo do que da última vez que nos vimos.

— Olá, camarada, está em Lisarb?

— Segui sua orientação, estou em Litorânia. Como soube?

Antônio Paulo parecia um pouco agastado e sem paciência.

— Suzana. Estive com ela por hologramas, ela me disse que você havia voltado, que estava fazendo a campanha do Cairo Góes. — Ele toma um gole de vinho, seu semblante torna-se mais amistoso, passa o lenço no rosto. Uma voz feminina começa a cantar ao fundo. — Agora que consegui aqui ligar o som. Estou no sítio, o sinal de internet está fraco. Pode ser que essa ligação caia.

— Sim, você tem falado com ela. Na última vez que nos encontramos, você me disse que ela te visitaria.

— Ela esteve aí contigo. Ela me avisou que iria te encontrar, estou sabendo da história que você irá me contar.

— Isabel?

— Sim, essa menina, filha da Lisa.

— Ela te falou, então?

— Ela é sua também. — Ele para de falar, toma mais um gole. — Você sabe o quanto Lisa era minha amiga. Eu vou te confirmar a história, porque você pode ter ainda alguma dúvida. Ela não tinha segurança, achava que iria enlouquecer. Foi um momento pesado para ela, no início, saindo do interior, quando chegou em Lisarbia, uma selva política, um serpentário. Logo se desiludiu com o Partido. Ela foi para a Espanha grávida. Se eu te critico por ser um perfeccionista da alma, a Lisa... a Lisa era uma idealista mesmo. Ela não toleraria viver em *2047*, estaria na luta armada contra o fascismo.

Antônio Paulo parecia um pouco mais aliviado. Ele continua: Ela me falou que teve a menina em Madri. Naquela época, vocês ficaram sem se falar um tempo. Vocês haviam terminado. Ela passou a gravidez sozinha, na faculdade, no frio europeu. Eu tenho a cópia da certidão de nascimento, não tem o seu nome. Ela achava que você estava deslumbrado, que não merecia ter uma filha dela. Pensou em tirar a menina. Ela sempre foi feminista, nunca teve dores de consciência com isso, mas calou fundo a formação familiar luterana.

Antônio Paulo levanta, ele está numa sala. Quando sua imagem se afasta do *allphone*, o holograma perde um pouco de definição, mas amplia a área de cobertura da imagem. É possível ver a porta aberta. É uma casa térrea, parece isolada no meio do campo, no cerrado das Montanhas Centrais. Ele volta com a garrafa de vinho. Enquanto ele a abre com o saca-rolhas, eu aproveito para perguntar.

— Mas, porra, Antônio Paulo, 21 anos depois, você me vem com essa?

— Olha só. Foi um erro, e eu te peço desculpas por não ter falado nada até hoje, mas tem justificativa. Essa era uma história que a Lisa tinha que te contar. Quando ela foi morar no Papo Amarelo, se juntou com a militância plunista, eu disse a ela que se cuidasse, que em Lisarb estava ficando feia a coisa. — Eu interrompo o raciocínio dele.

— Tem algo aqui que preciso te perguntar. A Suzana, quando eu cogitei uma aliança de Cairo com Lucas, ela só faltou me mandar tomar no cu. Disse que eu seria um traíra, que foi o PEV que matou a Lisa.

— Não tem nada a ver isso. O Lucas, o pessoal nem sabia direito quem era a Lisa. Sabia que era tua mulher. Eles estavam mais preocupados com o que você estava escrevendo. Não tem relação direta. O assassinato dela foi o que sempre aconteceu aqui em Lisarb, truculência pura da polícia. Não teve conotação política.

— Como *não? E*ra uma manifestação política que estava sendo reprimida.

— Sim, mas não houve ordem direta de nenhum figurão. Quem estava comandando a repressão era o Romeu José, teu chefe, que nem do Partido era. Posso te assegurar que Lucas e ninguém do Partido teve participação na morte da Lisa. — Ele serve uma taça, volta a sentar na cadeira, continua a fala. — Você me interrompeu. Olha só, a intimidade, a privacidade do casal, das pessoas, têm regras próprias, têm seus bens e seus males, dores, amores, dissabores. É um campo livre. Como é que eu iria me meter nesta história? Eu tentei falar algumas vezes com ela para te contar, mas ela sepultou o assunto. Quando ela morreu, você logo foi embora, sumiu...

— Eu não tinha como voltar no início, não lembra que entrei num programa que era tipo um exílio?

— Sim, mas depois, de uns tempos para cá, houve um afrouxamento disso, e você continuou por lá. Você desapareceu, entrou numa vida estranha, se afastou. No almoço que tivemos no mês passado, eu cogitei te falar, mas queria que você viesse para cá em definitivo, se separasse, de fato, daquela mulher. Você fez o certo, está aqui, está se enfrentando, buscando um Alex que eu achava que tinha morrido.

— Antônio, eu estou cogitando ir até o Estado Celeste para conhecer a Isabel, passar uns dias com ela e com a Suzana.

— Faça isso, mas como é que você vai para lá? Os voos foram cancelados.

— Vou por via terrestre. A Suzana vai dar um jeito, eu acho, de eu entrar pela fronteira. Deixa eu te perguntar uma coisa. Você vê viabilidade de a gente colocar o Lucas e o Cairo para conversar?

— Estou afastado da política, estou velho pacas. Por mais que o Cairo esteja batendo muito, o Lucas não está querendo levar para o lado pessoal. Na verdade, eu acho que vocês estão errando feio nisso.

— Quem tem conduzido isso são o Mauro Pereira e o José Campana.

— Mas você está lá dentro, tem responsabilidade. Esta eleição é do Lucas. Depois o Cairo se inviabiliza. Como é que vão depois compor, ele chamando o Lucas de ladrão o tempo todo?

— Ok. Vamos em frente.

— Não deixe de ir ao Estado Celeste. Um abraço, camarada.

A vida é maior que a justiça, ela a antecede. A justiça é um ideal, a vida é mais ampla e concreta. Julgar Antônio Paulo, de fato, se a responsabilidade da informação era de Lisa para comigo, talvez fosse injusto, mas era da vida. Eu estive fora, é verdade. Mas essas questões extravasariam o âmbito privado. São vidas de pessoas em jogo, não é um romance. Mas tudo bem, outra coisa que se aprende é o convívio com a falibilidade limítrofe. Quando mais jovem, meu impulso era o rompimento da amizade, da relação, com comportamentos como aquele de Antônio Paulo. Com o avançar das casas, com o jogo se desenvolvendo, vamos percebendo a necessidade de manutenção das peças e que o sacrifício delas somente deve ocorrer quando há um bem maior a ser atingido. A razão vence o sentimento, e perdoamos as falhas. Esse comportamento induz a uma defesa muito sutil. A tal seletividade adquirida com o tempo é um reflexo do receio da decepção. Mais jovens, temos a convicção de que as coisas vão acontecer como queremos, que as pessoas se comportarão de acordo com nossas vontades e buscas. Somos ficcionistas de um enredo mental próprio: a construção da nossa jornada. Mas as personagens não necessariamente se comportarão como no nosso plano mágico. Os russos, no mais das vezes, não são chamados para participar do plano. Com as cabeçadas, vamos tomando consciência, e, tomados pela noção exata de que somos muito pouco, ou quase nada, a humildade se impõe na mesma medida em que observamos que não somos nem servos de nós mesmos, muitas vezes. Ambiguidades, ambivalências, contradições dizem muito sobre não sermos os senhores da nossa própria morada, o que se dirá da mente e do comportamento dos demais? Respondeu uma vez o poeta, espetado pela lança hipócrita daqueles grandes e coerentes homens, senhores de uma convicção profunda na perfeição, que, "se contradigo a mim mesmo, muito bem, então contradigo a mim mesmo, sou vasto, contenho multidõess".

Eu absolvi, portanto, Antônio Paulo e, depois daquela conversa, preparei a palestra do outro dia para a Universidade de Roma. Resolvi, também, aceitar a sugestão de Tenório, seria melhor. Eu ainda tinha a roupa de TNT que ganhara em Roma, iria comprar uma máscara detectora do vírus no aeroporto para viajar de avião. Embora não eliminasse o Red Neck 47, ela servia para verificar a presença do vírus por meio de biossensores e se o usuário havia sido infectado. Era uma forma de eu, ao menos, ser responsável com Suzana e Isabel. Comprei passagens para Porto Casal e, no aeroporto, alugaria um carro.

Pela manhã, cedo, um vídeo holográfico chega no *allphone* com alarme e luzes de urgência, interrompendo meu sono. Eu havia programando o aparelho apenas para soar alerta de ligações ou vídeos classificados como urgentes pelo transmissor. Era de Roma. Ainda na cama, sem acender a luz ou abrir a janela, apontei o *allphone* para um banquinho ao lado da cama, que servia de apoio. Tinha um copo com água, iria atrapalhar um pouco o vídeo. Era a mesma professora falando da biblioteca da Universidade:

— Bom dia professor, desculpe, provavelmente vou acordá-lo, mas é importante. Nós vamos suspender a palestra. Não será cancelada, nós iremos entrar em contato oportunamente para remarcar. Tivemos de remarcar. — Ela faz uma cara mais firme, olha mais fixamente para o centro da câmera. — Mais uma coisa, professor. A sua esposa esteve aqui na Universidade, reclamando da falta de depósito do valor naquela conta indicada por ela. Disse que iria processar a Universidade. Mostramos a ela as mensagens que trocamos. Por favor, nos mande uma mensagem, novamente, por favor, somente confirmando que recebeu o depósito.

Imediatamente liguei para a professora, em modo tradicional:

— Professora, bom dia.

— Bom dia, professor Alex.

— Eu vou mandar a mensagem de texto que a senhora pediu, mas eu gostaria de lhe esclarecer algo.

— Sim, pois não, professor.

— Essa senhora que procurou a Universidade não é mais minha esposa.

— Desconfiamos disso, professor.

— Sim, então, eu queria dizer que não endosso o que ela foi fazer aí.

— Nós o conhecemos, professor. Fique tranquilo, a suspensão da agenda se deu em função de uma queda no público. Muitos alunos lisarbenses não puderam comparecer. Tenha um bom dia.

XIV

Quem vendeu tesouras na ilusão povoeira
volte pra fronteira para se encontrar.

Telmo de Lima Freitas

No balcão do *check-in*, a funcionária da companhia aérea marcava o assento enquanto eu me sentia ridículo, enfiado numa bata de TNT, já com a máscara detectora do vírus:

— Senhor, seu assento é o 13F. — Alcançou-me sorrindo um tíquete com a mão do braço esquerdo, uma prótese robótica perfeita, com os dedos em movimentos finos impulsionados por estímulos nervosos; uma imitação hiper-realista da pele, que a deixava perfeita pela reprodução de pequenas cicatrizes, marcas do sol praticamente idêntica às de uma mão normal. — Bom voo, lembre-se de manter o distanciamento social.

Agradeci e segui para o avião, pensando em como iria manter o isolamento social espremido dentro de uma aeronave durante uma hora e meia de deslocamento aéreo. Pelas portas de vidro do aeroporto, via-se o protesto de um grupo de doentes na forma animalesca, tentando furar um bloqueio para ingressar no grande saguão. Exigiam, em cartazes mal sustentados por suas mãos deformadas, tratamento igual ao dos cidadãos sem a doença. O vírus solto pululava na parte de fora, e a polícia do aeroporto reprimia o protesto com soldados em trajes especiais escafândricos. Com escudos, em formação de defesa, e com capacetes especiais, a polícia de choque reforçava a repressão ao grupo de quase uma centena de manifestantes doentes. Alguns deles investiam com a cabeça contra os escudos. Na batida, pedaços de suas vestimentas, chumaços de cabelo e os líquidos viscosos da Rened-47 na forma animalesca eram deixados como resíduos daquela batalha. Não fiquei para ver, rumei ao salão de embarque e liguei para Suzana em modo normal, antes de passar pelos *scanners* corporais:

— Oi, Suzana, estou embarcando para Porto Casal. Devo chegar por volta do meio-dia. Você vai me esperar, então, na fronteira?

— Sim, em Yaguarón. Vou te aguardar num bar chamado Enfermaria, bem próximo da aduana. O tempo que você vai levar de Porto Casal até lá é o mesmo tempo que levo de Ponta até a fronteira, umas cinco horas de carro.

— Me manda a localização em tempo real.

— Beleza.

Na bateria de *scanners* corporais, havia outro protesto de um grupo de dois casais que estavam sendo obrigados a usar a máscara. Um dos homens tinha um aspecto circunspecto e estava de luvas, foi abordado pela equipe de segurança que pedia para que tirasse as luvas. O homem não obedecia e não falava, apenas gesticulava com a cabeça. A fila começava a gritar impaciente. A polícia foi chamada para examiná-lo. Sua esposa, uma mulher de uns 40 anos, sem máscara, loira, com pacotes de compras, avançou contra uma das mulheres da equipe. Aciono o dispositivo da minha máscara para verificar a existência do vírus. Em poucos segundos, o resultado deu negativo. A briga está a três metros de distância, os policiais tentam imobilizar o passageiro após ele avançar com uma mordida no pescoço de um deles. Com os caninos brancos proeminentes cravados no guarda, a fila que gritava recua em silêncio. Ouvem-se gritos de "estúpidos", "dementes". Os dois rolam no chão. Ele, enfim, é imobilizado, e os demais membros do grupo são presos. Ao sair do *scanner*, começo a ingressar na zona de embarque. Ajeito meu cinto e recupero minha mala de mão, a uma distância relativamente segura da confusão, e observo as luvas sendo retiradas e o aparecimento dos cascos típicos da forma animalesca em estágio intermediário.

O voo não se inicia tranquilo até Porto Casal. Após ajeitar-me na fileira 13, à minha frente, um passageiro é forçado a deixar o avião por se recusar a usar máscaras. Ouço no banco de trás alguém dizer que "esse pessoal não sabe conviver em sociedade". A maioria dos passageiros está tensa, de máscara, aflita. Ao longo de toda a viagem, não levanto e não faço grande movimentação, apenas leio no livro eletrônico um ensaio sobre absurdos. A passageira ao meu lado é uma estudante de Direito. Ela estuda a constitucionalidade da Proposta de Emenda Constitucional tramitando no Parlamento sobre a criação dos "tribunais da verdade", órgãos judiciários que julgarão as *fake news*. A proposta é combatida pelos montanaristas. Seria um excelente assunto para conversar com minha companheira de viagem, mas a nova doença nos separa, impossibilita o diálogo, afasta a convivência tranquila e impede uma comunicação saudável. A tensão é superada pela expectativa de conhecer uma filha, e eu me alegro quando começo a ver da janela do avião o início das paisagens lacustres de Porto Casal e seus desenhos verdes e marrons, cujas formações eu estudava na infância nos mapas ainda em papel. As músicas que meu pai ouvia domingo ao meio-dia, no ambiente dos churrascos, deslizam para dentro da minha mente, de forma leve e apaziguadora. São melodias duras, palavras secas, enaltecendo a terra, os modos de viver do sulista e suas tradições, mas elas trazem uma ponta de doçura escondida, a revelar a alma entristecida em meio à necessidade de afirmação. Eu desceria no chão da minha infância, do início da vida, quando olhava para a estrada à frente e pensava em ir longe, para as capitais centrais, tendo pela frente a expectativa de tudo o que eu achava que o mundo me permitia.

Não havia protestos no aeroporto de Porto Casal, apenas um início de frio esgueirando-se por entre as frestas do *finger*. A bagagem era pouca, apenas para quatro dias, mesmo assim despachei. Acionei mais uma vez o teste da máscara, e o resultado negativo que imaginava foi confirmado. O *allphone* era um caça-níquel tilintante após ser religado com centenas de mensagens, vídeos holográficos, fôlderes virtuais e toda sorte de lixo digital, de modo que o túnel entre o avião e o aeroporto virava um caleidoscópio sonoro e visual, pois todos os passageiros ligavam seus aparelhos novamente, e o acúmulo de informações visuais era um problema. Ninguém da campanha me mandara mensagem. Cairo iria para o Norte passar o feriado com a família. Peguei a pequena mala no desembarque. Eu reservara um sedã simples, mas com um bom motor elétrico, para o deslocamento até o Estado Celeste. Bastaria passar o código de barras da reserva recebido no *allphone* por um leitor no vidro dianteiro do carro e todos os procedimentos burocráticos estariam concluídos, inclusive a vistoria. Reclamações sobre qualquer item deveriam ser feitas em até trinta minutos da leitura do código, sem o que, por decurso de prazo, o aceite era dado. Saí do aeroporto e me dirigi ao estacionamento da locadora. O céu tinha um azul lápis-lazúli, um vento leve soprava, os raios de sol desciam de viés. Apenas um funcionário, com uma blusa mais grossa, homem de uns 50 anos, moreno claro, barba azulando, cumprimentou-me, só com os olhos e com a cabeça. De má vontade, abriu a cancela. Eu mostrei para ele a reserva no *allphone*. Há muito superara sentimentos de irresignação contra a falta de educação; não era, definitivamente, algo meu. Ele mostrou-me a direção do carro, apontando:

— É para lá.

Agradeci e fiz os procedimentos. A chave estava dentro do carro, que se abriu após a leitura do código. Era um Tesla Model XYZ 247, quase zero-quilômetro, azul, bancos de couro, automático, obedecendo a comandos de voz. Coloquei a bagagem no porta-malas, que se abriu com minha movimentação ocular. O interior do automóvel cheirava a novo, aquecido do friozinho, e saí em direção ao sul do Sul, passando pelas ruas cinzentas em volta do aeroporto. Na saída dele, em frente a um prédio do governo, numa fila enorme, a qual, em função do distanciamento, dobrava de tamanho, homens e mulheres jovens aguardavam o pagamento da renda mínima distribuída pelo governo de Lato. Saí da cidade sem passar pelo centro, de onde exalavam as melhores lembranças de tempos esperançosos e angustiados. O chimarrão quente era repassado pela companheira ao marido no carro ao lado do meu, ambos parados na sinaleira. Pássaros voavam em direção às lagoas e rios tributários do Mar de Dentro, contrapostos ao céu quase mastigável no tom de azul daquela época do ano, na moldura da silhueta de prédios altos em frente ao grande lago. Paisagens vistas do cimo da ponte enorme, com os aviões pousando por cima das cabeças dos sulistas orgulhosos de seu passado e, no rádio, debates de futebol. Meninos negros azuis, meninos brancos vermelhos jogam bola sem camisa à beira da pista, num campinho que um dia foi de grama, barcos de pescadores com letreiros desbotados e iates se movem em direções opostas no complexo lacustre abaixo da segunda grande ponte a sobrepor o rio embarrado que vem do centro do Estado. Favelas incrustradas na lateral da pista expõem a realidade daquele que foi o local com melhor qualidade de vida de Lisarb, e *outdoors* com Montanaro em fundo verde-amarelo também denotam algo parecido. O computador central capta o sinal do meu *allphone*, eu autorizo a interação; mensagem de Suzana avisando que iria chegar um pouco antes de mim em Yaguarón. Desvencilho-me, enfim, da parte mais enredada de carros, motos zunindo e caminhões com suas vozes graves, e engreno uma marcha constante no rumo do meu coração.

A luz sempre esmaecida da atmosfera sulista, naquela tarde, embalava-me; era impossível não enternecer. Logo eu teria fome e pararia para comer uma carne marmorizada, não poderia beber um vinho, mas, chegando ao Estado Celeste, degustaria o Tannat e verificaria coxilhas ainda mais verdejantes. Dentro do carro, tempo e espaço se encaixavam. A estrada, o horizonte na frente da reta, o céu beijando o asfalto, os campos limpos uníssonos, somente sendo atrapalhados por plantações compactas de eucaliptos, capões de mato, banhados e pela soja, esta última herdeira de nossa vocação monocultural, a rasgar os campos, retirando-lhe os aromas originais de esterco fresco do gado e sua companheira, a garça boiadeira, dispersando chimangos, liquidando o restinho que sobrava das emas e fazendo florescer saraivadas de caturritas. As gentes, de sotaque carregado, com resquícios do alemão e dos dialetos do Vêneto, estavam sobre tratores vermelhos, amarelos, colheitadeiras, chegando nas bodegas com o ar altivo, cuja arrogância buscava ocultar a insegurança de um ser eternamente estrangeiro, sempre de fora, seja na terra que teve de deixar, seja na terra da qual não teve escolha. Com o carro cada vez mais próximo da Zona Sul, passei por cima do curso de rios de uma terra peculiar, onde eles, teimosos como seus habitantes, não desaguam junto das ondas, mas no Mar de Dentro, a maior lagoa de Lisarb, pouco conhecida no restante do país, com suas terrosas águas e barcos tristes e, ingressando em patamares cada vez mais austrais, as grossas folhas de tabaco, os chapéus de palha dos pomeranos e as estufas a soltar fumaça pelas chaminés de modo definitivo, único em Lisarb. Os doces de uma pequena metrópole com seus teatros e cafés culturais. O Sul, em sua estética do frio, de poucas nuanças e fortes marcações, onde o inverno se dava ao respeito, era a minha casa. Dali em diante, mergulhando nos banhados, nos arrozais pontilhados de pássaros-pretos, com os pampas a lembrar histórias de refregas atávicas e a desafiar o guri interno a não chorar, eu começaria a ganhar a reta final para Yaguarón. Estaria mais próximo do castelhano, como se, por ali mesmo, já não estivéssemos imiscuídos em mais esta realidade a trazer o sulista para o estrangeiro.

O sol se punha, e o dia teimava em não ir embora, alaranjado e vagarosamente rosa. A cidade da fronteira era uma estância no meio dos pampas, separada por um rio nascido nas coxilhas de Campos do Analista. Ali na fronteira, ele ficava mais caudaloso e bonito. Construções do século XIX, as ruas de paralelepípedo e os matinhos que cresciam por entre as pedras da via — quando criança, eu acreditava ser aquilo um desleixo, mas naquele final de tarde observava o quanto faziam a personalidade daquelas cidades desoladas, mais castelhanas do que lisarbenses.

Cheguei por volta das seis e meia da tarde. Ela estava tomando um café, escrevendo no *laptop*, sem máscara, na parte de fora do bar, na calçada. Eu não estava cansado, sentia-me bem. Desci do carro e fui até ela, que tinha o semblante calmo daquelas plagas sem muita pressa. Nos abraçamos, ela agradeceu:

— Que bom que você veio mesmo. Eu até duvidei — ela fecha o *laptop*, olha para o relógio, olha para dentro do bar, sabe que teremos mais cinco horas de viagem. — Quer comer algo, tomar um café?

— Um café.

— Tem um doce de leite celeste aqui. Alex, você conhece o mundo todo, mas o doce de leite daqui desta região não tem Estado Diverso coisa nenhuma que consiga superar.

— De fato. Pede um para acompanhar o café.

Sentei, ela estava com pressa. O garçom chegou, ela pôs a máscara e fez o pedido para mim, emendando:

— Como foi a viagem? Saudades da terra?

— Com certeza, muita lembrança. — Minha ansiedade por conhecer Isabel batia mais forte. — E a menina, ficou por lá?

— Sim, hoje ela teve que ficar o dia todo em reunião holográfica com a empresa. Você não tem ideia. Te falei de como são as reuniões. É muito mais que os hologramas normais, até o cheiro dos ambientes, os pequenos ruídos. Tudo é transmitido. — Ela olha novamente o relógio, levanta o corpo um pouco da cadeira, faz menção de reclamar, o garçom já está vindo.

— Como você veio? Vamos voltar num carro só?

— Um funcionário da empresa vinha até Treynta e Dos. Ele esticou um pouco a viagem e me trouxe. Vamos voltar, até porque você tem que estar comigo para passar pela Aduana.

— Ok. — Tomo o café. Suzana espicha o olhar para o doce de leite. — Tá bom, mas só um pouquinho.

— Para, Alex, você nem poderia estar comendo, dá um pedacinho. Aliás, deu uma emagrecidinha, já.

— Desinchei um pouco, estou correndo também.

Ela paga a conta, entramos no Tesla, e ela me conta que o comércio local sofre muito, seja por conta da Rened-47, seja em função da alta da moeda do Estado Americano.

— Eles vivem de vender produtos importados. Sem a carga tributária lisarbense, é muito bom comprar aqui, mas nossa moeda não vale mais nada. O dólar nas alturas. Juntou isso com a Rened-47, aí lascou. O comércio está quebrando. O que segura é o agro, a soja, a carne.

Depois de cruzar a fronteira na ponte sobre o rio, chegamos na Aduana. Ela me orienta a entregar a carteira de identidade, não o passaporte. Tem algum segredo que ela vai me contar só depois de passar. Eu não pergunto nada, aduanas sempre são lugares de tensão, onde a exclusão pode ser praticada de forma unilateral e a qualquer tempo. O prédio é mais para o interior, uns cinco quilômetros após passar pela ponte histórica sobre o rio que divide os países. É um lugar simples, sobre uma estrada de terra, com estacionamento precário, um ambiente espartano, como são os sulistas. Entrego a minha carteira de identidade, Suzana a dela, e mais um papel antigo, meio amassado. O rapaz, um celeste jovem, educado, confere minha identidade e o papel, olha fixamente para mim. Está de máscara, como nós, e não nos pede para tirá-las. Faz um sinal positivo discreto de cabeça para ela e devolve os documentos. Suzana, sempre influente, me explica que os celestes estão menos rigorosos com cônjuges e que tinha repassado a ele um documento antigo nosso, que usávamos em Paris, uma declaração de cartório de união estável que havíamos cancelado. Ela traduzira o documento para o castelhano e não informara, obviamente, o cancelamento. Com isso, ingressamos no Estado Celeste, e eu partiria, após abastecermos a bateria do Tesla, para a última etapa da viagem.

Viajamos pela noite celeste, atravessando de norte a sul o país. Eu deixei Suzana ir com o carro. Além de conhecer melhor a estrada, com o cair da noite, que, enfim, ingressava e nos retirava a paisagem pampeana, o cansaço das horas de estrada e do avião chegava-me com relativa força. Nada, no entanto, que a companhia de Suzana não suplantasse. Ela foi me explicando um pouco mais sobre Isabel, suas rotinas, seu jeito, dando um pouco mais de detalhes sobre a criação em Salamanca em uma instituição para órfãos, mantida pela Universidade, e a difícil relação que mantinha com a memória da mãe. De mim, dizia Suzana, teria herdado a obstinação e a ambição por virar a própria realidade; da mãe, mesmo que não quisesse reconhecer, o idealismo reforçado pela instituição que financiara sua vida até aqui. Era compenetrada, e nada tirava sua concentração dos estudos. O projeto no qual trabalhava era um ambicioso plano de uma empresa de tecnologia da Califórnia que integrava inteligência artificial ao corpo humano:

— Esse tal SAS, que você está usando...

— Desliguei, depois que você foi embora, naquele dia.

— Pois é, eles desenvolvem coisas ainda mais aprofundadas. A Isabel está num projeto muito ambicioso, mas ela não fala muito sobre ele, tem sigilo, essas coisas. Mas de vez em quando eu acabo pescando algo.

Nas proximidades de Mineros, faltando menos de cem quilômetros, Suzana esboça um pouco de sono, e eu pego a direção. A estrada simples, pouco movimentada, mas bem construída, em concreto asfáltico e com sinalização suficiente, era um bom retrato do país. O Estado Celeste era básico, sua população era formada por uma grande classe média, sem o desnivelamento abissal de Lisarb, cujos números econômicos gigantescos apontavam sempre para colocações entre as dez maiores economias globais, mas reprodutores de uma inversamente proporcional desigualdade social. Os celestes não tinham essa pujança, mas seu país era mais justo e igualitário. Percorrendo os últimos cerros do Estado Celeste, num sobe e desce suave, sob o luar quase cheio a clarear o encontro das águas com os pampas, um pouco antes da meia-noite, chegamos em Penápolis, à casa de Suzana, em frente ao encontro do Rio Platino com o Atlântico, sobre uma colina na Praia Bonita. Não havia grades, e apenas um muro baixo, de menos de meio metro de altura, para não atrapalhar a vista, separava a rua da casa. Uma vereda com ciprestes bem cortados se bifurcava e destacava centralmente a bela casa de tijolos à vista. Suzana apontou o caminho da esquerda, que dava para a garagem. A grama bem cortada, árvores antigas, angico, canjerana e dois grandes cedros a emoldurar a residência e os caminhos em tijoletas denotavam o capricho e a paz de espírito da dona. Parei o carro e desci com as malas. As luminárias automaticamente acesas iluminavam o jardim, a luz da lua fazia um feixe cônico sobre as águas, iniciando na frente da praia e se estendendo ao oeste. Não ventava, mas fazia frio. Subimos o caminho entre a garagem à esquerda da frente da casa por um caminho lateral que dava para a varanda. As lâmpadas instaladas para iluminar o caminho, no chão e incrustradas nas muretas das laterais, se acenderam enquanto subíamos até o espaço onde Suzana dedicava-se às leituras e a seus projetos. Ela abriu a casa. Perguntei, antes, por Isabel:

— Ela está numa reunião virtual. Avisou que terminaria por volta da meia-noite daqui. Tem pesquisadores de todo o mundo.

A casa tem um piso de lajotas vermelhas, uma grande sala com três ambientes, conjugando cozinha ao fundo, sala de estar mais próxima da varanda, com uma vidraça para o mar, e sala de jantar dividindo o espaço. Há uma lareira junto da parede, e os quartos ficam num corredor à esquerda dessa parede, lembrando as casas da década de 1970, com muitas fotos de Suzana em vários lugares do mundo espalhadas e um grande quadro azul, preto e branco, à esquerda da lareira. Ele chama a atenção por suas figuras negras dançantes, estandartes e batuques, em movimentos semelhantes ao nosso carnaval. Ela observa minha atenção à pintura:

— Candombe, do Vilaró.

Atrás da cozinha há uma porta. Ela pede para que eu vá até lá em silêncio. Por trás da porta, há um pátio interno com plantas, um jardim de inverno. Avançamos um pouco dentro do jardim, e, na extremidade oposta à porta da cozinha, três vidraças em dobradiça mostram um outro ambiente todo iluminado, com miríades de cores e profusão de sons eletrônicos. Suzana pega minha mão e me conduz com passos cuidadosos, como se não quisesse acordar um bebê, e me mostra a atividade de Isabel. Ela está de costas em meio a uma reunião holográfica com vários participantes, uma meia dúzia, pelo menos. Eles dialogam entre si com extremo realismo, conversam e praticamente se tocam num ambiente totalmente holográfico, um laboratório com megacomputadores enfileirados, como a formar uma biblioteca ultramoderna, mas retângulos metálicos e luzes nas cores primárias piscam. Dados e equações são projetados numa das paredes holográficas. Eletrodos e uma extensa fiação saem das duas fileiras do megacomputador em direção a uma mesa central, um balcão retangular em metal e madeira com relógios mostradores e inúmeros comandos eletrônicos. Isabel continua de costas e vai até esse balcão com um *slimbook*, abaixa-se e faz anotações dos dados enquanto conversa com outro cientista de jaleco branco. É um jovem de bigode espesso e o resto da pele morena-oliva do rosto bem escanhoado. Parece ser indiano. Os demais transitam entre as duas fileiras do computador e fazem leituras. Isabel levanta, olha o relógio, fala que precisam terminar, está tarde. Os demais concordam e se reúnem no local onde ela está. Todos estão com fones de ouvidos, e não é possível compreender o que fala, pois os sons eletrônicos não o permitem. A definição das imagens é perfeita. Eu falo para Suzana para deixarmos Isabel terminar a reunião. Suzana concorda, e saímos dali:

— Onde eu vou dormir?

— Vamos até ali, vou te mostrar os quartos.

Passamos pela sala, há uma foto minha com ela em Paris, na Torre Eiffel, que eu não tinha notado, à direita da lareira. Entramos no corredor dos quartos. São três suítes. A dela, ao fundo, a de Isabel, a primeira, e um quarto entre os dois, onde eu ficaria. Acomodo minha bagagem num aparador em frente ao pé da cama. Suzana vai me explicando, como toda mulher, onde colocar as coisas, onde está a toalha, como se abre a janela, o controle do ar-condicionado e da TV simples. Explica que não tem TVs holográficas nos quartos porque a medicina do sono não recomenda, mostra o armário e onde eu devo colocar os sapatos, os cintos e que ali tem um protetor contra o mofo, pois naquela região há muita umidade, fala que é uma bênção, por outro lado, o clima, pois não propicia mosquitos, mas que, no verão, eles estão começando a chegar, certamente em função da mudança climática; me vem à cabeça um diálogo que tive com um biólogo que me explicara, no auge da epidemia de dengue, que os mosquitos agora adquiriram resistência, e não adianta mais ligar o ar-condicionado; ela fala algumas outras coisas relativas ao banheiro, que eu não pego, pois estava lembrando da conversa do mosquito resistente; ela liga o chuveiro, explica que a torneira de água quente é a da direita, ao contrário do convencional, xinga o pedreiro que fez aquela cagada, e eu penso que toda aquela explicação poderia ser inútil, e, neste momento, nós dois no banheiro, ela me explicando como funcionava o aquecimento dos pés, Isabel, simpática, com um sorriso largo no rostinho branco, igualzinha à mãe, nos interrompe da porta do banheiro da suíte:

— Olá, boa noite.

Eu acho que não poderia ter sido melhor a forma da abordagem, não sei se a abraço, a beijo, minha experiência de vida toda se desfaz em milésimos de segundos, mas a sensação é de intimidade instantânea, como se visse um amigo de infância. Então respondo:

— Boa noite, Isabel.

Ela se dirige a mim, desarma o último bastião da minha tentativa de passar alguma imagem segura, me abraça forte, desses abraços que a gente não dá mais em ninguém, fica um tempo bom assim, e eu me reconforto, sinto-me em paz, acolhido, depois ela me dá um beijo no rosto, afasta-se um pouco.

— Desculpa não ter esperado vocês na varanda. Mas eu preparei uma lasanha. É só ligar o forno. Fizeram boa viagem?

Suzana observa, fala que não precisava ter se preocupado com o jantar, e eu respondo:

— Sim, foi ótima a viagem. Você sabia que esta é a minha região? Não aqui, propriamente, mas nossos parentes quando vieram da Itália passaram por aqui. Tem mais Tedescos no Estado Celeste do que em Lisarb.

— Não sabia.

Suzana também faz um olhar surpreso e sugere que saiamos do banheiro.

— Eu também não sabia. Essa é nova para mim. Vamos para a sala. Ou preferem a varanda? A lua está tão linda. O problema é que está muito frio.

Isabel prefere a varanda.

— Nada, Suzana, a gente pega uns cobertores e fica lá fora.

Nos dirigimos à sala. Isabel vai até o forno. Eu, da sala de estar, observo seu bonito corpo. Ela é esguia, magra e alta. Tem os cabelos loiros escorridos até o meio das costas. Está vestida com uma calça branca justa a realçar as curvas femininas, tênis, uma jaqueta preta de couro. Suzana vai até o quarto e busca três cobertores de lã crua, típicos daquela região. Ela é expansiva, simpática, não deixa, em nenhum momento, eu ficar constrangido. Da cozinha, ela fala:

— Demora uma meia hora no forno elétrico e dez minutos no micro-ondas. O que vocês preferem?

Suzana, que voltava da varanda, onde tinha deixado os cobertores, pega uma garrafa de Tannat, pede para que eu abra, e responde a Isabel:

— Micro-ondas tira o paladar, deixa a comida sem gosto.

— Verdade.

Vamos os três para a varanda. Enquanto a lasanha é aquecida, brindamos ao encontro, falo um pouco sobre a viagem, a paisagem sulista, o pouco que sabia da história do Estado Celeste. Ela fala sobre como é bom morar num lugar calmo como aquele, Suzana concorda e diz que, desde *2038*, era seu sonho morar ali e que só não o fez antes por conta da aventura que foi Paris, comigo. Não entramos em nenhum detalhe delicado, ela parece ser uma mulher segura. É objetivamente carinhosa nas observações, e talvez essa objetividade seja herdada de Lisa, que sempre teve clareza nos projetos. Há um sofá maior e duas poltronas perpendiculares. A minha visão do sofá é central com a vista do mar. As duas, com os cobertores a cobri-las, veem enviesadamente o luar sobre o estuário. Ela fala sobre a Universidade de Salamanca, das questões separatistas intermináveis do País Basco e da Catalunha, da pouca importância dada pelos jovens espanhóis ao tema e estabelece uma tese sobre o fim dos movimentos pela falta de interesse. Está, em particular, atenta à doença que assola Lisarb. De imediato, eu falo que minha máscara não detectara o vírus, Suzana confirma, e ela levanta para buscar a lasanha. Suzana se dirige a um armário e busca os pratos, eu tomo um gole da fabulosa uva celeste. O jantar se desenvolve com tranquilidade, ela me chama de Alex, bebe pouco vinho, e houve um momento, desses que a gente percebe toda a jogada ensaiada e deixa rolar, com Suzana levantando, pedindo licença para se retirar. Eu, na verdade, estava mais cansado do que ela, mas percebo que há necessidade de que as coisas se resolvam duma vez. Estou com sono, mas ainda desperto para poder ter uma fala mais candente. Depois que Suzana se retira, ela pede licença e diz que vai ao quarto dela buscar algo. Ela volta com um caderno que me destroça o coração:

— Alex, deixa eu te mostrar algo.

— Sim, deixe-me ver.

Ela senta ao meu lado, traz consigo o álbum e o cobertor. É um caderno com recortes, impressos, matérias de internet, fotos, sobre o lançamento do meu livro, as palestras que dava no exterior, entrevistas da época em que era assessor do PEV e de Lucas, mesmo antes de *2038*. Artigos, discursos, era um *book* completo com muitas anotações com letra de criança.

— Eu te acompanho há muitos anos.

Eu não consigo segurar uma lágrima, ela nota e logo avança um pouco mais. Faço um questionamento.

— Suzana me falou que você foi criada numa instituição para órfãos, me fale um pouco mais.

— Alex, eu jamais vou perdoar a Lisa. Eu não consigo chamá-la de mãe. Algumas pessoas falam bem dela. Eu conheci alguns de seus colegas, dizem que ela era uma lutadora, que morreu pela justiça social, mas eu não consigo ver isso. Somente vejo uma pessoa fraca, que não conseguiu superar o problema de ter uma filha, mesmo jovem. Eu era pequena, ela me visitou poucas vezes. Acho que duas ou três. Ela brincou comigo, mas depois desapareceu de vez. Tem uma amiga dela, chama-se Marisol, com quem eu conversei uma vez. Foi ela que me disse que você era meu pai.

— Quem é ela?

— Foi colega dela na época do mestrado. Eu tive de implorar a ela por mais informações. Essa instituição é séria, mas a regra é dizer quem são os pais, e eles não dão maiores informações. Você deve se virar depois. No meu caso, eu fui registrada por ela, e ela mandava dinheiro para lá. Com o tempo eu fui fazendo as pesquisas certas e, mesmo antes da Marisol, eu tinha como hipótese que você era meu pai. Mas não tinha certeza. Ela foi quem me assegurou, depois a Suzana, que confirmou a informação com um amigo seu, que sabia, mas guardava o segredo. Eu não sei por qual razão ela me interditou da tua convivência, tenho apenas a opinião da Marisol, que dizia que vocês tinham brigado e que ela não se sentia segura com você, que você só pensava em trabalho, mas não pode ser só isso. Acho que ela foi uma fraca, você é uma pessoa normal, como todo mundo, tem defeitos e qualidades. Outra coisa, antes de a gente prosseguir... — Ela se levanta, vai até o quarto novamente e volta com uma caixa, parecia de um medicamento. — Este teste de DNA eu comprei aqui mesmo, na farmácia. — Ela abre a caixa, tira dois bastões, dá um para mim. — Tem que colocar na língua, lá atrás, raspando quase na garganta. Quando der vontade de vomitar você tira. Aí a gente mergulha no reagente aqui — e mostra outro frasco menor que estava dentro da caixa — e sai em dois minutos.

Prosseguimos com o teste, eu não nego, mesmo porque ela, com a objetividade de uma mulher feita, não dá margem a dúvidas e sabe que precisa me deixar confortável. Parecia ter treinado todo o roteiro até ali. Em pouco tempo o resultado positivo aparece e confirma minha paternidade. Não há choro, não há vela, não há nenhuma surpresa, seguimos em frente, sendo apenas a confirmação de algo, para mim, desfechado anteriormente. Era com dor e alívio ao mesmo tempo, como quem tira uma unha encravada, que a sucessão de palavras em sotaque castelhano chegava aos meus ouvidos. Uma profusão de novidades, pontos cegos, pessoas estranhas falando a seu respeito sobre assuntos dos quais você não tem a mínima noção, mostrando como é real a tese de que nossa imagem é sempre tridimensional: para os terceiros, para nós próprios, e a real, e esta última, sabe-se lá quem irá definir. Da culpa atávica, algo sem explicação consciente, ela me liberou:

— Eu sei que você não tem responsabilidade nenhuma de nada. Espero que a gente possa se dar bem.

Ela levanta, pega sua taça, enche até a metade e toma de uma vez só o conteúdo, olha para mim, gotas de sal, ela achega-se perto, pega minha mão, coloca junto da dela, elas espelham-se e verificamos, juntos, tratar-se da mesma mão.

No outro dia, eu acordo tarde, sinto o corpo ainda cansado sobre a cama, mas não tenho nenhum pensamento negativo. Estão ausentes, eles que, quase sempre, me acompanham pelas manhãs. Um nó é desatado em algum lugar no inconsciente coletivo familiar. Eu me levanto, está frio, mas é agradável. Tomo um banho quente revitalizador. Há uma leveza nova, como se uma presença saísse. Coloco meias limpas, elas aquecem os pés, e penso no pequeno prazer cotidiano que esse minúsculo gesto na imensidão de afazeres diários representa. Termino de me vestir e saio para a sala. As duas estão na mesa de jantar conversando e terminando o café da manhã. A casa está quentinha. Isabel levanta da mesa e me abraça. Ela vai até o fogão e pega a cafeteira para servir uma xícara quente para mim. Suzana está com vários livros ao lado do prato, os cabelos um pouco revoltos, à vontade, com uma camisa larga de dormir. Já tem um plano:

— O que acha de irmos a Ponta, almoçarmos, darmos uma volta, um passeio? Lá é tão lindo. Poderíamos comer os doces de leite daqui?

Todo o feriado é um balé harmônico sem ensaio. Naquele dia, saímos em direção ao balneário de Ponta, um local onde as praias de águas geladas não são inteligíveis ao lisarbense médio em busca de resfriar o corpo. Ponta é devagar, lenta, cadenciada, deve ser descoberta nos bosques, nos alfajores, nos bancos das confeitarias. Há a Ponta conhecida pelo luxo e pelos cassinos, mas há o balneário inspirador dos artistas, o passeio ao final da tarde para comer os churros de doce de leite de lamber os beiços, momento em que a criança sai para passear e mostra o comando de maneira mais explícita. Eu dirigia o carro com Suzana ao lado e respondia com tranquilidade às perguntas de Isabel sobre a política em Lisarb, interrompendo momentaneamente a folga mental. Nenhum dos membros da campanha mandara mensagens, e Montanaro parecia ter tirado um recesso em suas crises diárias.

Almoçamos naquele dia numa *parrilla* e, no outro, fomos à Vista dos Montes para andar pelo centro histórico, visitar a Plaza Central, os teatros, andar pelo centro entre os prédios, comprar gravuras dos artistas locais. Os celestes tomavam chimarrão em pequenas cuias individuais. A sociedade estava sadia. Os casos de síndrome respiratória aguda grave da Rened-47 eram muito poucos, e a transmissão estava controlada. Por precaução, os lugares fechados pediam uso de máscaras, e da forma animalesca não havia nenhum relato. À noite, tomávamos vinhos, Isabel contava um pouco mais sobre o projeto e da interação entre o corpo humano e os megacomputadores, as possibilidades de cura de novas doenças pela nanotecnologia. A implantação de chips neurais para a cura de doenças como a depressão, e o desentupimento das artérias coronárias e de coágulos cerebrais por *bots*, cujo trabalho, que na década passada fazia aumentar a expectativa de vida, hoje migrava para a cura de males existenciais, mas os projetos eram ainda mais avançados e buscavam prolongar a vida indefinidamente e, salvo a destruição completa do corpo humano por um acidente, a conjugação de tratamentos preventivos, alimentação correta e nanotecnologia prolongaria a existência humana para além do limite natural. Essa era a ambição. Isabel, cientista da computação, deixara escapar que ajudava a implantar projetos ousados e mapeava o cérebro humano para transferi-lo para os sistemas. A partir de iniciativas como a dela, era possível há alguns anos aprender idiomas em menos de dez minutos com o *download* cerebral de línguas estrangeiras e, hoje, a discussão na Europa e no Estado Americano era o que fazer com a velha educação, com as aulas, pois os conteúdos já podiam ser implantados no cérebro por meio de microchips, contendo dez anos letivos. A formação de seres altamente desenvolvidos contrastava com uma involução ética vista em Lisarb, ela dizia, e as experiências deveriam ser precedidas de uma longa discussão política para a sociedade apropriar-se de modo maciço dos avanços biotecnológicos. Como isso seria um passo a ser dado, empresas como a de Isabel preparavam protótipos e já testavam modelos bem-sucedidos de transferência da inteligência artificial para dentro do corpo humano e também buscavam sua conexão com as máquinas. A empresa de Isabel participava do consórcio de corporações privadas para desenvolver uma forma de adaptação do corpo humano à quase ausência de oxigênio, implemento necessário para a colonização de Marte.

No domingo de Páscoa, ficamos em casa. Eu preparava o almoço com Suzana. Havíamos resgatado a sintonia fina no dia e nas noites.

Fizemos um bacalhau. Eu partiria na manhã de segunda. Um vento frio soprava das águas, e o Rio Platino, em seu encontro com o mar, estava com um tom de azul-escuro, mas o sol brilhava numa tarde sem nuvens sobre tons celestes. Acendemos a lareira, Isabel falava sobre a Espanha, e Suzana confidenciava que estava começando a escrever e estudar literatura. "Já estou com minhas ambições materiais atingidas." Ela, de fato, estava plena, tranquila, numa fase excelente da vida, podendo dedicar-se a outros conhecimentos. Tinha um modo equilibrado e sempre fora disciplinada. Isabel ia ao Estado Americano três vezes ao ano, e, por enquanto, seu plano, até terminar a pesquisa de doutorado, era continuar por lá. Sentada na sala de estar à vontade, ela resplandecia a tranquilidade dos encontros. Suzana pedia para eu não exagerar no azeite de oliva, abraçando-me pelas costas enquanto eu preparava a assadeira para colocar as postas, as batatas, a cebola e o alho. Fruto de um mosaico no qual se juntam os cacos de relações partidas, ouvindo os planos de Isabel, sentindo o perfume de Suzana a acariciar minha nuca, aquele momento trazia para junto de mim os cheiros, os gostos, a quentura do toque, e o mais perto que eu chegara, em décadas, de uma relação familiar. Bebemos vinho branco, apresentei à Isabel as pajadas tão frequentes nas minhas manhãs dominicais da infância, falamos sobre a saga dos imigrantes italianos. Sobre as origens alquímicas de Penápolis, a antevisão de Pena, fundador da cidade, Suzana explanava. Escolheu a cidade para si muito em função da mística dali. Ao final da tarde, lembrei-me da primeira visita que fiz, com 20 e poucos, àquela região reconditamente guardada em gaveta carinhosa dos meus pensamentos. Isabel descera até próximo do pequeno muro da frente da casa para buscar lenha. Ao fundo, fotografando-a, o sol se punha e começava a mergulhar nas águas daquele mar e rio fundidos, a espraiar seus últimos raios sobre uma iniciante filha, enegrecendo sua silhueta metida num blusão de couro, trazendo lenhas. Recordei-me do *insight* que tive quando observei aquele pôr de sol pela primeira vez, e pude compreender com muita clareza a razão de aqueles povos terem alçado o astro-rei ao máximo em suas bandeiras entrecortadas de azul.

Na manhã do dia seguinte, refiz as malas. Suzana pedia para eu voltar no final da campanha, independentemente do resultado da eleição. Conversaríamos. Na saída de casa, antes de começar a viagem pelas lonjuras do pampa, sentindo-me suave, sem pesos desproporcionais à realidade, me despedi de Isabel, certo de uma condução invisível inexplicável, e esta também me guiaria por entre os campos, as lagoas, sobre o asfalto imantado nas coxilhas, ficando para trás e, cada vez mais perto, os últimos cavalos redomões da alma revolta a ser aplacada. Por entre a fumaça do palheiro, sorvendo um amargo no chão batido de um galpão imemorial na companhia de uma canha com butiá, eu deixaria quietas as boas lembranças de uma tranquilidade e simplicidade voluntárias, no Sul.

XV

— Foi muito bom termos adiado para hoje a sua palestra, professor. As coisas esquentaram muito nos últimos meses. Uma última pergunta, por favor, o senhor acha que a democracia lisarbense irá resistir? E esses doentes?

A professora de história italiana encerrava minha participação no webinário da Universidade de Roma, fazendo a pergunta cuja resposta todos queriam saber.

Os decretos de fechamento enclausuravam grande parte da população, e a epidemia tornou-se um drama ainda mais extraordinário dentro do comum da vida das pessoas. Até então, mesmo que a doença nos primeiros meses tivesse escalado, de cara, números impressionantes, o arrebatamento em leitos de UTIs lotadas, o sofrimento das perdas quotidianas dos afetos, amigos, parentes, trazia a morte para sentar-se à mesa das famílias. No início, os habitantes dos diversos estados de Lisarb viveram de modo heterogêneo a doença, com realidades distintas, mas o trabalho incessante de Montanaro para propagá-la e matar seus concidadãos havia causado um surto nacional único. Ele conseguira espalhar a virulência pelo país todo de modo homogêneo, com incentivos mortais, pregando a infecção voluntária pelo Red Neck 47. Procissões de doentes na forma animalesca se aglomeravam nas ruas em favor de Montanaro, e suas pregações em todas as cidades lisarbenses juntavam em praça pública esses doentes, reproduzindo, assim, um exército de mortos-vivos, enquanto assassinava o que restava de sanidade. As aglomerações doentias o cultuavam como um messias, e ele próprio, em meio à eleição, começara a demonstrar os primeiros sinais da infecção com falas muitas vezes ininteligíveis misturadas a palavrões. Sua pele estava começando a ficar avermelhada e seus discursos eram praticamente xingamentos, incitações ao ódio, à aquisição voluntária do vírus, além da afirmação insistente de que as eleições seriam fraudadas por Lucas. Um decreto seu proibindo uso de vacinas no território lisarbense estava sendo derrubado na Suprema Corte. Por outro lado, com efeito, a parte sadia da sociedade era infectada, pois se colocava na contramão de um movimento normalizador da morte. No modo automático, acabavam por manter suas rotinas. Mesmo que o discurso tétrico do líder da nação de incentivar a saída às ruas não fizesse sentido para as mentes sadias, o movimento do tecido social impelia a parte majoritária a adotar comportamentos de risco. Nesses tempos era sentida com muita força a falta de campanhas de conscientização, e mesmo quem acreditava no que era real, na evidência da morte, por osmose, pelo senso comum, acabava morrendo. Centenas de milhares de lisarbenses encontrariam seu fim em *2047* em hospitais colapsados e mesmo em casa, sufocados pela falta de ar. Procissões de carros funerários, enterros noturnos, covas rasas enchiam as casas na forma de hologramas. Havíamos nos transformado no cemitério do mundo, de onde aquilo que parecia ter acabado ressurgia com força.

Evidentemente tresloucado, doente e não mais depositário da confiança de vários setores que o apoiaram, o presidente era ainda o cordão da esperança mentecapta para barrar o retorno aos patamares anteriores. Montanaro não tinha mais o apoio de uma parcela majoritária do Parlamento e poderia vir a sofrer a queda por impedimento. Havia dúvidas, no entanto, se o quórum para sua deposição seria atingido, e o impasse estava criado. Os números de sua aprovação estavam no piso e coincidiam com sua base popular, reduzida aos fanáticos. O mercado financeiro sugava o final da venda das estatais em jogatinas e dava um fio de sustentação a Montanaro. Os militares haviam rachado e não prometiam com clareza sua manutenção no poder, em função da volta de um assunto tão velho para governos como o nascer do sol, o frio dos ventos ou a água da chuva: o retorno da corrupção para o centro do debate. Estavam mais do que comprovados os desvios de Montanaro na sua época de parlamentar, causando dúvidas no meio militar, fosse pela performance bizarra do imponente, fosse porque um golpe de Estado contra oitenta por cento da vontade dos lisarbenses poderia produzir um derramamento de sangue fora de controle. A sociedade civil, mesmo com a imposição das restrições sanitárias, se organizara para enfrentar, na política, as tentativas golpistas de Montanaro e a vontade de alguns setores da Forças Armadas, enquanto o número de mortos pela Rened-47 chegava, em poucos meses, à casa das centenas de milhares.

As negociações do centro político fracassaram e, ao contrário da minha própria expectativa, houve uma profusão de candidaturas sedentas para excluir Montanaro do segundo turno, a começar por Servius Mórus, que se lançou mostrando sua verdadeira face de juiz que tinha lado, não lhe caindo bem o figurino político. Voz esganiçante a entoar o samba de uma nota só, olhar desviado incapaz de cativar um rato com sua flauta jurídica desafinada, foi uma tentativa, mas a verve do monstro Montanaro era mais verossímil e palatável para aquela fração do eleitorado. Esses movimentos pulverizaram as chances de uma terceira via e produziram um impasse: como rifar Montanaro e votar em Douro, que havia confirmado as expectativas e vencera as prévias dos Araras, Cairo ou os demais, se eles não tinham chances contra Lucas? Assim, Montanaro se mantinha forte em sua base e não era desbancado pelos rivais, mantendo a segunda colocação, com Lucas à frente. Este, agora, se posicionava pregando o voto útil no primeiro turno, em prejuízo de Cairo, a segunda opção da esquerda. Lucas ainda estava fazendo mais: cooptava lideranças históricas dos Araras, cujos bicos não engoliram as sementes transgênicas da duvidosa vitória interna de Douro, trazendo para a candidatura à vice-presidência um de seus nomes mais expressivos, Oswaldo Artmin, que governara o Estado Metropolitano por quatro mandatos. Com isso, Lucas descarnava nacos do centro político e entronizava-se, na prática, como a própria terceira via.

Havia, ainda, por detrás desse cálculo, um jogo mortal em harmonia com a tradição autoritária lisarbense. Montanaro, no poder, como pregava em seus cultos lunáticos, afirmava que não entregaria a faixa presidencial para Lucas caso perdesse. Canhestro, ele copiava, em enredo de ópera bufa, o mesmo roteiro de Ronald Lier no Estado Americano, pois se negava a admitir a recusa do Parlamento ao retorno do voto em cédulas e, por mais que este fosse apenas um pretexto, dadas as suas pequenas chances de vitória, a justificativa falsa guardava, em sintonia fina, uma ironia com suas pregações de retorno a uma sociedade não mais existente. Por mais que a comunidade LGBTQIA+ fosse assassinada pelos doentes animais de Montanaro, por mais que os ideais democráticos de convivência entre os povos fossem estuprados pelos vociferantes carecas parrudos de braços tatuados, por mais que as mulheres fossem menosprezadas em seu papel, ou apenas toleradas, por mais que se tentasse buscar uma falsa tese de que aos negros não era devido um só centavo da dívida da escravidão e, por mais ainda, que o amor livre, os valores humanistas, os ideais de fraternidade entre as pessoas fossem vilipendiados dia a dia pelo exército de mortos-vivos e milicianos de Montanaro, a tentativa de recriar um mundo do passado fracassaria como nos mostrava a marcha inequívoca da história.

— Sim, professora, posso responder. A democracia lisarbense e a democracia do mundo ocidental sobreviverão a esses assaltos. Estamos num surto, não numa tendência. Outros países já rechaçaram esses gângsteres. Veja o Lier, no Estado Americano. Talvez ainda tenhamos que sofrer mais, pessoas podem morrer em maior número, mas isso não durará para sempre. Acredito com firmeza na recuperação de nossas instituições. Os doentes — é triste constatar — são muitos em nossa sociedade, mas precisamos isolá-los. Não há cura para a forma animalesca, ela dormita dentro de alguns seres, de modo minoritário, mas, quando explode no organismo debilitado, irrompe de uma forma assustadora de quando em vez na história. Portanto, o melhor a ser feito é isolar esses doentes. O problema é que temos um governante que semeou o vírus em toda Lisarb, mas seus apoiadores haverão de fenecer com o tempo.

Acredito nisso. Precisamos acreditar nisso, lutamos uma vida inteira para criar um ambiente sadio, e esses surtos acontecem, cabe a nós os suplantarmos.

A palestra terminara, e eu me preparava para encontrar com Cairo Góes, Antônio Paulo e Lucas. As conversas iniciais com Antônio Paulo não surtiram efeito, e o encontro com Lucas no início do processo eleitoral tinha sido esquecido. Como bom negociador, ao pevista não interessava conversar sem consolidar seus patamares majoritários. Montado em previsões que lhe conferiam a dúvida entre a vitória no primeiro turno e uma ampla vantagem, sobre qualquer um, no segundo, Lucas era quem pedia a reunião na reta final e buscava a adesão de Cairo para sua candidatura. Seu raciocínio baseava-se na necessidade de liquidar Montanaro sem chance de qualquer disputa, dar uma lavada em primeiro turno para não deixar dúvidas e, assim, consolidar na sociedade a demonstração inexorável da rejeição ao desastre que assolava o país.

Waldir me buscaria de carro, e nos encontraríamos para jantar na parte reservada de um restaurante no alto de Santa Terezinha, numa varanda aberta. Todos deveriam ter feito o teste de detecção do Red Neck 47, inclusive os motoristas. A eleição se daria na semana seguinte. Estávamos empatados num terceiro pelotão, somados, em torno de vinte por cento dos votos válidos, junto com Douro e Servius Mórus. Montanaro tinha vinte e cinco por cento e Lucas, mais de quarenta e cinco dos votos válidos. Na hora marcada, Waldir me mandou mensagem avisando para descer. Quando entro no carro, ele mostra o exame instantâneo negativo:

— Doutor Alex, já perdi três familiares e dois amigos de infância para essa doença, não vou facilitar, não se preocupe.

— Que tristeza. Lembra quando iniciou, eu te falei que não era brincadeira?

— Sim, naquele comício na Avenida Oceânica. De lá para cá, em poucos meses, a coisa mudou muito.

— Eu ainda não perdi ninguém, mas continuo me cuidando.

— O senhor está mais magro...

— Sim, estou fazendo exercícios físicos, dieta, tenho evitado beber durante a semana.

— Faz bem, doutor, faz bem. Eu não bebo há muitos anos.

Começávamos a chegar nas proximidades da subida do morro de Santa Terezinha. Passávamos no bairro da Vitória, perto do antigo palácio presidencial. A mistura de milicianos e doentes em algumas das esquinas começava a se aproximar do centro da cidade. Com as eleições chegando e as ameaças feitas por Montanaro, o clima de confronto se iniciara. Barricadas podiam ser vistas nas imediações, sob a conivência do governo local e da polícia militar, que dizia se tratar de atividades democráticas. Subíamos as ruas de paralelepípedos e passávamos por cima do trilho dos centenários bondes elétricos. A boêmia insistia em sair para a rua, mesmo com números cada vez maiores de mortos, e se aglomerava nos barzinhos. Os doentes em alguns lugares eram barrados, iniciando lutas odiosas que só cessavam com a intervenção da polícia, cujas ordens, em Litorânia, obrigavam os comerciantes a atender seus pedidos. Como não conseguiam mais se sentar, muitos deles ficavam de quatro pés nas calçadas, a beber cerveja despejada em bacias pelos patriotas armados.

Cairo mandava mensagem dizendo para eu esperar sua chegada e entrarmos juntos no restaurante. Estacionamos o carro, e logo depois Cairo chegou, mostrando um misto impaciência e resignação:

— Este lugar já foi tão aprazível. Preferia vir aqui em melhor época. Você viu lá embaixo as barricadas? Este filho de uma puta do governador é conivente com o Montanaro.

— Nossos programas não estão atingindo o objetivo. Lucas pedirá para aderirmos.

Eu sabia que deste assunto ele não gostava, mas precisávamos acertar os ponteiros. Antes de ingressarmos no restaurante, ele olhou para mim e fez, pela primeira vez, o reconhecimento de que não conseguiríamos ultrapassar Lucas.

— Olha, Alex, eu lembro da fala do Lato de que a política é um rio. O povo está querendo liquidar a fatura de uma vez. Se o Lucas não tivesse entrado, a gente poderia ganhar, mas a Suprema Corte e esta insanidade toda empurraram a população para o pragmatismo.

— O que o senhor quer fazer? Ele deve oferecer alguma posição dentro do governo. O Ministério da Fazenda, talvez, a gente pudesse pedir, mas é óbvio que ele não aceitaria.

— Vamos ver. Eu acho melhor ir até o fim, não decepcionar nosso eleitorado, mas vamos ver.

Entramos no restaurante. Um elevador panorâmico nos leva até uma parte baixa, com muitas mesas no meio da mata e algumas palafitas. Ao fundo, as luzes da zona norte da cidade em cores amarelas e brancas pulsavam contra o fundo negro. Estávamos com a máscara detectora do vírus e testes negativos. O ambiente é no meio de uma mata, muitas mesas cheias, e a *hostess* nos encaminha para uma palafita. Subimos as escadas até a plataforma, Lucas e Antônio Paulo estão sentados um em cada ponta da mesa. Ingressamos no ambiente, onde o velho Líder Maior e Grande Companheiro está bebendo um uísque. Antônio bebe vinho. Lucas abre um enorme sorriso, de braços abertos, faz o sinal do abraço, mas logo fecha os braços e faz o cumprimento indiano, de longe, sem contato pessoal:

— Eu queria abraçar vocês dois, mas nunca se sabe, essa porra dessa doença.

Cairo vai até ele e dá um tapa em suas costas, também sorrindo. Observo os dois conversando em voz baixa, enquanto cumprimento, com os cotovelos, Antônio Paulo, que logo me serve uma taça. Lucas olha para mim. Seu olhar é terno, como o de um pai ao rever um filho que fez alguma coisa errada.

— Vem cá, Alex, não vou te morder. — Eu me dirijo a Lucas, fecho o punho, ele também, nos cumprimentamos com as mãos fechadas, ele sorri mais uma vez e relembra um fato ocorrido em *2038*. — Da última vez que nos vimos, tomamos um uísque vendo um jogo de bola, lá no Palácio, lembra?

— Lembro sim, presidente.

Ele havia esquecido o encontro na casa de Bottaro, quando foi estabelecido o mapa do negócio dos MIRVs, mas fora por hologramas. Faço um elogio, Cairo está cumprimentando Antônio:

— O senhor está muito bem.

Lucas, sarcástico, responde:

— A prisão me fez bem. — Ele dá por encerrada a quebra de gelo inicial e se senta.

Cairo está sentado, a mesa é retangular, eu fico ao seu lado, com Lucas e Antônio nas extremidades, de modo que o lado em frente a mim e Cairo fica vazio, dando lugar à vista. O local é bastante ventilado, estamos no alto, a cobertura da palafita de troncos grossos de madeira é de sapé, e há uma balaustrada de madeira a servir de parapeito. Eu vejo a zona norte da cidade de frente. Lucas e Antônio, de viés. O garçom chega e serve água com gás para todos, e mais uma dose de uísque para Lucas. Estamos reservados das demais pessoas. A pequena mata, com palmeiras e espécies da Mata Atlântica, traz frescor ao momento. Antônio pede para que o garçom me traga uma taça, Cairo pede uísque, Lucas inicia os trabalhos:

— A empreitada vai ser grande, Cairo. Este doente mental não vai querer entregar de jeito nenhum. Depois de amanhã, tem o debate. A assessoria dele avisou que ele não vai. A turma de Metropolitana já largou de mão, Cairo, e Douro e Mórus não decolaram.

— É o que ele está dizendo, que não vai entregar. Vai ser muito duro, mas a população deverá ir às ruas, mesmo com essa doença. O problema do pessoal de Metropolitana é que não querem dividir o bolo. Eu sei que você já está avançado com eles, mas a questão é essa, as concessões demasiadas ao financismo...

Vendo que o assunto ingressara demais nos pontos antes de uma distensão, Antônio Paulo muda o rumo da prosa:

— Lucas, o Alex acabou de voltar do Estado Celeste.

— Ah, eles estão melhor que nós. Veja o exemplo do Trujillo, passou quatorze anos preso e não fez revanchismo.

Cairo pega um gancho.

— E como está teu coração, este exemplo te fala algo?

— Meu coração está ótimo, Cairo, mas aqui a questão é de fígado. Vou te dizer uma coisa, eu acho que vamos levar no primeiro turno. Isso me daria uma possibilidade enorme de perseguir esses filhos da puta, de fazer um governo radical, de buscar estar mais perto da base mais extremista, mas quer saber de uma coisa? Você sabe isto tão bem quanto eu, este país não funciona fora de um centro. É melhor fazermos a pacificação, mesmo com estes doentes.

— Concordo, mas acho que a coisa ainda vai ficar mais grave.

— Cairo assume um pouco o protagonismo da conversa, Antônio e eu escutamos os dois líderes. — Lucas, eu estava pensando aqui. Em toda turma de escola tem aquele moleque que faz *bullying* com os demais, faz piada com o colega negro, com o afeminado que depois assume a orientação sexual, é grosseiro com as meninas, enche o saco de todo mundo, faz bagunça, mas é uma liderança. Esse rapaz é o Montanaro. Nós estamos sendo liderados por um delinquente.

Lucas volta para o tema central:

— Vai depender do tamanho do resultado para a coisa piorar ou não.

Antônio intervém:

— Cairo, Alex, acho que a gente pode fazer um acordo.

— Não faz sentido, Antônio. Eu vim até aqui. Como vou desistir neste momento?

— As pesquisas estão dando uma migração do teu eleitorado para o nosso lado. Se não liquidarmos no primeiro turno, haverá uma radicalização ainda maior no segundo, e eles não vão querer aceitar a derrota.

O garçom serve o uísque para Cairo, ele pede mais gelo, eu ingresso no assunto:

— Não tem lógica, pois no segundo turno a vantagem ainda vai ser maior. Não tem necessidade de a gente sair agora.

Lucas reage:

— É o simbolismo, Alex, o simbolismo político de uma vitória esmagadora.

A conversa não se desenvolve, o impasse não é transposto, mas os interlocutores são experientes e não ingressam em temas mais candentes. A conversa fica mais amena, e eles estabelecem um acordo de não agressão no debate, o que, para Lucas, já é um ganho e, para Cairo, uma forma de mitigar suas posições agressivas dos últimos meses. Terminamos sem muito evoluir, mas a paz estava selada.

Os dias transcorrem agitados. Estamos improvisados na sede do Pluna, no centro de Litorânia, em distanciamento social. As ruas estão em ebulição. Os montanaristas armados amedrontam os demais, e os mortos, antes de Rened-47, começam a aparecer com balas nos corpos em várias cidades lisarbenses. Lisarbia está fechada. Montanaro não vai ao debate, pois não reconhece a candidatura de Lucas e a legitimidade das eleições que está prestes a perder. Um vídeo holográfico seu é solto nas mídias antes do debate, ele aparece sentado, ao lado de sua esposa, na mão esquerda uma luva verde-amarela, o semblante tenso, os olhos vermelhos, desalinhado. Sua voz não é a mesma dos outros discursos. Ele assina um papel:

Com este decreto, nós estamos considerando não pessoas todos aqueles que se voltam contra os cidadãos de bem deste país. As polícias poderão agir livremente para poder despersonalizar os indivíduos meliantes, marginais, esquerdopatas, que estão indo contra a família lisarbense.

O que era mais temido acontece. Montanaro, com os primeiros sinais da forma animalesca, levanta da cadeira, está cercado por ministros, alguns deles militares, e segue seu discurso:

Iremos às urnas nos próximos dias. Nós sabemos que estão armando um jogo sujo contra nós. Votem, mas não iremos aceitar resultado que não seja a nossa vitória.

Protestos irrompem em todo o país. Mesmo na fase mais aguda da epidemia, há movimentos pela democracia em todas as grandes cidades de Lisarb. As polícias, amparadas no decreto presidencial, reprimem com armas de fogo os manifestantes. Há muitos mortos nas ruas. Em Metropolitana, os Caminhões Freezer-Triturador invadem a Avenida Metropolitana e, em frente ao Museu de Arte, passam por cima dos manifestantes. Atrás deles, militantes montanaristas montados em *pick-ups* e empunhando espingardas descem no meio da avenida, que logo é tomada por doentes da Rened-47. No dia seguinte, Montanaro solta outro vídeo, estimulando a população a contrair o vírus. Com a mesma roupa do vídeo anterior, ao lado da esposa e dos ministros, ele retira a luva e mostra com orgulho a deformação:

> *Meus amigos, eu contraí o vírus Red Neck. Foi a melhor coisa que me aconteceu. Nunca estive com pensamentos tão claros. Eu não tenho dúvidas de que somente a exclusão de todos que não são cidadãos de bem deste país nos livrará do atraso e dos valores perversos que estragam nossa família. Nós vamos à luta. Conclamo todos vocês a contrair o vírus também, ele traz o que há de melhor dentro da gente.*

O debate eleitoral transcorre em clima normal, os candidatos aliam-se nas críticas a Montanaro. São exortados pelos apresentadores a unirem-se em torno de uma candidatura só. Em todos os bares e restaurantes de Lisarb, nas casas, as televisões holográficas alternam as imagens do debate eleitoral com a dos massacres de civis pelas polícias. Há uma entrevista com o chefe da polícia de Litorânia:

— Estamos agindo de acordo com a lei. O decreto presidencial está em vigor e considera não pessoas todos aqueles que se voltam contra a ética do cidadão de bem. Essas não pessoas que foram despersonalizadas defendem o aborto, o homossexualismo, a pedofilia. Então, estamos dentro da legalidade.

A repórter se exalta e diz que tudo aquilo é um absurdo, que é a livre manifestação em defesa da democracia. Imediatamente, o policial dá voz de prisão à jornalista, ao vivo, e chama um subordinado:

— A senhora está presa. Zero Sete, recolha o indivíduo.

Não há diálogo, as câmeras filmam mais dois policiais dirigindo-se à câmera, que logo cai. O apresentador do telejornal está atônito e logo chama outro repórter, em frente ao prédio da Suprema Corte, que acaba de declarar a inconstitucionalidade do decreto presidencial, mas não há função prática, pois Montanaro, de imediato, trocando algumas expressões, decreta novamente nova legislação com o mesmo objetivo. Os massacres continuam. A população segue nas ruas. No dia da eleição, mesmo com a repressão, as pessoas saem de modo ordeiro para votar, mas muitas são impedidas por militantes de ultradireita. As Forças Armadas não intervêm. Tanto o Parlamento como a Suprema Corte se voltam contra o morticínio civil, mas não há respaldo, não possuem força para reprimir os militantes que tentam obstruir a votação. Porém, como uma onda que não respeita os obstáculos, a ampla maioria silenciosa, de quem, em teoria, deveria ser o poder, faz filas com distanciamento social, usa máscaras e vota. Da sede do Pluna, junto com Cairo, Mauro Pereira e José Campana, acompanho a apuração em tempo real. As primeiras tendências confirmam que os votos de Lucas somam mais do que os dos demais candidatos, mas a margem é muito pequena, menos de um ponto percentual. Cairo parece resignado e pensa na resistência:

— Pessoal, se confirmar o Lucas em primeiro turno, devemos sair às ruas para garantir sua vitória. Eu acabei de receber uma mensagem do Duarte Lato de que ele concorda com isso e liderará, no Estado do Sul, uma marcha no centro de Porto Casal.

Mauro Pereira concorda:

— Não é possível reprimir mais de setenta por cento da população. Logo teremos uma guerra civil. A população do lado de cá vai se armar também. Eu estive com representantes do empresariado ontem. Este clima não interessa a eles. Está fora do controle.

Por volta das nove da noite, o resultado é confirmado. A soma dos votos de Lucas é maior que a votação dos demais candidatos. Cairo, fulminado pelo voto útil, perde a terceira colocação para Mórus, mas fica à frente de Douro. O percentual de Lucas sobre os concorrentes, no entanto, é mínimo, de 0,13 ponto percentual, e Montanaro, imediatamente, antes do presidente da Suprema Corte proclamar a vitória de Lucas, faz pronunciamento em rede nacional não reconhecendo a vitória do rival. Cairo liga para Lucas, reconhece sua vitória e se põe à disposição para ir às ruas. Lucas informa que acabara de receber ligação de Douro no mesmo sentido. No dia seguinte, mesmo com a doença, de máscaras, as ruas novamente são tomadas por manifestantes de todos os partidos políticos. Centro, centro-esquerda, esquerda, centro-direita e direita moderada encontram-se em todas as cidades de Lisarb em defesa da democracia, e o protesto, com a presença de Cairo Góes, é marcado para a manhã do domingo posterior às eleições, no centro histórico de Litorânia. Suzana e Isabel, na véspera, pedem para que eu não vá às ruas. Eu falo a elas que preciso acompanhar Cairo, que irei de máscara e me protegerei. Elas indagam acerca da segurança, e digo a elas, sem muita convicção, que o perigo maior está em Metropolitana.

No domingo, Waldir me aguarda embaixo, no prédio. Odacir, que há muito acabara o romance, disse-me que aguardaria a chegada do outro porteiro para juntar-se ao protesto:

— Tem que ser, não tem como não ir, doutor Alex. Precisamos defender a democracia.

No centro de Litorânia, pela manhã, movimentos sociais, centrais sindicais, partidos de esquerda e do centro democrático se unem em torno da manutenção do resultado das eleições. Para evitar aglomeração, o encontro é marcado na Avenida Presidente do Povo, mais larga, a principal do centro, em lugar dos tradicionais protestos feitos nas ruas históricas, mais estreitas. Marcamos de nos encontrar no Campo de Santa Isabel, onde, há mais de 150 anos, a República de Lisarbia tinha sido proclamada, em um golpe de Estado. Waldir estaciona na transversal da Avenida. Eu desço, me despeço e peço para que ele fique por ali, nas imediações. O plano é regressar entre meio-dia e uma da tarde. São nove e meia. Os protestos estão marcados para começar às dez. Cairo chega mais ou menos junto comigo e desce do carro, no local combinado. A militância plunista, com bandeiras vermelhas e amarelas, começa a formar uma massa de umas mil pessoas dentro da praça. Cairo conversa com Mauro, que usa uma camisa de linho branco. Eu chego próximo dos dois, nos cumprimentamos, com os cotovelos. Há barulho de fogos de artifício e buzinas. Um caminhão de som do Pluna está pronto para iniciar a caminhada na Avenida. Segundo as informações que chegam, os militares haviam pedido para que a Polícia Militar não utilizasse os Caminhões Freezer-Trituradores em virtude de uma reunião que estava sendo marcada em Lisarbia. Os militantes montanaristas, em menor número, não estão na Avenida Presidente do Povo, mas Mauro informa que estariam se deslocando pelo Aterro Vermelho e Preto. Das janelas dos prédios altos, é possível ver, maciçamente, a presença da grande maioria da população, apesar do asfalto quente. No céu azul da antiga capital de Lisarb, caças da Força Aérea quebram a barreira do som, em tom intimidador. A militância começa a se juntar atrás do local onde estamos, quase na esquina com a grande via, e começamos a andar. Na nossa frente, uma faixa apenas com uma palavra escrita: Democracia.

— A conta vai ficar mais cara para o Lucas. — Cairo fala próximo do meu ouvido, passando a mão no rosto, limpando o suor, ofuscado pela luz do sol. — Nós vamos segurar a eleição dele.

— Sim, terá de fazer um governo de coalizão — respondo.

Mauro, que estava junto, pondera:

— Foi importante não ter feito o acordo de retirar a candidatura. Não desmobilizamos nossa militância.

Cairo, que começava a puxar a liderança da caminhada, retira do bolso duas barras de chocolate, nos presenteia e fala:

— Eu estou ficando velho, mas não estou ficando burro. Nós e o centro seremos os fiadores da vitória do Lucas, mas tem algo maior que isso... — Ele segura o passo, olha atrás, já há umas 10 mil pessoas nas nossas costas, e depois aponta à frente, no rumo da faixa. — Tem algo maior que a vitória do Lucas, tem isso que está atrás, e aquilo que está na frente.

Percorremos a Avenida Presidente do Povo com gritos de ordem, e, como um grande rio que recebe afluentes de várias regiões, cores e texturas, a massa humana vai engrossando pelas ruas transversais, de onde brotam militantes e pessoas sem viés partidário. É combinado pelas lideranças que a predominância das cores das faixas principais seria o branco, com destaque para a palavra "Democracia" e outros dizeres neutros. Mães, pais, filhos, mulheres, homens, negros, brancos, índios, religiosos, não religiosos, pessoas de quase todas as orientações ideológicas, classes sociais e mesmo aquelas que se dizem sem ideologia saem de suas casas em meio à epidemia, de máscaras e com distanciamento. Há uma preponderância de jovens, pois a Rened-47 é menos severa entre eles e os mais velhos têm medo da doença, mas o protesto é muito grande e relembra a época da redemocratização de Lisarb. Do alto dos prédios do centro, papel picado é jogado, fogos de artifício e trios elétricos de todos os movimentos unidos produzem sons diversos, com discursos de vários líderes ao mesmo tempo. O protesto tem como destino final a Igreja de Nossa Senhora Aparecida, onde está montado um palanque em frente à praça. Vários líderes partidários participam naquele estado-base do montanarismo. A multidão se aproxima da praça da igreja, e, por detrás dela, começam a aparecer os primeiros militantes doentes na forma animalesca. São seres com aparência repugnante, mas têm fragilidade na sustentação do corpo, mal conseguem ficar sobre os dois pés. Uma grande parcela caminha curvada pelo asfalto, de quatro. A fragilidade desses doentes é amparada, entretanto, pelas armas dos milicianos. A polícia, conforme o acordo feito, forma um cordão de isolamento entre os dois polos, um representando mais de setenta por cento da população, outro, uma minoria armada. Do lado dos montanaristas partem provocações, os doentes, de caninos proeminentes, estão num tétrico batalhão de frente. Logo atrás, com suas cabeças raspadas, os militantes de camisa verde-amarela e, mergulhados nos protestos, as senhoras e poucos jovens de bermuda branca e camiseta social meia manga. Todos eles gritam "fraude". A tensão começa a ficar insustentável. Do nosso lado, de onde não se espera, saem encapuzados que enfrentam, com chutes, pontapés e voadoras, os policiais militares do cordão de isolamento, que se abre, deixando passar os doentes e os milicianos. O confronto se inicia. Cairo e eu estamos na frente, e a passeata, que até então estava segura, com distanciamento, vira uma maçaroca de gente em luta campal. Eu busco me proteger e saio pela lateral, há pisoteamentos, os soldados tentam separar os grupos, eu caio e minha máscara fica para trás enquanto corro sob marquises de prédios. Perco Cairo e os demais de vista e peço que Waldir se aproxime, por uma via paralela, onde o aguardo. Estou afastado, mas o cheiro de gás lacrimogêneo e *spray* de pimenta chega até mim. Uma menina pequena, com no máximo 10 anos de idade, passa de mãos dadas com seus pais dispersa. Chorando, perde a flor que trazia nos cabelos.

XVI

Na manhã da quarta-feira seguinte aos protestos, eu amanheço com febre e dor de garganta. Soergo-me na cama, com calafrios. Sento, olho para baixo, para meus pés, para minhas duas canelas; são canelas que suportaram muita coisa. Estou mais magro, perdi mais de dez quilos e, talvez, quase atingindo minha meta de perder quinze. Estou só numa terra diferente, e, como tal, sempre estive a rolar numa andança sem fim. Agora, a parede fria da dúvida chegara na ponta do meu nariz, objetiva, dura, perguntando se ainda haveria tempo para criar limo na finita pedra da existência. Agora, a paralisá-la, um medo real, desses que acontecem somente vez por outra na vida, diferente daqueles que se dão de vez em quando e mais ainda dos que vêm todo dia, fugazes e sem correspondência com o real. É o relógio sobre o quadro apontando o fim do tempo da prova. Levanto e faço um teste rápido que tenho no banheiro. O positivo chega para confirmar aquilo já imaginado e prenunciado. Pessimismo, otimismo, optar pelo quê? Um amigo disse-me certa vez que, quando estamos vendo um jogo de futebol de times dos quais não somos torcedores, nós não escolhemos para quem torcer, simplesmente acontece. Então, por mais que os sábios tibetanos nos ensinem que pensar positivo é importante nessas horas, como fazê-lo se o medo bate no seu ombro e mostra a todo momento o espetáculo dantesco estabelecido em Lisarb naqueles dias?

Ligo para Rogério, ele me indica um médico do Estado do Sul e marco uma teleconsulta holográfica para o final da tarde. Na verdade, eu sabia exatamente o que tinha de ser feito, ou melhor, o que não seria feito. A Rened-47, em sua forma respiratória, não tinha medicação específica, e o tratamento era para os sintomas. A única forma de a sociedade lisarbense sair daquela situação seria a vacina, proibida por Montanaro, mas chegando a conta-gotas no país, depois da decisão da Suprema Corte.

Na hora marcada, a ligação holográfica da teleconsulta chega ao meu *allphone*. O médico é um homem de uns 60 e poucos anos, experiente, com ar confiável. Estou deitado, e o holograma dele é projetado no pé da cama. Ele é frio, mas, em sua objetividade, faz as perguntas que me parecem corretas e transmite segurança. Pede que eu coloque o dedo no sensor do *allphone*, para medir minha temperatura, e, ao final, recomenda repouso e analgésicos, e orienta-me a entrar em contato novamente se os sintomas evoluírem, além de pedir para baixar um aplicativo que media o índice de oxigênio no sangue. Ao final, a consulta confirmara meu prognóstico de apenas tomar os paliativos e antitérmicos e aguardar a evolução do quadro.

Passei o dia deitado, evitando assistir às notícias. A crise continuava, os protestos, sempre grandes durante o fim de semana, atravessam os dias de semana, as lideranças partidárias e as instituições pressionavam Montanaro, cada vez mais acometido pela doença. Agora ele usava duas luvas, sua barba crescera, e ele mostrava cada vez mais desequilíbrio nas idas ao púlpito do Palácio para proferir seus discursos diários. Minha febre não passava, a garganta queimava, e a cabeça começava a doer. Uma dor pesada veio ao final do dia, por trás dos olhos. Pedi uma pizza pelo aplicativo e liguei para Cairo, avisando que tinha pegado a forma respiratória da Rened-47. Ele se colocou à disposição e ficou preocupado.

Acordei quase sem conseguir abrir os olhos na quinta pela manhã. Dobrei os analgésicos, a oxigenação estava em noventa e seis por cento, um ponto acima do limite de ir ao hospital, drama maior, pois não havia leitos disponíveis nem nos hospitais credenciados pelo meu plano de saúde. Adiantei em um dia a ligação para Suzana. Resolvi fazer pelo modo tradicional para não a alarmar:

— Suzana, peguei a Rened-47.

— Como assim? Como você está? Por que não ligou em hologramas?

— Estou com muita dor de cabeça hoje. Ontem amanheci com febre e tomei as medicações padrão, analgésicos e um antibiótico, mas estou bem, não liguei por hologramas porque estou deitado aqui.

— Como está a oxigenação?

— Noventa e seis por cento, precisa ficar acima de noventa e cinco.

— Alex, não tem hospital em Litorânia, não tem hospital em nenhum lugar de Lisarb. As UTIs estão lotadas, você sabe melhor que eu. Você está sozinho aí, sem nenhum familiar, socado num apartamento.

— Não tem outra saída.

— Tem, sim. Olha só, a minha empresa fez isso com outra colega que tinha um pai doente aí em Lisarb. O presidente é meu amigo, a esposa dele vive aqui em casa, já tomou vinho comigo aqui em Penápolis na varanda.

— Sim.

— Eles providenciaram um deslocamento para cá, com um avião UTI, do pai dessa colega. Não teria por que não fazer isso para mim. Sou até mais amiga deles do que essa colega.

— Mas é muito caro, meu seguro não cobre deslocamento internacional. Eu teria que vender um apartamento em Lisarbia ou Porto Casal.

— Vou verificar, mas acredito que a empresa cobre isso com o seguro dela. Está com falta de ar?

— Não, mas estou com medo de evoluir para isso.

Terminamos a ligação, e me levantei com dificuldade da cama, estava muito cansado. Fui aquecer o que restava da pizza e tomar um café. O corpo doía. Entre o quarto e o ambiente aberto do *loft*, muito tempo passou pela minha cabeça. A janela da sala estava aberta, dava para ver o movimento dos carros, e ouviam-se as sirenes das ambulâncias e o arrulhar dos pombos no prédio em frente. Lembrei-me do tempo de criança, quando ficava feliz de não ir à aula por conta de uma febre e, não fosse pelo estado geral das coisas e pelo medo, quase uma ponta dessa alegria me fustigou, de modo a dar uma pausa naquela dor. Segui até a cozinha e aqueci a pizza no micro-ondas. Era mais rápido. Mordi o pedaço e lembrei da antipatia de Suzana pelo micro-ondas, pois deixava a comida sem gosto. Num primeiro momento achei que o meu forno tinha uma potência muito grande, dada a sensação de mastigar uma massa emborrachada, sem nenhum aroma ou sabor. Depois da segunda ou terceira dentada, percebi a dura realidade de que minhas sensações também estavam começando a ser dominadas por um ser sobre o qual não havia consenso se era uma forma de vida ou não.

Voltei para a cama, tentei ler um pouco, mas não consegui. Ligar a televisão era um martírio, e, por sorte, o sono era grande. Bebi um pouco de água em uma garrafa azul que ganhara de Isabel em Penápolis. "Alex, você precisa beber mais água." Era fato, as pedras nos rins se acumulavam, e perto do que eu estava passando, dava até para sentir saudades delas. Adormeci sem ligar a televisão e assim passei a tarde toda. Acordei uma vez para tomar a combinação de analgésicos e o antibiótico.

No final da tarde daquele mesmo dia, Suzana liga e me acorda de um sonho muito vivo, real:

— Consegui. Nós vamos te buscar amanhã.

— Como assim? — Eu não lembrava direito da ligação da manhã, e, por quase um segundo, as lembranças zeraram.

— O avião, nós te buscaremos de avião, o que houve com você?

— Eu tive um sonho ruim e acordei chorando. Era real, vivo, mas acho que trazia uma mensagem.

— Puta que o pariu, Alex. Não me vem agora com história de sonho, com história de espírito.

— Não é coisa de espírito. Está tão vivo, eu poderia até te contar os detalhes.

— Depois você me conta. Olha só, nós vamos chegar no Aeroporto Internacional por volta das 17h de amanhã. Você tem condições de ir para lá? Precisa de uma ambulância?

— Eu não sei. Eu preferia ir com o Waldir, mas não posso nem pensar nisso, eu vou expô-lo ao vírus. Estou no auge da replicação, pelo que li.

— Sim. Olha só, me manda os dados do teu plano. Você está como? E o ar?

— Estou com dor no corpo, cansado, e hoje vi que não sinto o gosto das coisas. O oxigênio se mantém naquele nível, não caiu.

Um banho poderia melhorar aquela modorra, poderia ser a solução. Olhei para o quarto desarrumado, parecia um quarto de estudante. Meus tênis de corrida ao lado de uma cadeira que servia de cabide para a camisa de correr. Atrás do conjunto, a persiana estava fechada, um cabideiro com um terno não usado nenhuma vez desde que voltara para Lisarb. A borboleta não estava mais lá, qual seu destino? Passou-me pela cabeça que ela poderia ter ido em busca da umidade do banheiro, mas nunca tinha lido em lugar nenhum que borboletas gostassem de umidade, nem que banho livrasse alguém da Rened-47. Por via das dúvidas, levantei-me, com grande dificuldade dessa vez. A cabeça pesava, o movimento dos braços era lento, como também era o pensamento. Fui me equilibrando, bem até, para o banheiro. No caminho, parei na cozinha. Tinha uma escadinha para acessar os armários aéreos de mantimentos e louças. Fui até lá e, bem devagar, consegui pegar a escadinha e, com ela, fui até o chuveiro. Eu a coloquei embaixo do jato de água e sentei. Ela me ajudou a poder sentir a água quentinha a escorrer pelo meu rosto, depois pelo corpo, até os pés, sobre minha pele alva de imigrante e nos cabelos das pernas. O odor do sabonete glicerinado, companheiro de décadas, se espargia junto com as gotículas e fazia uma pequenina sauna. Com calma, levantei-me, levei a tolha novinha ao rosto, depois por todo o corpo, e voltei a vestir o mesmo pijama azul e amarelo. Por alguns minutos, tive a sensação de que iria melhor a partir daquele banho.

Na manhã da minha ida para o Estado Celeste, cedo, Suzana avisou-me que meu plano de saúde tinha disponibilizado uma ambulância para o deslocamento até o Aeroporto Internacional.

— Que bom que você conseguiu, eu ia ligar para o Cairo, mas estou sem condições.

— E hoje, como está se sentindo?

— Igual a ontem.

— Está comendo?

— Me alimentando muito mal.

— Não pode, tem que comer.

— Eu mandei os papéis todos, eles devem chegar por aí por volta das três da tarde.

— Eu vou te aguardar no aeroporto daqui. Não consegui ir no avião. Até quatorze dias, eu não posso me encontrar com você. Foi difícil conseguir, mas você vai ficar no Hospital Inglês, o melhor de Vista dos Montes. Quem arrumou o hospital foi Elizabeth, a esposa do meu chefe, ela é muito influente. O seguro da empresa cobre a despesa. Não vamos nos preocupar com isso. Já deu certo.

— Você usou aquela certidão francesa?

— Sim. Olha só, preparar uma malinha, com umas roupas, um *nécessaire*, essas coisas básicas.

Segui a orientação de Suzana e fui até a cozinha para comer uma torrada, chupar uma laranja. As dificuldades para caminhar eram as mesmas do dia anterior. Não notei melhora, nem piora. A oxigenação tinha baixado um ponto, fazendo com que o primeiro sentimento que tive, de exagero por parte de Suzana em promover o deslocamento, fosse afastado. Arrumei uma mala de mão, com o pijama, uma muda de roupa para o dia em que saísse. Escolhi uma camisa italiana de seda verde, uma calça bem cortada também de Roma e um casaco de couro para o frio. Às 15h, pontualmente, a equipe subiu para me levar, eu estava pronto. Entraram três pessoas com roupa escafândrica vermelha e amarela. O uniforme deixava somente ver os olhos, também isolados por óculos específicos. Uma médica, um enfermeiro e um socorrista paramentados para uma invasão alienígena. De maneira humanizada e quase amorosa, eles me explicaram tudo. A médica fez os exames básicos de temperatura, pressão e alguns diagnósticos por meio do *allphone* e o questionário da saúde pública. Um deles, o socorrista, trouxe-me uma cadeira de rodas enquanto eu respondia às perguntas da médica sobre a data provável da infecção, dias de sintomas, quais os sintomas, como me sentia no dia. Acomodei-me pela primeira vez na vida naquele objeto tão corriqueiro, do qual nossa mente se mantém distante.

— Senhor Alex, seu caso é moderado, está no meio da infecção. Durante o deslocamento, que dura mais ou menos uma hora até o Aeroporto, nós iremos fazer soro. O senhor está desidratado e iniciando um quadro de anemia. Está se alimentando mal. É um quadro comum. O senhor tem sorte. Litorânia não tem mais hospital com vagas, e o seu quadro pode evoluir, devo lhe falar sobre isso, para um quadro que necessite de oxigênio.

— Quais os riscos dessa evolução?

— Não dá para dizer. Tem que observar os próximos dias. Está dizendo aqui no prontuário que o senhor vai para um bom hospital. Vai dar certo.

Descemos pelo elevador. Odacir estava de pé. Apreensivo, de máscara, a distância, disse que daria tudo certo e que na minha volta comentaria o novo romance que estava lendo, de outro escritor que havia descoberto por acaso, também por fotos. Esse gostava de jogar futebol, era goleiro. Na ambulância, ultramoderna, senti-me amparado. Mesmo com aquelas roupas absurdas, havia compaixão. A médica parecia esgotada, cansada, era o que comentava com o enfermeiro. Estava num plantão de 24 horas que terminaria no final da tarde. Reclamava, abertamente, de Montanaro:

— Fiz uma pesquisa rápida sobre o senhor. Era importante que esta história fosse contada direito, que as futuras gerações soubessem que vivemos neste ano um regime de horror. Ontem mesmo ele apareceu mancando na entrevista, desequilibrado sobre os pés, não consegue se sustentar. Com duas as mãos em "v", dizendo impropérios, palavrões. Vou fazer o soro.

Chegamos no aeroporto por uma entrada especial. Deitado na maca, aparelhos por toda parte, luzes piscando a vigiar meus sinais vitais, e a sirene que tanto ouvi de fora, naquele final de tarde alarmava minha ida para o Estado Celeste. Olhando para cima, para a médica a me cuidar por debaixo de toda aquela parafernália, lembrei-me, naquele estado: se desse o resultado pior? Ainda não sabia de cor como funcionava o efeito *doppler* verificado no som das sirenes das ambulâncias, o mesmo a medir e a comprovar o deslocamento inflacionário das estrelas, do universo, do seu afastamento mútuo. Quando estavam se afastando, o som era mais agudo ou mais grave? Pensei em ir à pesquisa na internet, mas meus braços estavam fracos, longe do *allphone*. Olhei para o enfermeiro:

— O senhor quer alguma coisa?

— Nada, só preciso avisar a minha mulher que estou saindo daqui.

— Estamos em contato com ela, o senhor vai entrar no avião dentro de uns dez minutos. Ela está sabendo o horário de sua chegada. Está com sua filha no aeroporto de Vista dos Montes.

No prazo previsto, fui retirado da ambulância. O soro foi mantido no braço. Apenas me trocaram para a maca do avião. O céu azul de Litorânia, nuvens, barulho de pista de pouso, outros aviões-ambulância podiam ser vistos, pelo menos uns quatro, na mesma área, retirando a elite local para ser tratada em outros países. O ambiente de tecnologias era muito semelhante ao da ambulância. Um médico celeste, não tinha como vê-lo direito, estava com aquela mesma roupa lunar, tinha um bigode farto, de nome Hernandez, como apontava o jaleco finamente bordado em azul-claro, por debaixo da parte transparente da roupa. Talvez tivesse a minha idade. Recepcionou-me na entrada:

–Buenas, che. ¿Vamos?

— Sí, vamos.

Um tubo que voa, alguém me disse uma vez, e era isso mesmo. Nos aviões menores a sensação é essa. Durante os anos em que fui assessor palaciano, algumas vezes acompanhei Romeu José em deslocamentos em jatinhos, me sentindo importante. Hoje tenho um médico ao meu lado. Ele é torcedor do Penha, gosta do time Imortal. Já estávamos sobrevoando as imediações de um grande rio lisarbense, talvez no Estado Chacal, e algo que até então não tinha tido, tosse seca, começa a incomodar-me. O cansaço aumenta. Há um sinal colorido piscando e apitando. Hernandez olha para trás e faz uma pergunta para a enfermeira que nos acompanhava:

— ¿Cuales son los colores?

— Rojo y amarillo.

— Saturación bajo noventa. Hermelinda, por favor, tendremos que entrar con oxígeno.

A máscara de oxigênio é colocada pela enfermeira, é noite lá fora. Penso em tudo, mas penso mais em Isabel e Suzana. Será que ainda pensam em mim? Havia mais uma hora de viagem. Medicamentos são infiltrados no soro para minha tosse acalmar. Hernandez explica que é um protocolo e que posso ficar tranquilo. Há turbulência, o voo segue, poderíamos estar sobre o Rio Platino. Hernandez confirma que o estamos sobrevoando e que em menos de vinte minutos aterrissaríamos em El Verdugo, o aeroporto internacional de Vista dos Montes. Sinto o avião começar a baixar, o piloto faz as menções de praxe, nos aproximamos da pista, e descemos suavemente no Estado Celeste. O avião parece não ir até o final da pista, taxia, eu me sinto cansado, mas o oxigênio ajuda muito. Logo chega o aparato local para o deslocamento até o Hospital Inglês. Hernandez me avisa que Isabel e Suzana estão no aeroporto e acompanharão a ambulância até o hospital, e que lá eu conseguirei vê-las. Sou retirado da aeronave, o céu escuro, o friozinho, uma brisa vinda do Platino acende reação, e logo começo novos planos. A reserva financeira, os aluguéis, eu poderia viver por ali com Suzana, com folga. Integrar o governo, não seria convidado, e nem quereria, pensei. A equipe de terra me coloca na ambulância, preciso fazer uma cara boa para encontrar, nem que seja de longe, as duas. O deslocamento, da pista de pouso ao hospital, levaria menos de meia hora, informa Hernandez, que segue comigo. A sirene é ligada e avançamos pela Avenida Roma. Logo, logo, passando aquilo tudo, eu estaria com Suzana e Isabel em Penápolis. Sinto o tempo mais frio que em Litorânia. A ambulância, com a sirene ligada, atravessa os sinais vermelhos, posso sentir, pois vislumbro as silhuetas de carros parados enquanto avançamos. Em menos tempo que o previsto, sou retirado da ambulância, na emergência do Hospital Inglês. Sou colocado na maca, e, por um instante, os enfermeiros param num corredor com vidraças. Lá estão Suzana e Isabel, por detrás dos vidros. Eu faço um sinal de positivo, elas estão com máscaras e eretas. Tensas, acenam, mas mantêm posturas serenas. Hernandez acena a elas também e me avisa que ficarei na semi-intensiva e que o protocolo determina a realização de um exame de imagem para os pulmões. Mesmo antes de ir para a unidade semi-intensiva, passo pela ressonância magnética. São poucos os casos de Rened-47 no Estado Celeste, relata Hernandez, mas o protocolo determinava isolamento, e somente depois de duas semanas eu poderia receber a visita de Isabel e Suzana. O resultado do exame chega, ele abre o envelope na minha frente mesmo.

— Un poco más de la mitad de los pulmones afectados.

Isso significava que eu estava a meio caminho de algo, mas, para o bem, eu não queria ver o escuro do mundo. Sairia, era jovem, estava mais magro, dado importante. "Se tivesse me pegado há uns dois meses, eu já teria embalado", pensei. Era quase meia-noite. Ao lado de outras pessoas na semi-intensiva, adormeci. Nos dias seguintes, eu fui monitorado pela equipe do hospital que me trazia sempre esperança em olhares compassivos, mas faltava o toque, e a ausência ocupa um espaço maior que a dor.

A doença evoluiu naquela semana um degrau, minha saturação baixou dos oitenta por cento, e precisei ir para a UTI, no andar superior. Os pulmões continuavam sendo afetados, os rins estavam parando, e Hernandez falava em iniciar diálise. A inflamação aumentava. Meus companheiros de semi-intensiva eram otimistas, todos tinham na voz castelhana mensagens positivas, e isso ajudava. As paredes brancas fui deixando para trás e ingressei numa zona mais cinzenta. Faltava ar, o fôlego estava curto, e, até mesmo para trocar de posição na cama, eu sentia minha respiração ofegante. Pelas minhas contas, já estava passando dos quatorze dias quando minha visão começou a turvar. Hernandez, ao lado da cama, avisava que amanhã Suzana e Isabel iriam me visitar. Minha voz estava fraca e, por um momento, pude observar minha canela mais magra, meus braços mais finos. Eu não queria que elas me vissem daquele jeito, precisava comer mais, pedi a Hernandez que me ajudasse a melhorar, que buscasse dentro da sua alma o melhor que ele tinha:

— Doutor, não quero que minha filha e minha mulher me vejam com esta perna magra. Por favor, vai ser tão ruim isto. Me ajuda, mestre, me ajuda a não morrer.

Suzana veio primeiro, no outro dia. Eu não tinha mais a Rened-47 no corpo, mas a batalha tinha sido tão extenuante que meus rins estavam parando de funcionar, meu fôlego quase não existia. Ela sentou-se ao meu lado, tentava falar de modo positivo, fazia planos, era uma mulher forte e decidida, e, naquele instante, eu fiquei, depois de muitos anos, orgulhoso de mim mesmo, porque eu deveria ser, de fato, uma boa pessoa, para gozar de tanto amor de uma mulher como Suzana.

— Qual foi teu sonho aquele dia?

Busquei fôlego, eu conseguia falar, com pausas, com pouco ar.

— Suzana, foi algo muito vivo. Você sabe que eu tenho essas coisas de vez em quando, mas aquela foi muito forte... eu estava numa festa com pessoas muito arrumadas, era um coquetel, esses eventos que eu frequentava há alguns anos. Só um instante. — Puxei a respiração, o cateter com o oxigênio auxiliava, mas parecia não ser suficiente. — Todos me olhavam, conversavam comigo, era um lugar sofisticado, muita gente, aqueles ambientes grã-finos. Eu tinha um voo marcado e passava pelas pessoas, pelas rodinhas, era como se algo estivesse na minha cara e eu não visse. Quando eu cheguei no aeroporto, você sabe, essa coisa de sonho é sempre algo muito louco, e o ambiente logo passou a ser um aeroporto.

— Sim, o que houve quando você chegou lá?

— Havia duas mulheres me esperando no banheiro. Eram bonitas, me convidavam para entrar numa daquelas baias, mas eu tinha que pegar o voo. Elas estavam transando dentro de uma banheira. Eu as recusei. Aí eu fui para a frente do espelho, na pia, e este é ponto mais impressionante. Eu me pus em frente ao espelho, como se fosse me arrumar, para dar uma última ajeitada no cabelo antes de entrar no avião, essas coisas... e deparei com a minha imagem refletida com uma máscara, mas não era esta máscara que a gente está usando na epidemia, era uma máscara de borracha, como aquelas perfeitas que se amoldam ao rosto, que se usam nos filmes, mas não tinha o formato do meu rosto, era uma máscara com o formato daquelas máscaras de metal, usadas para castigar escravos.

— Que coisa horrível. E aí?

Ela prestava atenção, mas tinha uma segurança escondida no semblante que me dava confiança, parecia portar uma solução. Prossegui.

— Eu retirei aquele negócio do rosto, e, como quem tira aquelas máscaras emborrachadas, vinham os pedaços, igual quando se tira uma cera de depilação e, na parte interna da máscara, no seu avesso, ficaram grudadas impurezas, como se fossem vermes que tinham saído da minha testa. Eu pensava: eu estava andando por todos os lados, naquela festa de gente arrumada, aquelas mulheres, ninguém me falou nada que eu andava com esse troço na cara e, quando eu retiro o último pedaço, o meu rosto aparece jovem, resplandecente, com um esplendor, uma luz atrás, sorrindo, feliz, como se eu tivesse remoçado, eu, eu estava lindo, Suzana, e, de baixo do meu pescoço, perto da jugular, eu retiro um prego, um parafuso, eu acho, grosso, e uma sensação de alívio vem; eu começo a ouvir melhor, do mesmo jeito que acontece quando sai a água do ouvido, eu estava melhor.

— Credo.

— E era tudo muito real.

— Alex, nós vamos vencer essa porra dessa doença. Deixa eu te falar uma coisa. Se você for entubado, coisa que pode acontecer, eu quero que você assine este documento. — Ela retira da bolsa um termo. — A Isabel está trabalhando em algo novo, você sabe, ela sugeriu que tentássemos, em último caso.

— Eu estou para morrer, né?

— Nós vamos sair dessa, eu te falei.

— Que procedimento é esse?

— Assina, confia, nós só vamos utilizar em último caso, é uma tecnologia nova, experimental, se você não tiver mais chances. Eu já conversei com a direção do hospital.

Pego a caneta, leio por alto, e, na linha do que ela estava falando, a legislação celeste permitia. Eu adormeço, tinha feito muita força, estava sem voz e ar bem na hora em que ela sai, não chego a ver Isabel entrar, somente sinto seu toque quente na minha mão esquerda e na minha testa.

Depois desse dia eu não conseguia divisar mais nada com nitidez. A noção toda do tempo foi perdida. Minha única lembrança, doída, é de quando Hernandez falou que eu seria entubado.

Mas teve uma noite, uma noite especial. Eu não sei se era um sonho, eu não sei o qual nível de realidade, mas eu estava lá, eu sentia tudo. Muitas luzes no quarto, era um entra e sai de gente de jaleco, pessoas estranhas, gente de outros países, japoneses, indianos, americanos, e a Isabel comandando a todos, montes de fios, alguns deles em cima de mim, no meu crânio. Eu não sei por onde eu enxergava, mas eu conseguia ver. Era real. Era real como o sonho da máscara. Uma luminosidade intensa e um megacomputador nas minhas costas. Dele saíam os fios. Eu estava no centro da sala, a UTI tinha se transformado num ambiente holográfico, era o que parecia. Isabel ia e vinha de um lado para o outro, com um *slimbook* na mão, falava em inglês, em castelhano com os outros, checava dados, eu tinha um sentimento de curiosidade e ao mesmo tempo de ciúme, pois minha filha não estava me vendo ali, sofrendo como um cão a morrer atropelado. Depois de um tempo, que eu não sei dizer e até hoje não diviso, ela vem até mim, passa a mão na minha testa, me dá um beijo: "Nós vamos te salvar". Ela conecta eletrodos no meu crânio, são muitos, uma infinidade; e, como se fossem pequenas agulhas de acupuntura, pinicam meu couro cabeludo. Ela conecta os fios também na minha cervical. Eu estou no centro de uma maca e começo a adormecer. Suzana entra na sala, vestida como eu nunca tinha visto antes, de gala, maravilhosa, cintilante; estamos nos campos verdes, sobre montanhas pequenas, redondas, com oliveiras, ela se vira de costas, está indo embora, eu grito:

— Os cavalos, Suzana, os cavalos, onde eles estão? Eles nos tiraram os cavalos.

EPÍLOGO

Montanaro continuou por alguns meses depois da eleição a insuflar protestos em todo o país. Os mortos com a epidemia em Lisarb superaram um milhão de pessoas. Com o conflito entre a ultradireita e os democratas, de norte a sul, centenas perderam a vida, mas, com o avançar da doença do presidente, ficou mais clara a sua decrepitude e ele não se sustentou. Hoje ele responde duplamente por crimes comuns perante o Poder Judiciário lisarbense e por crime contra a humanidade no Tribunal Internacional. Há uma expectativa de prisão perpétua do ser que levou Lisarb ao pior momento de sua história. Os próceres de seu movimento o abandonaram, mas ainda há resistência por parte de fanáticos, especialmente por doentes.

Benigna adquiriu a forma animalesca da doença. Uma nova variante do vírus fez brotar um diamante no lugar da cabeça, realizando um sonho antigo naquele corpo reptiliano.

Lucas tomou posse com o apoio de quase todos os demais candidatos, inclusive Cairo Góes. Há um compromisso em andamento que está sendo votado no Parlamento, uma Proposta de Emenda Constitucional que veda a reeleição e que aumenta o mandato presidencial para cinco anos. Lucas faz um governo de união nacional e poderá se transformar no maior nome da história de Lisarb. Logo que tomou posse, retomou os compromissos internacionais de preservação da Região dos Grandes Rios e as transferências diretas de renda para a população foram aumentadas.

A fome, novamente, começa a ser vencida. Há uma esperança muito grande, as pessoas estão mais felizes, a epidemia está controlada, e Lisarb recomeça a resgatar sua credibilidade perante os demais países do mundo. Aos poucos, a economia dá sinais de reação, e os empregos a reaparecerem.

Após minha internação, lentamente, com ajustes e um esforço matemático enorme, os procedimentos tecnobiológicos aplicados por Isabel começaram a dar resultado. A inteligência artificial e o mapeamento das conexões cerebrais em curso na empresa de minha filha e seu grupo de pesquisa internacional me conectaram via meganet, por *upload*, em uma nova experiência. Eu ainda não recuperei todos os sentidos e acredito que isso não irá acontecer, mas posso pensar, ver, acredito que começo a sentir cheiros e já esboço sons. Nas primeiras semanas, comecei a enxergar Suzana e Isabel com nitidez através de uma tela. É algo estranho, bem estranho. Como um vírus, eu não sei exatamente se essa é uma forma de vida, mas por meio de mensagens, daqui de dentro, com o auxílio de Suzana, tive energia e memória suficientes para escrever este relato.